UNE BRÈVE HISTOIRE DU CANADA

H. V. Nelles

Une brève histoire du Canada

Traduit de l'anglais par

Lori Saint-Martin et Paul Gagné

En couverture : © Martin Côté
Conception graphique : Gianni Caccia
Mise en pages : Yolande Martel

Catalogage avant publication de Bibliothèque et Archives Canada

Nelles, H. V. (Henry Vivian), 1942-

Une brève histoire du Canada
Traduction de : A Little History of Canada.

ISBN 2-7621-2667-3

1. Canada – Histoire. I. Titre.

FC165.N4414 2005 971 C2005-941892-3

Dépôt légal : 4e trimestre 2005
Bibliothèque nationale du Québec

Aide financière du Conseil des Arts du Canada et du ministère du Patrimoine canadien par l'entremise du Programme d'aide au développement de l'industrie de l'édition.

Les Éditions Fides remercient de leur soutien financier le ministère du Patrimoine canadien, le Conseil des Arts du Canada et la Société de développement des entreprises culturelles du Québec (SODEC).

Les Éditions Fides bénéficient du Programme de crédit d'impôt pour l'édition de livres du Gouvernement du Québec, géré par la SODEC.

IMPRIMÉ AU CANADA EN OCTOBRE 2005

Pour Jen et Geoff

L'avènement du Canada

MATIÈRE VIVANTE, l'histoire oriente, délimite et hante parfois la vie des Canadiens. Les voyageurs, pour peu qu'ils aient le sens de l'observation, seront confrontés à elle dès leur arrivée au pays. À l'aéroport de Vancouver, ils remarqueront la magnifique sculpture haïda intitulée *Le canot de jade*, les panneaux rédigés dans les deux langues officielles, l'anglais et le français, les portraits de la Reine qui ornent le hall des arrivées et la salle des immigrants. À Toronto, ils atterriront en réalité à Mississauga, banlieue portant le nom d'une tribu autochtone, plus particulièrement à l'aéroport international Pearson, nommé en l'honneur d'un premier ministre et diplomate du milieu du XXe siècle. Tant bien que mal, à cause de la circulation, le taxi conduira peut-être ces visiteurs fatigués à l'hôtel Royal York. À Montréal, enfin, ils verront le visage de la reine Élisabeth sur les pièces de monnaie et les billets de banque ; à l'aéroport, son portrait est accroché à côté du drapeau unifolié ; un hôtel du centre-ville porte son nom. Les panneaux seront bilingues, du moins à l'aéroport ; dans la rue, cependant, on parlera français.

Le Canada contemporain est une mosaïque ahurissante. Toronto, la plus grande ville du pays, serait, dit-on, la plus cosmopolite de la planète ; ses rues, ses écoles et ses stations de métro accueillent les membres de plus de deux cents groupes ethniques. Cette stupéfiante diversité risque de désarçonner les visiteurs qui se font des Canadiens une image fondée sur celle des vaillants agents de la police montée. Il est certain que le Canada sert aujourd'hui de laboratoire à une expérience sociale d'envergure, mais je suis pour ma part d'avis que ce vent de changement n'est pas sans précédent. Telle est au contraire la nature même du Canada. Le thème récurrent de l'histoire du pays, en effet, c'est la transformation.

Les peuples autochtones de la côte ouest possèdent le symbole idéal de l'histoire du Canada, et je me permettrai d'en tirer une métaphore. Aux fins de leurs rites complexes, les tribus de la côte sculptaient dans le bois des masques évocateurs peints de couleurs vives. L'un d'eux porte le nom de « Masque de transformation ». Celui qui le porte a d'abord l'apparence d'un corbeau ou d'un aigle. Il lui suffit ensuite de tirer sur des ficelles cachées pour que le masque s'ouvre et révèle un soleil, une lune, un épaulard ou un visage humain. Certains masques particulièrement recherchés comportent ainsi trois niveaux, chacun représentant un motif différent.

Ce masque illustre l'interprétation de l'histoire du Canada que je propose dans ce petit ouvrage. L'histoire canadienne ne se résume pas au récit d'un peuple unique accédant au statut de nation selon le modèle européen. Il ne s'agit pas non plus du récit d'une société révolutionnaire qui, au terme d'âpres luttes, se donne une toute nouvelle identité nationale à partir d'anciennes structures, comme ce fut le cas aux États-Unis. En fait, l'histoire du Canada est d'abord et avant tout le récit de transformations sans fin. Par le passé, le Canada s'est métamorphosé de fond en comble à quelques reprises. Encore aujourd'hui, il évolue. Cependant, ces nouvelles transformations n'ont pas pour effet d'oblitérer le passé. Comme dans le Masque de transformation, le soleil garde quelque chose de l'aigle. Le passé persiste et s'assimile au présent. Le Canada est donc un composite, fruit de la plus récente d'une succession de transformations, mais il porte en lui les caractéristiques vivantes de ses diverses incarnations.

Voilà pourquoi j'articule cet essai d'interprétation autour d'une série de transitions. Dans « Terre de nos aïeux », je montre que l'arrivée des marchands et des colons français et britanniques a non seulement ajouté de nouvelles dimensions sociales aux collectivités autochtones des régions boréales de l'Amérique du Nord, mais aussi entraîné une transformation radicale de ces dernières. « Américains britanniques » illustre les multiples transformations que l'autorité impériale britannique contestée a fait subir au gigantesque territoire qu'occupe le Canada. Selon la version traditionnelle de l'histoire, la colonie accède d'un coup au rang de nation. Pas dans le cas du Canada, cependant. Dans « Entre colonialisme et indépendance », on verra que les différentes colonies n'ont été que mollement intégrées à une fédération nationale, que le pays a choisi une sorte d'état mitoyen, à mi-chemin entre le statut colonial et l'indépendance, et que les affaires économiques tout autant que les relations internationales du Canada sont longtemps demeurées tributaires de celles des États-Unis et de la Grande-Bretagne. Dans « Société distincte », je montre enfin que, au cours des soixante dernières années, un nouvel ordre social et politique volatil — trait unique d'un pays qu'on dirait en permanence au bord de la désintégration — est issu de la chrysalide du passé.

Une telle structure narrative présuppose qu'on repense à fond la chronologie habituelle du Canada. Comme points de départ et d'arrivée, je retiens non pas de grands événements historiques — la Conquête, la Confédération, les premiers ministres —, mais bien plutôt des moments d'équilibre relatif correspondant à la consolidation d'un ordre nouveau. Ainsi, « Terre de nos aïeux » porte sur la période qui va de l'ère glaciaire jusqu'à 1740 environ, soit l'apogée du Régime français. « Américains britanniques » va de 1740 jusqu'aux années 1840, période coïncidant avec l'émergence d'une Amérique du Nord britannique distincte en tant qu'entité politique durable située au nord des États-Unis. Dans « Entre colonialisme et indépendance », qui s'étend des années 1840 à 1939, on passe d'un assemblage hétéroclite de sociétés coloniales britanniques à un dominion transcontinental quasi autonome. Dans « Société distincte », qui fait l'histoire du Canada de 1940 à aujourd'hui, je relate la transformation d'une société essentiellement composée de Blancs et fortement marquée par son patrimoine britannique en une société bilingue, organisée et ouverte.

Le Canada émerge et se transforme ; il est en constant devenir. Il a toujours été ouvert sur le monde, favorable à la libre circulation des personnes, des biens, des technologies et des idées. Il a prospéré, il a grandi et il a changé au contact d'influences extérieures. En même temps, il a appris à faire valoir sa volonté collective, à choisir, à s'affirmer, à définir ses orientations et à s'imposer à sa façon sur la scène internationale. S'ils ont parfois du mal à préciser ce que veut dire le fait d'être canadien, les habitants du pays (y compris une majorité de Québécois) ont de multiples raisons d'être fiers d'en faire partie et projettent leur identité collective sur le monde. En même temps, d'éventuels touristes japonais et européens auront beau voir ici quantité de choses qui leur rappellent Los Angeles, Chicago, Londres ou Paris, ils se rendront tout de suite compte qu'ils ne sont ni aux États-Unis, ni en Grande-Bretagne, ni en France. Le Canada forme une entité propre ; il n'est l'ombre d'aucun autre pays. Il participe d'une histoire unique, mais pas isolée.

On peut voir dans le Canada le triomphe de la politique. On a évité des confrontations importantes, amenuisé des différences inconciliables, déjoué l'absolutisme et différé le recours aux solutions définitives. Des étudiants affirment souvent que l'histoire du Canada manque d'intérêt, faute de guerres civiles sanglantes, d'idées universelles défendues à la vie, à la mort, de bandits, de personnages flamboyants ou de leaders charismatiques. Je soutiens pour ma part que le Canada n'est pas entièrement dépourvu de ces douteux attributs, mais je souscris à l'idée répandue selon laquelle il constitue plutôt un exemple d'ajustement, d'adaptation et de négociations continues. On ne devrait pas pour autant voir en lui une sorte de Royaume de la paix. Le Canada a connu sa part de conflits violents, d'épisodes de sectarisme, de mouvements de répression, d'injustices et de dépossessions. Si, pour l'essentiel, il a su éviter les guerres civiles ouvertes, il n'en est pas moins miné par des conflits profondément enfouis, persistants et irrésolus. On ne doit pas minimiser les risques de dérapage tragique.

À leur arrivée dans une grande ville canadienne — où vivent quatre-vingts pour cent des habitants du pays —, les voyageurs trouveront un Canada neuf et pourtant en relation constante avec son passé. En toutes saisons, les Canadiens eux-mêmes se butent à leur passé, dans des endroits parfois improbables. L'histoire, c'est moins la fin du récit qu'une offrande et un fardeau à transporter dans l'avenir. Le passé se transforme à mesure que les Canadiens redéfinissent leur identité. Dans les pages qui suivent, je tente de rendre compte des éléments essentiels de ce récit afin que les visiteurs et les citoyens — lorsqu'ils marchent dans la rue, lisent les journaux, regardent la télévision et écoutent la voix de Canadiens — comprennent le dialogue constant entre le passé et le présent au moyen duquel les Canadiens se refaçonnent sans cesse.

Il s'agit d'une interprétation personnelle et non d'un manuel. Je n'ai pas visé l'exhaustivité. Tout au long de l'entreprise, j'ai eu pour but de donner au lecteur une idée générale des principaux thèmes de l'histoire du Canada. Je destine *Une brève histoire du Canada* à plusieurs publics. Je songe premièrement aux Canadiens en quête d'une courte introduction à l'histoire de leur pays et, deuxièmement, aux centaines de milliers de personnes qui, chaque année, visitent le Canada pour affaires ou pour le plaisir et qui, souhaitant lire un survol de l'histoire de ceux qu'elles sont appelées à rencontrer, ne disposent que de six ou huit heures en avion. En troisième lieu, je destine cet ouvrage aux hommes et aux femmes venus d'ailleurs qui ont décidé de s'établir ici. Chaque année, ils sont plus de deux cent mille à choisir le Canada. « Qui suis-je en train de devenir ? » se demandent-ils peut-être. C'est en pensant à ces différents lecteurs que j'ai conçu *Une brève histoire du Canada.*

Le mot « Canada » revêt diverses significations, selon le moment et le contexte. Au début, le Canada n'existait pas. Ce sont les Autochtones qui ont d'abord utilisé le mot pour désigner leur village. Les premiers marchands français s'en servaient pour parler de la région du Saint-Laurent. Le mot a pris un sens juridique lorsque la France l'a appliqué à ses possessions nord-américaines, lesquelles, à une certaine époque, englobaient la moitié du continent. Par la suite, il a désigné une colonie et, plus tard, deux colonies situées le long du fleuve Saint-Laurent et des Grands Lacs. Après, on l'a appliqué officieusement à l'ensemble des possessions de l'Amérique du Nord britannique. Au moment de la Confédération de 1867, le Canada se composait de quatre anciennes colonies : le Canada-Est, le Canada-Ouest, la Nouvelle-Écosse et le Nouveau-Brunswick. Avec le temps, la compétence du gouvernement du Canada s'est étendue de l'Atlantique au Pacifique en passant par l'Arctique, absorbant les domaines britanniques, y compris les territoires revendiqués par la Couronne britannique dans le Nord. « Canada » est un mot caméléon, en ce sens qu'il désigne à la fois un endroit sur une carte, un pays et un peuple en mutation constante. À propos de l'utilisation des mots, je n'ai pas été aussi arbitraire que Heumpty-Deumpty avec Alice : « Lorsque *moi* j'emploie un mot [...], il signifie exactement ce qu'il me plaît qu'il signifie... Ni plus, ni moins. » J'espère que le contexte fera ressortir le sens précis.

J'ai un jour fait un voyage en train en Thaïlande. Apprenant que j'étais canadien, l'homme du cru qui partageait mon repas a insisté pour que je réponde à une question qui le chicotait depuis longtemps : pourquoi les policiers canadiens portent-ils de drôles de chapeaux ? Hélas, je n'ai pas su lui répondre. Depuis, j'ai corrigé cette lacune — avec vingt-cinq ans de retard. La question de cet homme et celles que soulèvent les étudiants et les universitaires de l'extérieur du Canada me rappellent que les visiteurs voient les choses sous un angle différent ; ils ne comprennent pas le langage parfois « confidentiel » que nous utilisons à l'intérieur sans nous en rendre compte. Dans la mesure du possible, j'ai préféré une langue aux résonances universelles à l'usage courant dans le discours historique canadien.

Il y a de nombreuses années, j'ai donné des cours d'histoire du Canada au Japon. Mes étudiants se plaignaient de la surabondance de noms propres. Ils auraient pu ajouter que la similitude des patronymes ajoutait à la confusion : comment, en effet, démêler tous ces Macdonald, Mackenzie et Cartier ? J'ai donc tenté de réduire le nombre de noms au minimum.

J'ai une conscience aiguë de tout ce que j'ai omis ; dans les pages qui vont suivre, de nombreux aspects essentiels demeurent intouchés. De la même façon, je sais que mes généralisations à l'emporte-pièce et mes affirmations d'une simplicité trompeuse font violence aux subtilités d'une historiographie élaborée au fil des générations. Je souhaite que des lecteurs à l'esprit curieux comblent ces lacunes et s'intéressent aux nuances et aux détails que, pour reprendre la métaphore usuelle, j'ai balayés sous le tapis. Une introduction a pour but de présenter un sujet et non de l'épuiser. Voici donc un avant-goût de l'histoire du Canada qui, je l'espère, saura vous mettre en appétit.

Terre de nos aïeux

LE CANADA EST UN PAYS NEUF, y compris du point de vue anthropologique. Il y a quelque cent soixante mille ans, des êtres humains sont apparus sur le continent africain. Par comparaison, les vestiges archéologiques les plus anciens de la présence humaine en Amérique du Nord ne datent que de quatorze mille ans. Cette implantation tardive s'explique en partie par le temps qu'ont mis des peuples issus de l'Afrique à traverser l'Eurasie et la Sibérie pour venir jusqu'ici. Au cours des époques les plus reculées de l'histoire, le Canada gisait presque en permanence sous une gigantesque calotte glaciaire. Celle-ci s'est avancée vers le sud et a retraité vers le nord à au moins quatre reprises avant que ne s'amorce le recul lent et définitif ayant coïncidé avec l'entrée en scène des premiers humains. La fonte des glaces marque le début de l'histoire du Canada.

Des glaciers ont donc empêché les humains d'occuper les Amériques et les ont confinés au territoire de l'Alaska d'aujourd'hui, jusqu'à ce qu'un couloir s'ouvre entre des montagnes de glace situées dans l'axe nord-sud, le long des Rocheuses. À cause des énormes quantités d'eau emprisonnée dans la glace, le niveau des océans était beaucoup plus bas qu'aujourd'hui, et un lien terrestre — de nos jours recouvert par le détroit de Behring — unissait l'Alaska et la Sibérie. Des immigrants venus d'Asie ont donc traversé ce pont continental et, par un étroit passage dans la glace, ont gagné le Sud. Là, profitant de l'environnement relativement propice, ils se sont multipliés et ont vite essaimé vers les vastes territoires de l'Amérique du Nord, de l'Amérique centrale et de l'Amérique du Sud. Il est possible que les Amériques aient été au préalable peuplées par des migrants arrivés par voie maritime, mais la vague décisive, celle qui a submergé d'éventuels habitants isolés, remonte à environ douze mille cinq cents ans.

Le réchauffement du climat et le déplacement des glaciers vers le nord firent subir à l'environnement du territoire aujourd'hui connu sous le nom de Canada une transformation radicale. Dans un premier temps, la toundra, les arbustes et les lacs glaciaires firent place à des forêts de peupliers, de bouleaux et d'épinettes. Puis les herbes, les pins et les chênes avancèrent peu à peu vers le nord. Aux lendemains de la fonte de la calotte glaciaire, il y a environ cinq mille ans, le climat, le niveau de l'eau et l'écologie du Canada ressemblaient déjà en gros à ce qu'ils sont aujourd'hui.

Les premiers humains durent donc s'adapter à un environnement en pleine évolution ; leur présence entraîna à son tour des changements d'envergure. À la faveur du recul des glaces, les populations de chasseurs cueilleurs remontèrent vers le nord, où le climat et la végétation étaient en constante mutation. Tant l'apparition de chasseurs armés de lances à la pointe en pierre cannelée que les transformations de l'environnement provoquèrent l'extinction relativement rapide de la mégafaune, soit les mastodontes, les bisons géants et les mammouths de dix tonnes. Obligés de s'adapter, les humains se mirent à rechercher d'autres proies — tapirs, jaguars, ours à lunettes, lamas, pécaris (autant d'espèces qui trouvèrent refuge au Sud), mais aussi caribous, wapitis, orignaux et bisons venus d'Asie à peu près au même moment que les humains. À certains égards, ce sont donc les premiers habitants du Canada qui ont subi les transformations les plus radicales de l'histoire du pays, effectuant la transition entre la toundra glacée et un environnement tempéré fait de montagnes, de forêts ou de plaines.

Sur les vastes territoires des Amériques, à la faveur de régimes géographiques, écologiques et climatiques diversifiés, de nombreuses cultures autochtones virent le jour et firent corps avec leur environnement particulier. Cependant, ces cultures n'évoluèrent pas en vase clos. La croissance démographique, la migration, la guerre et le commerce les rapprochèrent. C'est grâce aux contacts entre elles qu'outils et pratiques transcendèrent les frontières géographiques et culturelles. Par exemple, les arcs et les flèches firent leur apparition chez les peuples du Nord il y a quelque mille huit cents ans. En raison de leur supériorité pour la chasse au gibier de petite ou de moyenne taille, ces armes furent adoptées par la grande majorité des Autochtones du continent. De la même façon, la poterie, issue de l'Amérique centrale et de l'Amérique du Sud, s'imposa peu à peu dans le Nord. Des tribus voisines s'approprièrent les techniques de fabrication de cordes, de paniers et de filets et, au gré des circonstances, les transmirent dans le cadre d'échanges culturels.

Il y a environ mille cinq cents ans, l'agriculture fondée sur le maïs, pratique empruntée aux habitants du Sud et de l'Ouest, s'implanta dans la région des Grands Lacs ; quelque cinq cents ans plus tard, le haricot, le tabac, le tournesol et la courge faisaient partie des espèces cultivées. Grâce aux réseaux commerciaux, des articles propres à certaines régions — de l'argent pour l'ornementation, des éclats de pierre pour les pointes de lance, de l'obsidienne et du cuivre pour les lames, de l'ambre et des coquillages pour les bijoux — parcouraient des distances ahurissantes. Bref, les Autochtones n'ont jamais cessé de s'adapter, de se déplacer et d'acquérir des usages et des outils nouveaux. Avant l'arrivée des Européens, les Autochtones du Canada ne formaient donc pas des sociétés intemporelles et immuables en quelque sorte antérieures à l'histoire. Au contraire, la transformation et l'adaptation aux défis nouveaux faisaient partie de leur existence tout autant qu'elles font partie de la nôtre.

Il y a environ mille ans, soit au moment de la prise de contact des Européens avec l'Amérique du Nord, le Canada comptait six grands regroupements culturels et régionaux de peuples autochtones, douze familles linguistiques et plus d'une cinquantaine de langues distinctes. Régions de taille comparable, le Canada et l'Europe de l'Ouest avaient donc en commun cette diversité culturelle et linguistique. Elles se distinguaient toutefois par la complexité de leur organisation sociale, leurs capacités technologiques et la taille de leurs populations respectives. À la différence de l'Europe, le Canada n'avait ni villes, ni institutions suprarégionales, ni fer. Sa population était relativement limitée : à une époque où l'Europe comptait quelque cinquante millions d'habitants, moins de un million de personnes — les estimations oscillent entre cinq cents mille et deux millions — vivaient au Canada. Même s'il sembla désert à ses premiers visiteurs venus d'Europe, le Canada, étant donné les modes de subsistance alors en vigueur, était peuplé à capacité ou presque ; comme moyen de soutenir une population, la chasse requiert en effet un immense territoire.

~

Sur l'étroite bande de terre qui sépare la mer des montagnes, le long des bras de mer pareils à des fjords qui échancrent le littoral brumeux du Pacifique, des Autochtones construisirent une civilisation riche, hiérarchisée et populeuse fondée sur l'exploitation du saumon et de la vie marine de même que sur la cueillette dans la forêt pluviale verdoyante. Environ le tiers des Autochtones du Canada vivaient dans cette région, où se retrouvaient les collectivités les plus densément peuplées au nord du Mexique. Répartis en treize tribus parlant six langues principales, la plupart des groupes culturels de la côte étaient dominés par les hommes, mais l'appartenance au clan était transmise par la mère. C'est dans les tribus du Nord qu'on retrouvait les classes héréditaires les plus tranchées — chefs, nobles et roturiers dotés d'un statut social, d'une part, et esclaves sans statut, d'autre part —, tandis que les tribus du Sud avaient tendance à être plus égalitaires. Vivant dans des villages semi-permanents marqués par des totems propres à leur clan, les tribus côtières ne s'en unissaient pas moins pour exploiter les forêts, les fleuves et les mers, échanger leurs biens essentiels et temporels, ou encore accomplir leurs rites spirituels. Les cèdres à fil droit, faciles à débiter et à équarrir, fournissaient des poteaux et des planches pour la construction d'habitations ainsi que des fibres pour les vêtements ; les collectivités en tiraient des canots de guerre servant à la chasse et au transport de même que leurs mâts totémiques, leurs coffrets et leurs masques distinctifs. En automne et au printemps, dans les frayères des rivières côtières, le saumon était extraordinairement abondant : il n'y avait qu'à le capturer à l'aide de filets, puis à le faire sécher ou fumer pour le consommer plus tard. Les peuples de la côte du Pacifique faisaient du troc entre eux, organisaient des expéditions communes de chasse à la baleine et se disputaient esclaves, territoires, honneurs et butins. Grâce à une nourriture abondante, ils réussirent à entretenir une structure sociale complexe, une riche vie matérielle de même qu'un merveilleux univers symbolique toujours présent dans l'art autochtone de la région.

Dans les vastes prairies de l'intérieur, mer d'herbes ondulantes en été, steppe rugissante et dénudée au plus fort de l'hiver, une collectivité sensiblement différente et moins populeuse vit le jour. Les tribus nomades des plaines vivaient pour l'essentiel du bison, d'où ils tiraient leur nourriture, leurs vêtements et les peaux utilisées pour la confection de leurs tipis portatifs. La peau coriace du cou de la bête leur servait de boucliers, les cornes de verres à boire, les nerfs de fils, les bouses séchées de combustible. Au printemps et en été, de petits groupes suivaient les bisons dans leur migration. Au moyen de « cercles d'influences » érigés à l'aide de pierres au sommet des collines, ces Autochtones communiquaient avec les dieux dans l'espoir d'obtenir le retour des gros troupeaux. Pour se constituer des réserves en prévision de l'hiver, quelques tribus se rassemblaient en des lieux précis à la fin de l'été et en automne. Convergeant à pied, les chasseurs obligeaient des troupeaux entiers à sauter du haut de falaises, appelées « précipices à bisons » ; ensuite, ils dépeçaient les bêtes blessées qui agonisaient sur les rochers en contrebas. Selon des données archéologiques, le plus célèbre de ces endroits, le précipice à bisons Head Smashed-In (qu'on pourrait traduire par « Tête fracassée ») du sud de l'Alberta, accueillit chaque année, pendant plus de cinq mille ans, un grand nombre d'Autochtones. Ailleurs, on attirait des bisons dans des enceintes ou des corrals où on n'avait plus qu'à les tuer. La langue des mâles et le fœtus des femelles étaient des mets particulièrement prisés. Il arrivait aussi que les chasseurs embrasent les prairies pour favoriser le regain de succulentes pousses vertes, lesquelles attiraient les bisons vers les aires de chasse. Ce type de chasse ne pouvait soutenir qu'une population relativement limitée, disséminée sur un gigantesque territoire, à raison peut-être d'un habitant au vingt-six kilomètres carrés.

Dans les régions forestières s'étirant sur des milliers de kilomètres qui, à partir de la cordillère de l'Ouest, décrivent un immense arc de cercle au-dessus des Prairies, traversent la région des Grands Lacs et vont jusqu'à l'Atlantique, des cultures distinctes de cueilleurs, chasseurs et pêcheurs prirent naissance. Dans les forêts profondes, le long d'innombrables lacs et rivières, des Autochtones chassaient le chevreuil, l'orignal et le wapiti, piégeaient le petit gibier, pêchaient au filet ou au harpon le grand corégone, l'esturgeon et la truite, cueillaient des noix, des graines, des baies et des plantes comestibles. Habituellement, les tribus se réunissaient au printemps, en été et en automne pour célébrer de grandes fêtes. Elles pêchaient, récoltaient et faisaient du troc avant de se disperser en unités familiales plus petites en prévision de l'hiver. À l'aide d'écorce de bouleau à papier, d'arbres jeunes pour la charpente et de résine de pin pour l'étanchéité, les Autochtones fabriquaient les canots légers à bord desquels ils sillonnaient les rivières souvent tumultueuses et les innombrables lacs. Là encore, les ressources et la technologie de l'époque ne pouvaient faire vivre qu'une population réduite, peut-être deux cent mille ou trois cent mille personnes disséminées sur un territoire de la taille d'un continent.

Sur les sols sablonneux et plus faciles à labourer des deux rives du lac Ontario, en revanche, des sociétés agricoles plus stables et plus populeuses virent le jour. Il y a mille cinq cents ans environ, les premiers chasseurs cueilleurs entreprirent de cultiver le maïs dans des clairières ou des brûlis. Le haricot, la courge, le tournesol et le tabac suivirent. Au fil des ans, ces sociétés iroquoïennes, de plus en plus dépendantes de l'agriculture, avaient recours à la chasse, à la cueillette et aux échanges commerciaux avec d'autres tribus forestières pour compléter leur diète. Il y a quelque mille ans, des villages entourés d'une palissade comptant parfois deux cent cinquante habitants firent leur apparition dans la région des Grands Lacs inférieurs. Là, les Autochtones vivaient en communauté dans des habitations appelées « longues maisons », faites de multiples couches d'écorce d'orme fixées à une armature de poteaux. Avec le temps, la terre s'appauvrissait, les récoltes diminuaient et le bois de chauffage se faisait rare. On partait alors s'établir ailleurs. Dans la région, la guerre, moyen d'agrandir son territoire, de piller de la nourriture ou de capturer des prisonniers destinés aux tortures rituelles, était endémique. On s'y livrait aussi pour le simple sport. L'avènement de nouvelles récoltes entraîna une augmentation de la taille des villages, dont certains comptaient jusqu'à douze longues maisons abritant peut-être six cents personnes en tout ; plus tard, ils allaient croître encore davantage. À son apogée, avant l'arrivée des Européens, l'enclave iroquoïenne dans les forêts du Canada central comptait quelque soixante mille habitants. À ce titre, elle venait au deuxième rang des régions les plus densément peuplées du territoire.

Par contraste, les habitants des forêts du golfe du Saint-Laurent ainsi que des baies et des rivières de l'Atlantique dépendaient principalement de la mer. Outre le gibier et les plantes sauvages que leur procurait la terre, les peuples du Nord-Est récoltaient des coquillages, des saumons en migration, des phoques, des oiseaux de mer et leurs œufs, des morses et des petites baleines. La côte est n'était pas aussi prodigue que la côte ouest; le climat plus rigoureux et les rivages rocheux à découvert décourageaient l'implantation. Les groupes tribaux étaient donc moins importants. Dans le sud-est du Nouveau-Brunswick, de petits villages faits d'habitations creusées servaient d'abri en cas d'intempéries extrêmes. Les Autochtones de la Nouvelle-Écosse et de l'Île-du-Prince-Édouard, même s'ils avaient une langue et des outils similaires, étaient pour leur part nomades. Établis dans des refuges temporaires faits d'écorce d'arbre et de peaux, le long d'anses et de cours d'eau abrités, ils confectionnaient des embarcations légères destinées à la navigation sur les rivières et les baies côtières.

Ainsi, avant l'arrivée des Européens, le Canada était en mutation incessante : les Autochtones, en effet, migraient continuellement à la recherche de nourriture, suivaient le gibier, exploitaient les faiblesses de leurs voisins, occupaient des territoires ennemis et assimilaient les populations ou succombaient eux-mêmes à des attaques. Par exemple, les Athapascans sont descendus vers le plateau central de la Colombie-Britannique il y a quelque mille trois cents ans ; environ sept cents ans plus tard, les Iroquoïens ont essaimé dans la vallée du Saint-Laurent. Les Autochones étaient perpétuellement en mouvement, migrant tantôt par petites étapes, tantôt sur de longues distances. À la faveur de ce brassage perpétuel, de la pénétration des technologies et des pratiques culturelles, certains groupes ont disparu, tandis que d'autres ont vu le jour. Confrontés aux défis de la survie dans un climat rigoureux et à la concurrence dont le territoire faisait l'objet, les Autochtones se sont sans cesse adaptés et métamorphosés.

Le phénomène ne s'observe nulle part mieux que dans l'Arctique. Profitant du recul des glaciers, les Esquimaux arrivés vers la fin des premiers mouvements de population en provenance de la Sibérie s'installèrent dans les régions du Grand Nord. Le climat se réchauffa et se refroidit tour à tour, chaque cycle se caractérisant par une nourriture plus ou moins abondante. Quelques cultures dominantes, définies par leurs pointes de lance ou leurs outils, se succédèrent : l'Archaïque du Bouclier, les Paléo-Esquimaux et la culture de Dorset. Dans certaines régions de l'Arctique, ces populations tiraient leur subsistance du caribou et du bœuf musqué ; dans d'autres, les poissons et les mammifères marins constituaient l'ordinaire. Les premiers habitants de l'Arctique vivaient dans des tentes et chassaient en mer à bord de kayaks en peau de phoque. D'autres ne chassaient que sur la terre ferme, à l'aide d'arcs et de flèches. Du point de vue culturel, les Béothuks de Terre-Neuve étaient plus proches des populations de l'Arctique, du Labrador et du nord du Québec que des tribus de la côte de l'Atlantique.

Vers l'an mille, le peuple de Thulé, qui allait plus tard être connu sous le nom d'Inuit, entreprit sa migration vers l'est au départ de l'Alaska. En se répandant dans l'Arctique, ses représentants adoptèrent les techniques locales et devinrent d'habiles baleiniers rompus au maniement du harpon et du kayak. Ils se déplaçaient sur la glace en traîneau à chiens et, à l'aide de bois, construisaient des villages permanents semi-souterrains. À la faveur du réchauffement du climat consécutif à l'an mille après J.-C., les représentants de Thulé, apparemment meilleurs chasseurs que ceux de Dorset, refoulèrent ces derniers ou les assimilèrent au cours de leur implacable progression vers l'est : les premiers mirent six cents ans à déloger les seconds de l'Arctique.

À peu près à l'époque où le peuple de Thulé entreprenait sa migration vers l'est, le long de la côte est du Labrador, sur la côte nord de Terre-Neuve ou peut-être sur les rives du golfe du Saint-Laurent, un événement marquant de l'histoire du monde se produisit. Après des milliers d'années d'évolution et de pérégrinations, les souches orientale et occidentale de l'humanité se rejoignirent, et la boucle de la migration fut bouclée de l'est vers l'ouest.

On s'étonnera peut-être de constater le rôle de premier plan joué par des scélérats dans des événements d'une telle importance. Erik Eriksson, dit « le Rouge », meurtrier deux fois condamné à l'exil, présida à la colonisation d'un glacier continental qu'il eut le culot de baptiser du nom de « pays vert » (Groenland). Plus tard, marchant sur les traces de son père, le fils d'Erik, Leif Eriksson, dit « l'Heureux », s'aventura à l'ouest, attiré par les récits de marins qui, après avoir dévié de leur course, avaient aperçu la terre. Même pour des Vikings, ces hommes étaient redoutables. Escorté par des escadrons de macareux moines et par une flottille de grands pingouins, espèce d'oiseaux incapables de voler aujourd'hui éteinte, Leif découvrit de nouveaux territoires : au nord, une terre stérile, faite de pierres plates (Helluland) ; franc ouest par rapport aux colonies du Groenland, des plaines boisées qu'il jugea adéquates, mais insuffisantes pour ses fins (Markland) ;

au sud, une troisième région, qu'il appela Vineland, royaume verdoyant et densément boisé riche en saumons, en gibier et en arbres facilement exploitables, sans oublier les raisins sauvages dont raffolaient les Vikings. À l'occasion d'un de ses voyages le long des côtes de Vineland, entre 993 et l'an 1000, Leif Eriksson vit une colonne de fumée sortir d'entre les arbres, aux abords d'une rivière. Accompagné de membres de son équipage, il partit en mission de reconnaissance. Là, sur une rive anonyme, des représentants des souches européenne et américaine de l'humanité se rencontrèrent pour la toute première fois.

Nous ne savons ni à quel moment précis le contact eut lieu ni quel peuple les hommes venus du Nord rencontrèrent ainsi. À ce sujet, les sagas scandinaves, notre seule source d'informations, sont vagues et contradictoires. Nous savons en revanche que le contact n'a eu lieu qu'après que les habitants du Groenland eurent sillonné ces rivages en long et en large sans jamais apercevoir d'Autochtones. Il leur était arrivé de tomber sur tel ou tel vestige d'une activité humaine, mais pas sur ceux qui les avaient laissés derrière. Les Amérindiens ainsi approchés par Leif Eriksson étaient peut-être des Algonquins des régions boisées, ou encore des Montagnais ou des Mi'kmaq.

Éberlués, perplexes et effrayés, les représentants des deux souches de l'humanité s'épièrent les uns les autres et remarquèrent sans doute des similitudes et des différences. Avec le recul, nous en voyons davantage. D'emblée, ils comprirent qu'ils avaient affaire à des humains, et non à des dieux ni à des animaux. Les Autochtones avaient les cheveux noirs, tandis que les voyageurs venus du Nord avaient la barbe et les cheveux blonds ou roux. Cependant, ils avaient en gros la même taille, le même physique et la même espérance de vie

— même si, plus tard, les Vikings insistèrent lourdement sur la petitesse des Autochtones, à qui ils donnèrent le surnom méprisant de « *skraelings* ». Ils vivaient dans des lieux comparables : infestés de poux, les Vikings bâtissaient de longues huttes de terre semi-souterraines, recouvertes de gazon ; de la même façon, les Autochtones se logeaient près du sol dans des habitations faites de rochers et de bois. D'instinct, ils se mirent aussitôt à échanger des objets en s'examinant mutuellement.

D'importantes différences sautèrent cependant aux yeux des Autochtones. Les Vikings avaient des haches, des épées et des couteaux en fer ainsi que d'élégants navires au long cours faits de planches retenues par des rivets en fer. Ils étaient vêtus non pas de peaux ni de fourrures, mais de fibres tissées provenant de chèvres et de moutons. Habiles navigateurs, ils savaient comment se rendre en Amérique du Nord et, pour peu que le temps collabore, rentrer au Groenland. Au contraire des chasseurs cueilleurs autochtones, les Scandinaves étaient des agriculteurs qui avaient apporté avec eux des animaux et des techniques agricoles de même que, à leur insu, tout un régime biologique composé de graines, de microbes et de parasites. En fin de compte, les voyageurs étaient issus d'un royaume, la Norvège, et de collectivités organisées comptant des centaines d'âmes au Groenland et des milliers en Islande. Réunis en petits regroupements tribaux, les Autochtones étaient bien adaptés à leur environnement, qu'ils exploitaient à l'aide d'outils de pierre ; ils maintenaient entre eux des liens commerciaux ou se faisaient la guerre. Les Vikings parcouraient des milliers de kilomètres sur l'océan ; ils avaient conquis et occupaient une bonne partie de l'Angleterre, la France côtière, l'Irlande, l'Islande et le Groenland. Voilà qu'ils s'apprêtaient à étendre leur domination à l'Amérique du Nord continentale.

En dépit de leur air féroce et de leurs prouesses maritimes, les Vikings étaient pour l'essentiel des pasteurs. Ils entreprenaient leurs voyages épiques à la recherche de prés pour leurs vaches, leurs moutons et leurs chèvres, de fourrage pour passer l'hiver. En quête de pâturages, denrée rare sous les latitudes nordiques, ils s'établirent à l'Anse aux Meadows, à l'extrémité nord de Terre-Neuve, et peut-être aussi dans des sites qui restent à découvrir le long de la côte du Labrador. Le site de l'Anse aux Meadows se compose de trois groupes de maisons de pierre recouvertes de bandes de gazon montées sur une charpente en bois. Pendant une décennie ou plus, les membres d'expéditions venant du Groenland et de l'Islande passèrent l'hiver dans ce lieu, boisé à l'époque, avant ou après des voyages au Sud. Ils étaient également à la recherche de billots pour fabriquer ou radouber des bateaux et pour construire des maisons au Groenland et en Islande, où le bois était rare. Ils finirent par y exploiter une forge où ils faisaient fondre le fer des marais avant de le façonner en métal. À partir de là, Leif Eriksson et ses beaux-frères effectuèrent de nombreux voyages d'exploration dans le golfe du Saint-Laurent où, le long des côtes du Nouveau-Brunswick, le climat tempéré de l'été, le saumon abondant, les berges herbeuses des rivières, les fruits des noyers cendrés et les raisins sauvages tant convoités les incitaient à mettre pied à terre. À de rares endroits, ils aménagèrent des campements et des enclos pour leur bétail. C'est dans l'une de ces enclaves verdoyantes que naquit le premier enfant européen d'Amérique du Nord, à qui on donna le nom assez peu héroïque de Snorri.

Avec le temps, les différences culturelles entre les Autochtones et leurs visiteurs occasionnels venus d'Europe s'accentuèrent. Vers l'an 1000, cependant, les deux souches de l'humanité, au moment de leur rencontre sur un rivage anonyme de la région du golfe du Saint-Laurent, étaient en gros sur un pied d'égalité. Si, par hasard, la rencontre s'était produite sur la côte ouest, l'avantage des Européens aurait été encore moins marqué. Le premier contact établi par les Scandinaves vers l'an 1000 ne se solda toutefois pas par une entreprise de colonisation viable. Les établissements de Groenlandais, qui comptaient tout au plus six cents âmes, ne furent pas en mesure de soutenir bien longtemps des voyages d'exploration aux résultats incertains, auxquels étaient associés des centaines d'hommes et de femmes. Sans compter que ces établissements étaient eux-mêmes en proie à des difficultés. Dans le golfe du Saint-Laurent, les relations avec les Autochtones, en raison d'une série de malentendus tragiques et violents, se détériorèrent rapidement. Les Autochtones n'appréciaient guère la manie qu'avaient les Vikings de kidnapper certains d'entre eux pour les rapporter dans leur pays comme trophées. Les Scandinaves toléraient mal que les Autochtones s'approprient leurs armes sans vergogne. Les « vols » étaient punis. De malentendu en malentendu, la situation dégénéra ; il y eut de la violence et des morts. Les assassinats donnaient lieu à des représailles et à des raids punitifs de part et d'autre. Dans ce conflit, les Scandinaves, minoritaires, étaient désavantagés. Leurs épées en fer ne pouvaient rien contre des flèches à tête de pierre décochées avec précision. Ils finirent par quitter leurs campements les plus avancés. À terme, ils abandonnèrent aussi l'Anse aux Meadows.

Du reste, les colonies du Groenland, à l'origine de ces coups de sonde dans l'inconnu, avaient elles-mêmes entrepris une lente désintégration. Dans cet écosystème fragile, le pastoralisme entraîna une dégradation de l'environnement, tandis que la déforestation et le surpâturage causèrent une érosion irréparable des sols. Par suite de changements climatiques à long terme, les étés se refroidirent, les hivers se rallongèrent ; en haute mer, la formation de glaces de plus en plus abondantes freinait la navigation. Aux premiers jours de cette petite ère glaciaire, les Groenlandais perdirent périodiquement le contact avec l'Islande et, par son entremise, avec leur patrie scandinave. Pendant les quatre cents ans qui suivirent, ces collectivités moururent à petit feu. Elles semblent toutefois avoir fait des incursions occasionnelles sur la côte du Labrador, où elles s'approvisionnaient en bois, de même que dans l'île de Baffin et dans le nord du Groenland, où la chasse aux caribous et aux mammifères marins complétait une diète de plus en plus pauvre. Sous ces latitudes, les Groenlandais rencontraient des habitants de Dorset, avec qui ils entretenaient probablement des liens commerciaux. La présence d'objets scandinaves dans les sites archéologiques de Dorset s'explique par des échanges personnels, par le pillage d'épaves ou par des conquêtes. Quoi qu'il en soit, les rencontres sporadiques entre Scandinaves et Autochtones nord-américains anonymes se poursuivirent dans les régions nordiques pendant une période d'environ quatre cents ans suivant la rupture du contact établi dans le golfe du Saint-Laurent. Puis, au début du XVe siècle, les colonies groenlandaises disparurent, les établissements isolés de l'est et de l'ouest, aux populations réduites et au moral durement éprouvé, ayant peut-être succombé aux assauts d'Inuits de Thulé venus du Nord. Vers 1450, une dernière chèvre désespérée se roula en boule dans une ferme abandonnée, où elle mourut avant d'être ensevelie sous le sable de cette terre désormais inculte et ravagée. L'ère des Vikings avait pris fin.

Vers l'an 1000, les Scandinaves rallièrent donc le Canada et explorèrent son littoral avant de battre en retraite. À la manière des voyageurs aériens venus d'Europe en approchant le Canada par l'Atlantique nord, les Scandinaves traversèrent le Groenland et mirent pied à terre à Terre-Neuve et au Labrador. Cependant, ils n'avaient pas de ressources démographiques suffisantes pour soutenir ces explorations ni de diplomates chevronnés capables d'établir des relations pacifiques avec les Autochtones. Là où les conditions se prêtaient le mieux à l'agriculture pastorale, les Autochtones étaient aussi plus nombreux. Les Scandinaves ne disposaient ni d'effectifs ni d'armements qui leur auraient permis de chasser les Autochtones ou de soutenir une occupation en terrain hostile. En fait, c'est le contraire qui se produisit: ils furent refoulés par les Autochtones. Les Scandinaves cherchèrent à imposer le pastoralisme modéré sur des terres incapables de soutenir une telle activité. Leurs chèvres et leurs moutons entraînèrent la désertification de l'environnement nordique. Le refroidissement du climat et l'apparition de glaces de plus en plus abondantes affaiblirent avant de la réduire à néant la longue chaîne d'approvisionnement qui allait de la Norvège au Canada en passant par l'Islande et le Groenland. Cependant, la tradition orale perpétua ces aventures, couchées par écrit dans les sagas. Ces dernières, dès lors inscrites dans le patrimoine européen, nourrirent les rêves de terres d'abondance au-delà de la mer.

Au moment même où, au XVe siècle, les collectivités scandinaves du Groenland s'éteignaient en silence, la quête de protéines pour la table et de combustible d'éclairage pour le foyer attira de nouveaux visiteurs européens — venus cette fois du Sud-Est — sur les rives de l'est du Canada. Des pêcheurs français, portugais, basques et plus tard anglais découvrirent en effet les Grands Bancs de Terre-Neuve et la pêche sur le littoral, où la morue était exceptionnellement abondante. À la fin du XVe siècle et au début du XVIe, ils vinrent de plus en plus nombreux capturer les poissons essentiels à la diète des Européens du Sud. Des baleiniers basques poursuivant leurs proies dans l'Atlantique furent ainsi attirés sur la côte du Labrador, où ils transformaient la graisse en huile destinée aux lampes sans fumée de leur terre d'origine. Des marins portugais à l'esprit satirique donnèrent son nom au Labrador (*Terra del Lavrador* ou terre de l'agriculteur), et des mots basques mâtinés d'expressions issues des langues autochtones servirent de langue de rapprochement. Brièvement, une colonie portugaise lutta pour sa survie sur un rivage du Cap-Breton. Au milieu du XVIe siècle, plus de quatre cents navires transportant des milliers d'hommes exploitaient ces eaux, plus que n'en contenaient les convois espagnols à destination du Mexique et des Antilles. Parmi les marchands aventuriers, des connaissances vernaculaires — vents, courants, rivages, hauts-fonds et secrets de navigation — s'accumulèrent peu à peu, puis elles se transmirent de bouche à oreille au sein de la confrérie. On les défendait jalousement contre la curiosité des concurrents ou on les vendait à des navigateurs professionnels.

Les baleiniers et les pêcheurs ne s'intéressaient à la terre qu'incidemment. Ils franchissaient de grandes distances et affrontaient mille dangers pour exploiter les largesses de la mer. Aux yeux des habitants de la péninsule ibérique, les rives froides, humides, rocheuses et lourdement boisées de conifères n'avaient rien de particulièrement attrayant. Chaque année, ils gagnaient leurs fonds de pêche ou leurs postes de baleiniers et ne mettaient pied à terre que pour s'approvisionner en eau douce et en bois de feu, radouber leurs navires ou se mettre à l'abri en cas de tempête. Habituellement, les pêcheurs salaient leurs captures à bord, mais il leur arrivait aussi de les faire sécher sur des claies aménagées sur le rivage avant de les rapporter à leur port d'attache européen. Quant aux baleiniers, ils trouvaient sans mal le carburant dont ils avaient besoin pour transformer la graisse de baleine en huile. Pour s'acquitter de leurs tâches saisonnières, ni les uns ni les autres n'avaient besoin de structures terrestres complexes ni même permanentes. À la faveur de ces activités, il leur arriva d'entrer en contact avec des Autochtones, lesquels en vinrent à attendre avec impatience l'arrivée saisonnière des Européens. De telles rencontres engendrèrent une activité commerciale peu structurée mais de plus en plus importante sur les côtes du Labrador, du Cap-Breton et du golfe du Saint-Laurent. Les Européens prisaient les fourrures ; les Autochtones convoitaient les armes en métal, les ustensiles, les textiles et l'alcool. Les nouveaux arrivants disputaient en outre aux Autochtones leurs territoires de pêche. Les relations n'étaient pas toujours harmonieuses. Sans se gêner, les Européens enlevaient des Autochtones à seule fin de les rapporter comme trophées. Les Autochtones harcelaient les Européens et détruisaient leurs campements de fortune. Tout au long du XVIe siècle, les Autochtones du Canada atlantique furent en contact régulier avec des pêcheurs et des baleiniers venus principalement du sud de l'Europe. Comme ces derniers restaient la plupart du temps au large, les rencontres demeurèrent épisodiques, et les Autochtones continuèrent de vivre à l'abri des influences européennes.

Au XVIe siècle, toutefois, la richesse et la puissance croissantes de l'Europe donnèrent naissance à une nouvelle forme d'expansionnisme outre-mer : des voyages d'exploration commandités par des États à la recherche d'une route plus directe vers l'Orient, de terres à revendiquer au nom de la chrétienté et des princes de la Renaissance, de connaissances d'un monde de plus en plus vaste ouvert à toutes les convoitises. La croyance selon laquelle ces expéditions, grâce à la découverte de trésors et au commerce de biens exotiques, allaient faire la fortune de leurs promoteurs — conviction justifiée par quelques-unes des entreprises les plus anciennes — eut tôt fait d'attiser l'intérêt des plus grandes cours d'Europe et des principales capitales commerciales. Sur les traces de Christophe Colomb, des navigateurs portugais et espagnols cartographièrent, revendiquèrent et conquirent ainsi de vastes pans des Antilles, de l'Amérique centrale et de l'Amérique du Sud et enrichirent leurs princes et leurs commanditaires de cargaisons d'or et d'argent. En vertu d'un décret papal de 1494, le Nouveau Monde connu fut ainsi divisé en sphères d'influences portugaise et espagnole.

Alléchés par l'or et attirés par l'Orient, d'autres pays entrèrent bientôt dans la course. Afin de briser le monopole hispano-portugais, de faire main basse sur de nouveaux territoires et de s'enrichir, les rois anglais et français commanditèrent à leur tour des voyages transatlantiques plus au nord. En 1497, un marin italien, Giovanni Caboto (John Cabot), au nom du roi Henri VII d'Angleterre, « redécouvrit » officiellement Terre-Neuve. Dans les années 1520, un autre Italien, Verrazano, au service du roi François Ier de France, longea le littoral est de l'Amérique du Nord et conclut qu'un territoire de la taille d'un continent bloquait le passage vers l'Extrême-Orient. Ces voyages et d'autres expéditions célèbres s'inspiraient de la technologie maritime de l'époque et des connaissances tacites héritées des pêcheurs anonymes qui avaient auparavant fréquenté ces régions et qui, au moyen de leurs activités commerciales, avaient enrichi la connaissance du Nouveau Monde.

Les voyages d'exploration effectués par Jacques Cartier pour le compte de la Couronne française en 1534, 1535-1536 et 1541 altérèrent à jamais le destin de ce qui allait devenir le Canada. À l'occasion de son premier voyage, Cartier reconnut les côtes de Terre-Neuve et du Labrador en passant par le détroit de Belle-Isle, puis il explora le cours inférieur du golfe du Saint-Laurent avant de rentrer avec, à son bord, deux prisonniers autochtones. Au cours du deuxième, il passa l'hiver dans les environs de Québec, puis, contre la volonté de ses hôtes autochtones, il remonta le Saint-Laurent jusqu'à Montréal, itinéraire qu'il suivit de nouveau lors de son retour en 1541. Cette fois-là, des associés de Cartier, à la recherche de trésors, fondèrent un village fortifié habité par des forçats sortis tout droit des geôles de France et se mirent à creuser frénétiquement dans l'espoir de trouver de l'or et des diamants. L'établissement ne fit pas long feu. Pendant l'hiver, le scorbut fit des ravages. Les colons querelleurs s'entretuèrent. Les meurtres et les pendaisons pourrirent l'entreprise de l'intérieur. Avant le printemps, qui devait marquer le rapatriement des survivants, nombreux sont ceux qui avaient succombé à des attaques autochtones.

En un sens, Cartier rentra de ses voyages porteur de mauvaises nouvelles : le Saint-Laurent était non pas un passage vers l'Asie, annonça-t-il, mais bien plutôt un fleuve drainant tout un continent. Cartier n'avait pas trouvé d'or, et les diamants recueillis par son expédition se révélèrent n'être que de la pyrite et du mica, d'où l'expression « faux comme des diamants du Canada[1] ». La terre qu'il avait « découverte » ne

1. Cet éloquent exemple du ridicule au sens où on l'entendait sous l'Ancien régime français sonne aujourd'hui un peu creux puisque le Canada produit désormais une grande quantité de diamants ayant la qualité de pierres précieuses.

pouvait en aucun cas être considérée comme un royaume aux richesses légendaires à l'égal du Mexique, du Pérou ou du Brésil. C'était plutôt un lieu aux biens plus prosaïques et aux habitants plus simples, une curiosité aux merveilles particulières mais ésotériques. Malgré tout, c'était d'abord et avant tout un vaste et mystérieux territoire sur lequel les Européens — imaginant que l'objet de leur désir se cachait derrière les collines délimitant l'horizon — projetèrent leurs espérances. Le Canada n'enflamma pas l'imagination des Européens ; il n'embrasa pas non plus leurs ambitions. En revanche, il suscita l'intérêt de quelques courtiers et marchands français de premier plan ayant flairé la bonne affaire.

Les explorations de Cartier marquèrent le début officiel d'un processus qui transforma le Canada à tout jamais. Des marchands et des flottilles de pêcheurs avaient déjà montré le chemin. Cartier avait été apprenti à bord de navires ayant fait la traversée jusqu'au Brésil et peut-être à Terre-Neuve. Au sortir du port de La Rochelle, il fut pris de vitesse par un grand bateau de pêche français. À son arrivée dans la baie des Chaleurs, quelques semaines plus tard, il constata que les Autochtones avaient l'habitude des visiteurs européens et étaient fin prêts à négocier. En fait, ils étaient si empressés de vendre leurs marchandises — des peaux accrochées à des bâtons qu'ils brandissaient, tandis que leurs canots encerclaient le navire — que Cartier se sentit obligé de faire donner du canon. De toute évidence, l'arrivée des grands explorateurs avait été précédée par des contacts et des échanges de routine entre Européens et Amérindiens. (Les femmes autochtones, apparemment échaudées par des expériences malheureuses auprès de marins européens, restaient dans l'ombre.) Cartier, qui n'était pas seul, ne fut pas non plus le premier Européen à sillonner ces eaux ; en revanche, il fut bel et bien le premier à le faire au nom d'un roi pour des motifs autres que la simple récolte de poissons.

Si, à certains égards, le paysage sinistre du bas Saint-Laurent lui sembla porter la marque de Caïn, cette terre allait à son tour porter la marque de Cartier et de ses hommes. Premièrement, c'est lui qui baptisa le Canada ou plutôt adopta le mot utilisé pour nommer leur patrie par les deux interprètes qu'il avait kidnappés. Désignant d'abord de façon restrictive les territoires tribaux situés entre Grosse Isle à l'est et Trois-Rivières à l'ouest, le mot (qui veut dire « village ») en vint à s'appliquer à cette région du territoire nord-américain au sens large.

Deuxièmement, Cartier prit possession des lieux. Non seulement érigea-t-il cérémonieusement une croix au nom du roi de France, mais en plus il souligna l'importance de ce symbole religieux et politique aux yeux de ses hôtes autochtones quelque peu inquiets. Plus profondément, il tint pour acquis que le Canada était un lieu où il pouvait faire à sa guise, sans rendre de comptes à qui que ce soit. Ses compagnons et lui ne demandèrent à personne la permission d'établir leur colonie embryonnaire et condamnée d'avance. Les « sauvages », ainsi qu'il les appelait, pouvaient être menés par le bout du nez, réformés dans la mesure du possible et au besoin supprimés. Ce territoire, croyait-il, la France n'avait qu'à le faire sien.

Troisièmement, Cartier s'enfonça dans l'intérieur du pays en suivant le majestueux Saint-Laurent jusqu'à ce que des rapides — plus tard appelés Lachine en souvenir de l'espoir déçu de trouver la Chine en amont — lui bloquent le passage. L'influence européenne, jusque-là confinée au littoral atlantique, s'étendait désormais à des centaines de kilomètres à l'intérieur des terres, au grand plaisir des Autochtones de ces régions, désireux dans un premier temps de transiger sans intermédiaires avec les étrangers. Le règne des tribus de la côte en tant que gardiennes du territoire avait pris fin. Cartier imposa sa présence en dépit des protestations, voire de l'hostilité, des Autochtones. Les canons de ses navires, les armes de main et les armures établirent un nouveau rapport de forces entre les visiteurs européens et leurs hôtes autochtones plus nombreux.

Enfin, Cartier dressa un inventaire des plantes, des animaux, des oiseaux, des reliefs et des habitants du Nouveau Monde, document qui, grâce à la publication de ses récits de voyage en italien, en anglais et en français, enrichit considérablement la connaissance du territoire, dont il fit ainsi connaître les possibilités. Cartier prit possession du pays et de ses habitants en les nommant et en les décrivant ; ce faisant, il lia fermement le Canada à l'Europe. Pour le Canada, Jacques Cartier était l'avenir, et cet avenir était français.

Du point de vue des Autochtones, l'arrivée de Cartier annonçait l'avènement d'un monde sens dessus dessous. Les Français s'approprièrent un territoire que les Autochtones estimaient leur. Affichant un souverain mépris pour les pratiques culturelles et religieuses des premiers habitants, ils insistèrent lourdement sur l'importance de la croix et de la religion chrétienne. Cartier enleva des fils, des filles et même un chef, le seigneur Donacona lui-même, et les emmena en France, d'où, pour la plupart, ils ne revinrent jamais. Les Iroquois du village de Stadaconé — aujourd'hui Québec — eurent beau supplier, marchander, parlementer avec toute l'éloquence dont ils étaient capables, invoquer leurs sorciers les plus redoutables, offrir des pots-de-vin, des cadeaux et des substituts, les Français demeurèrent intraitables. Comme ces derniers étaient équipés d'un effroyable canon, les Autochtones ne pouvaient pas non plus, sans subir de lourdes pertes, les empêcher par la force d'enlever qui bon leur semblait. Effrontés, les Français remontaient le fleuve et transigeaient avec des tribus ennemies, au mépris des usages, de la courtoisie et de l'honneur. Par-dessus tout, ils apportèrent avec eux des maladies mortelles. Lorsque le scorbut frappa les fortifications des Français au plus fort de l'hiver, les Autochtones leur vinrent en aide ; quand une épidémie européenne dévastatrice déferla sur Stadaconé, cet hiver-là, emportant plus de cinquante de ses habitants iroquois, les Français n'eurent que des prières à offrir. Dans les années à venir, les compagnons invisibles des premiers visiteurs français — virus, parasites, bactéries — allaient faire des ravages beaucoup plus grands : en raison des activités commerciales et communautaires avec les Autochtones, en effet, ils se répandirent largement et dévastèrent la population du continent. La puissance de la croix, du fusil et des microbes, conjuguée à l'inébranlable sentiment de supériorité des Européens, sûrs de leur bon droit — attitude dont les Iroquois de Stadaconé sentirent d'abord les effets dans les années 1530 —, transformèrent au cours des deux siècles suivants le mode de vie des Autochtones de tout le continent.

Le changement, cependant, fut graduel. Pendant le reste du XVIe siècle, les Français, aux prises avec des guerres de religion, consacrèrent officiellement leur énergie à une entreprise plus prometteuse : soutenir la concurrence des Espagnols et des Portugais en organisant des voyages d'exploration dans le Sud. Ils mettraient plus de soixante ans à revenir au Canada en nombre important. Les Anglais avaient eux aussi d'autres chats à fouetter. Les pirates élisabéthains faisaient la vie dure aux galions espagnols dans les Antilles. C'est pour mater l'Irlande que les Anglais déployaient leurs efforts de colonisation.

Pendant ce temps, quelques marins, notamment Martin Frobisher, Humphrey Gilbert et Henry Hudson (arraché aux Hollandais), continuèrent d'explorer l'Arctique au nom de la Couronne britannique et d'intérêts mercantiles, toujours à la recherche du fuyant passage vers la Chine et, bien entendu, d'or. Des pêcheurs bretons, français, basques et anglais raffermirent leur emprise sur la pêche au large de Terre-Neuve, de plus en plus florissante. Le poisson salé et séché, source de protéines bon marché pour les innombrables jours maigres, trouvait facilement preneur dans les marchés d'Europe du Sud. Faute de sel, les Anglais concentraient leurs activités dans les baies de la péninsule Avalon et sur la rive nord de Terre-Neuve, où ils faisaient sécher leurs prises sur des claies de bois. Le poisson séché, dont la texture se rétablissait à la cuisson, s'entreposait aisément, se transportait sans perte importante et se vendait à bon prix sur les marchés européens. La flottille de pêche française, dont l'activité s'exerçait surtout en haute mer, fréquentait les ports des côtes ouest et sud de Terre-Neuve ; le commerce avec les Autochtones fleurit. Ces derniers étaient avides de couteaux, de marmites, de billes de verre, de miroirs et de vêtements. Dans un premier temps, les Européens ne pensaient pas grand bien des articles proposés en échange, mais ils acceptaient les fourrures que les Autochtones offraient volontiers et dont ils semblaient avoir des réserves inépuisables. Avec le temps, ces fourrures, en particulier le feutre dense des peaux de castor, s'imposèrent chez les chapeliers français.

Vers 1580, dans le golfe du Saint-Laurent, le village de Tadoussac, à l'embouchure du Saguenay, devint le principal poste de traite : les fourrures de l'intérieur des terres y étaient vendues aux quelque vingt navires français qui s'y arrêtaient chaque année. Les livraisons de poissons et de fourrures devenant de plus en plus régulières, on prit conscience, dans les ports de l'ouest de la France et de l'Angleterre, des possibilités commerciales offertes par le Canada — sans tambour ni trompette et sans annonce officielle. À la fin du XVIe siècle, des marchands entreprenants venus des ports de mer basques et français gréaient quelques centaines de navires et recrutaient des milliers de marins et de pêcheurs à seule fin d'exploiter ces possibilités dans les Maritimes et le golfe.

Ce sont les habitants de l'Arctique, les Béothuks de Terre-Neuve et les Autochtones des régions boisées des Maritimes qui ressentirent le plus durement les effets de la présence des Européens. Dans l'Arctique, par exemple, les Inuits nouvellement arrivés résistèrent avec force aux incursions de Frobisher et de Hudson. Les pêcheurs basques, bretons, anglais et irlandais obligèrent les Béothuks à abandonner les rives de Terre-Neuve. Repoussés vers l'intérieur, où les ressources alimentaires étaient rares, parfois exécutés sans sommation pour vol, les Béothuks furent rapidement acculés à la famine. En raison de contacts prolongés, les tribus de Mi'kmaq et de Malécites qui, jusque-là, passaient le plus clair de leur existence à pêcher le long des côtes, se tournèrent vers l'intérieur afin de se procurer les peaux dont ils avaient désormais besoin pour commercer avec les nouveaux arrivants, dont ils étaient devenus dépendants. La langue du commerce, où s'amalgamaient des éléments des dialectes basque et algonquin, s'imposa à titre de langue d'usage. Le mot « Iroquois », par exemple, est une déformation du mot « *Hirokoa* » qui, dans cette langue, signifie « peuple tueur ». Ainsi, les Autochtones prirent des noms autres que les leurs, souvent attribués par leurs ennemis.

Vers l'an 1600, la Couronne française, pour des raisons d'ordre stratégique, décida d'exercer plus d'autorité sur ses possessions au Canada, dont l'importance commerciale avait crû de façon notable. Pour exécuter sa politique, le roi de France eut recours à l'octroi d'un monopole royal. Le titulaire du monopole — d'abord une série de particuliers et plus tard de compagnies — obtenait des droits commerciaux exclusifs dans la région en échange de la promesse d'établir un certain nombre de colons, de constituer un gouvernement civil comme celui de France et de convertir les Autochtones au christianisme. Après avoir effectué un voyage de reconnaissance dans le golfe du Saint-Laurent, les membres de la première expédition du monopole établirent un avant-poste dans la baie de Fundy, d'abord sur une île de la côte ouest, puis à l'est du territoire. Port-Royal, érigé au bord du bassin de l'Annapolis en 1605, marqua le début de ce qui allait devenir une colonie française permanente. Trois étés durant, des employés du monopole s'efforcèrent futilement de trouver de l'or, de l'argent et des pierres précieuses. Ils eurent toutes les peines du monde à survivre aux hivers, même si, au cours du troisième, ils s'amusèrent en se gavant de vin et en organisant des pièces de théâtre amateur et un concours gastronomique qu'ils appelèrent l'Ordre de bon temps. La colonie tint bon, mais elle ne réussit jamais à exercer sa fonction stratégique de défense du monopole royal. Des navires marchands venus d'autres pays et même de France faisaient fi du certificat royal en toute impunité.

En réaction, le plus dynamique lieutenant du monopole, Samuel de Champlain, cartographe et marin, installa la petite colonie dans un lieu dominant le fleuve Saint-Laurent, en amont de Tadoussac, d'où il était possible de contrôler le commerce des fourrures à coups de canon. En 1608, à Québec (mot algonquin signifiant « là où le fleuve se rétrécit »), sur les battures que surmontait la falaise, Champlain construisit ce qu'il appela une « habitation », c'est-à-dire un poste de traite fortifié, où vingt-sept camarades et lui s'installèrent pour l'hiver. Le printemps suivant, à l'arrivée des navires de ravitaillement transportant des vivres, des biens à échanger et la relève, plus de la moitié d'entre eux étaient morts du scorbut. En dépit de ses débuts difficiles, l'entreprise perdura. L'année suivante, Champlain planta du blé et du seigle, puis il entoura de roses les murs de son habitation. À partir de ce minuscule embryon, la frêle colonie de la Nouvelle-France s'épanouit tout au long du XVIIe siècle.

À Québec, Champlain n'eut pas à composer avec la présence embarrassante et parfois hostile des descendants iroquois de Donacona. Il construisit plutôt son habitation sur les vestiges du village abandonné de Stadaconé. Entre les visites effectuées par Cartier dans les années 1530 et l'établissement de Champlain pendant la première décennie du XVIIe siècle, les Iroquois avaient évacué la vallée du bas Saint-Laurent. Personne ne sait de façon certaine ce qui leur est arrivé. Il est possible que des rivaux munis d'armes européennes les aient chassés. Ils ont peut-être volontairement quitté la région, décimés par des maladies européennes. Des tribus de l'intérieur, résolues à mettre un terme à leur mainmise sur les relations avec les Européens, les ont peut-être dispersés. Quoi qu'il en soit, les puissants Iroquois avaient déserté les rives du Saint-Laurent, laissant derrière eux un vide que les Algonquins du Nord vinrent combler.

Ce sont ces gens qui accueillirent Champlain, eux à qui il confia la tâche de récolter des fourrures auprès des tribus de l'intérieur, eux encore avec qui il conclut une alliance militaire tacite. Ces Autochtones des régions boisées, Montagnais et Outaouais, commercèrent avec les Français et guidèrent Champlain dans ses explorations. En contrepartie, Champlain accepta de s'unir à ses alliés autochtones et de prêter ses armes à une attaque contre leurs ennemis mortels, les Iroquois, qui avaient consolidé leur emprise sur les villages s'étendant du nord des Adirondacks jusqu'au sud du lac Ontario. À l'aide d'arquebuses (fusils primitifs qui éparpillaient des fragments de métal au petit bonheur) bruyantes mais imprécises, ils défirent les Iroquois en 1609 à l'occasion d'une bataille rangée. Du point de vue stratégique, l'attitude de Champlain se justifie, dans la mesure où il avait fait plaisir à ses alliés et obtenu leur aide dans ses entreprises. En revanche, il avait soulevé l'ire d'un ennemi puissant, la Confédération iroquoise.

Après quelques années de lutte pour assurer sa survie, Champlain se mit à caresser des projets beaucoup plus ambitieux pour sa colonie naissante. Dans un mémoire adressé au roi et aux marchands de France en 1618, il fait miroiter sa vision d'une économie florissante exportant vers la France du poisson et des dérivés, des minéraux, des colorants, du bois, des fourrures, des pierres précieuses et du bétail. Il va jusqu'à prédire que les recettes douanières découlant des biens transitant par le Saint-Laurent, toujours considéré comme un raccourci vers l'Asie, seraient dix fois supérieures à celles de toute la France. À Québec, sur la rive du Saint-Laurent, Champlain imaginait une cité magnifique, Ludovica, aussi grande et aussi splendide que Paris. Plus de trois cents soldats du roi répartis au sein de trois grandes forteresses en assureraient la sécurité. Un nombre correspondant de familles laboureraient le sol, tandis que des missionnaires récollets installeraient les Autochtones dans de paisibles villages chrétiens.

C'était une vision de la France transposée en Amérique, destinée à aiguillonner les ambitions de la cour et des commerçants, fondée à parts égales sur des connaissances solides, des vœux pieux et des élucubrations.

Mis à part l'hypothèse erronée selon laquelle la Chine se situait aux environs de la ville de Toronto, quelques facteurs expliquent que la vision idéalisée de Champlain d'une cité française « au sommet d'une colline » ne se soit matérialisée ni de son vivant ni par la suite. Pendant une bonne partie du XVIIe siècle, la colonie naissante dut se passer d'un soutien constant et substantiel de la part de la France. Erratique, le commerce des fourrures ne constituait pas une base suffisamment solide pour assurer une économie stable. La colonie était sans cesse en proie à des attaques de la part d'autres puissances impériales européennes et des Autochtones. En raison de ces tribulations, la Nouvelle-France acquit une terrible réputation ayant pour effet de dissuader les colons et les investisseurs éventuels.

Il arrivait qu'une charte royale attribuée avec superbe soit retirée de façon parfaitement arbitraire. Les allégeances changeantes du roi, l'endettement chronique et les intrigues de la part de marchands ayant intérêt à briser le monopole se traduisaient par de fréquents changements d'administration qui faisaient la vie dure à la colonie. Il était rare que des commerçants disposent de moyens suffisants pour soutenir leur entreprise : les regroupements de marchands, une fois en possession d'une charte royale, s'effondraient sous le poids de leurs obligations. La vérité, c'est que ni les particuliers ni les compagnies de marchands n'acceptaient volontiers d'assumer les coûts du recrutement, du transport, de l'approvisionnement et de la défense des colons ni de soutenir les prêtres sur le terrain, d'autant que les recettes de la traite des fourrures se révélaient souvent inférieures aux attentes. Par nécessité ou par choix, les commanditaires français des diverses entreprises en Nouvelle-France s'acquittaient rarement des obligations définies dans les chartes royales. La Couronne française affaiblit davantage l'effort de colonisation en interdisant les protestants en Nouvelle-France. La mesure visait à créer une société fidèle au roi et soudée par la religion, plutôt que divisée par elle. Elle eut toutefois pour effet de chasser les classes de marchands protestants qui avaient fait la promotion de la colonie avec le plus d'énergie.

Le destin de la colonie était tributaire du rendement de la traite des fourrures, par nature instable. En effet, l'approvisionnement de Québec en pelleteries variait considérablement au gré des alliances autochtones, de la guerre, du commerce avec les ennemis et des perturbations du réseau de transport. Il arrivait que les bateaux soient interceptés par des ennemis, fassent naufrage ou encore arrivent en plus grand nombre que prévu. Des négociants indépendants vivaient en marge de la colonie et défiaient le système en faisant main basse sur quelques-unes des plus belles peaux. La fourrure constituait du reste un produit de luxe, dont le prix en France fluctuait au gré des arrivages et des aléas de la mode. La Nouvelle-France ne comptait pas sur le sucre, le tabac, l'agriculture, l'or ou l'argent — autant d'activités exigeant de la main-d'œuvre, qu'il s'agisse d'immigrants, de serviteurs liés par contrat ou d'esclaves. La traite des fourrures, qui dépendait en grande partie du travail des Autochtones, n'avait besoin que d'un contingent relativement limité de marchands et de navigateurs européens plus ou moins itinérants.

Pour assurer la survie de la colonie en émergence, les Français durent s'adapter à l'environnement nord-américain et les Autochtones à la présence des Français. À se fréquenter, les deux collectivités apprirent à se respecter mutuellement — et aussi, hélas, à se méfier les unes des autres. Les Français empruntèrent des technologies autochtones — canots, raquettes et traîneaux — pour parcourir le nouveau territoire, adoptèrent certains aspects de leur mode vestimentaire et, en cas de maladie ou de blessure, eurent recours à leurs remèdes à base d'herbes médicinales. Les Autochtones enviaient aux Européens leurs couteaux, leurs textiles, leurs ustensiles et leurs armes. Ils se prirent également d'affection pour leurs uniformes, leurs rites et leur brandy. Les Français admiraient la bravoure et l'endurance physique des Autochtones, en particulier leur insensibilité à la douleur ; en revanche, ils déploraient leurs mœurs, qui en faisaient des sauvages, leur cruauté gratuite et leur religion païenne. En lisant entre les lignes des comptes rendus des missionnaires et des explorateurs, on comprend que les Autochtones considéraient les Français barbus comme des créatures physiquement inférieures, difformes, hirsutes et moralement dépravées qui répandaient la maladie sur leur passage et faisaient fuir le gibier. La symbolique de la religion chrétienne les terrifiait. Les lourdes maisons de bois et de pierre des Français leur semblaient excessives et ridiculement immobiles. Il semble que les Autochtones voyaient d'un bon œil l'attention portée par les Français aux malades et aux mourants, mais leur apparente indifférence aux besoins des pauvres les laissait perplexes. En somme, chaque groupe voyait l'autre selon ses besoins, ses préjugés et ses peurs. Il en résulta une hybridation culturelle permanente.

Le plus grand obstacle à la croissance du Canada, c'étaient cependant les guerres perpétuelles. La Nouvelle-France, simple pion sur l'échiquier des querelles dynastiques entre monarques européens, vit le jour dans un monde hostile. En 1629, par exemple, des pirates anglais s'emparèrent de Québec parce que le roi de France refusait de verser la dot de sa sœur au roi d'Angleterre. La colonie ne fut restituée qu'au moment où le roi de France s'acquitta de son dû, trois ans plus tard. Des colonies rivales et des concurrents commerciaux s'efforcèrent d'acculer Québec à la faillite. En 1635, des colons de la Virginie incendièrent la colonie française de Port-Royal sur la baie de Fundy et enlevèrent quelques-uns de ses habitants. Pendant ce temps, des corsaires anglais harcelaient les navires français dans le golfe du Saint-Laurent.

Cependant, la menace la plus terrible était imminente. En 1649, en effet, la Confédération iroquoise, afin de s'arroger le contrôle de la traite des fourrures et de l'activité commerciale, entreprit de détruire la colonie de la Nouvelle-France et de disperser ses alliés autochtones. Équipés d'armes à feu vendues par des négociants hollandais de la Nouvelle-Amsterdam et des marchands anglais de la Nouvelle-Angleterre, les Iroquois, qui menaient d'incessantes opérations de guérilla contre les établissements disséminés le long du Saint-Laurent, lancèrent une attaque frontale en règle contre les Outaouais et les Hurons, alliés des Français dans la traite des fourrures. Ils envahirent la Huronie — déjà affaiblie par les épidémies européennes — et tuèrent, capturèrent ou dispersèrent ses habitants. Afin de s'approprier la traite des fourrures, les Iroquois, impitoyables, anéantirent leurs frères hurons. En dehors des fortifications de Québec, nul n'était en sécurité en Nouvelle-France. La mission de Montréal était perpétuellement en état de siège. Les Iroquois effectuaient des raids éclair contre les fermes isolées, où ils massacraient les hommes, les femmes et les enfants, sans oublier d'emporter de futurs candidats aux tortures rituelles. En 1661, les raids iroquois firent soixante et une victimes chez les habitants de la petite collectivité. Confrontée à la campagne de terreur soutenue orchestrée par des Iroquois bien armés, la Nouvelle-France dut lutter pour sa survie.

La férocité des attaques autochtones porta un grave préjudice à la réputation déjà ternie du Canada en tant que colonie frontalière. En France, les rares personnes au courant de l'existence du Canada n'y voyaient qu'une terre stérile, affligée d'un climat exécrable, peuplée de criminels et de prostituées, aux prises avec des raids d'Autochtones dignes des pires cauchemars. Les jésuites, qui, en 1632, avaient accepté la responsabilité d'évangéliser les Autochtones, faisaient régulièrement parvenir des nouvelles à leurs partisans et à leurs commanditaires en France. En s'acquittant de leur mission auprès des Autochtones, les éléments les plus disciplinés de la contre-réforme catholique se prêtaient volontairement au martyre. Les récits horribles des souffrances des jésuites et de leur agonie conjugués aux histoires de torture et de cannibalisme chez les Autochtones, qui parvenaient par lettre jusqu'en France, ne firent rien pour atténuer les inquiétudes de la mère patrie. Le Canada donnait l'impression d'être un lieu déplaisant et dangereux offrant peu d'attraits en contrepartie des risques considérables courus par ses habitants.

Pour toutes ces raisons, rares étaient les habitants du pays le plus populeux d'Europe disposés, au début du XVIIe siècle, à émigrer en Nouvelle-France. S'il est vrai que peu de sujets français quittèrent leur pays pour des colonies d'outre-mer au cours de ce siècle, le Canada n'en constituait pas moins une destination particulièrement impopulaire. Au passage, dans un village de Normandie, d'un groupe de colons en partance pour le Canada, les habitants se soulevèrent afin de les libérer, sûrs que nul n'accepterait volontairement de quitter la France pour le Canada.

Dans un premier temps, le gouvernement français ne subventionna pas la migration transatlantique et ne l'encouragea pas beaucoup. Les candidats les plus sérieux à la migration, les huguenots protestants persécutés en France, étaient interdits dans la colonie. Avec plus ou moins de conviction, les titulaires du monopole commercial s'efforçaient de recruter des colons, habituellement des serviteurs qui s'engageaient par contrat à fournir quelques années de service, au terme desquelles on s'engageait à les rapatrier. À l'époque, de nombreux immigrants au Canada étaient dans les faits des conscrits qui s'acquittaient de leurs tâches à contrecœur et rentraient à la première occasion. Pour soutenir leur mission, les ordres religieux importaient leurs propres serviteurs laïques. Les marchants, les négociants, les marins et les artisans allaient et venaient au gré de la saison de navigation.

Au milieu du XVIIe siècle, la population du Canada se composait dans une large mesure de jeunes hommes qui, pour la plupart, entendaient rentrer chez eux. Parce que les Français tenaient des registres rigoureux, nous savons que, entre 1608 et 1659, quelque cinq mille migrants ont fait le voyage entre la France et le Canada. De ce nombre, quarante pour cent étaient des serviteurs liés par contrat et neuf pour cent seulement des femmes. Quant aux autres, c'étaient des soldats, des membres de l'administration coloniale, des marchands, des artisans, des agriculteurs et des membres du clergé. Seule une poignée de familles avait répondu à l'appel. Sur les cinq mille migrants, environ mille deux cents, soit moins du tiers, étaient restés. Au milieu du siècle, à une époque où les colonies anglaises de la côte est comptaient probablement plus de quarante mille immigrants européens, la Nouvelle-France accueillait moins de cinq mille résidants permanents et de passage. En fait, à la fin du XVIIe siècle, il y avait plus de huguenots parlant français en Nouvelle-Angleterre et à New York que dans toute la Nouvelle-France. Après cinquante années d'administration mouvementée par une succession d'entrepreneurs privés, la Nouvelle-France existait à peine.

En 1663, la situation changea du tout au tout, à la faveur de ce qui est généralement considéré comme un des grands « moments » de l'histoire du Canada. Les autorités françaises se déclarèrent alors insatisfaites de l'état d'avancement du Canada sous la gouverne du secteur privé. À leurs yeux, la traite des fourrures, caractérisée par un expansionnisme inhérent et de longues chaînes d'approvisionnement, faisait courir trop de risques à la colonie. Les administrateurs mercantilistes préféraient une collectivité cohérente fondée sur l'activité agricole, soutenue par un secteur artisanal. En cas d'attaque, un établissement de ce genre serait plus facile à défendre ; en fait, il saurait se défendre par ses propres moyens. Enfin, il serait plus stable et moins sensible aux cataclysmes extérieurs de même qu'aux fluctuations de l'économie.

En 1663, donc, la Couronne française, consciente de l'importance du Canada dans un continent de plus en plus assujetti à la domination des Anglais, assuma la responsabilité directe de la frêle colonie. Le jeune roi Louis XIV et son énergique ministre de la Marine, Jean-Baptiste Colbert, firent du Canada une province française de fait, relevant de l'autorité du roi. Une administration interventionniste forte, dotée d'un projet social et économique cohérent, généreusement financée par l'argent des contribuables et servie par une fonction publique compétente et imaginative, remit la colonie sur pied, en fit un joueur incontournable de l'échiquier géopolitique nord-américain et la propulsa vers le siècle à venir. Voilà le genre d'effort — une politique gouvernementale systématique et correctement administrée — que les Canadiens respectent d'instinct. À cet égard, ils sont très français. L'admiration latente que suscitent les gouvernements dirigistes est peut-être l'un des héritages culturels les plus durables de l'Ancien régime.

La France désigna un gouverneur plénipotentiaire pour diriger la colonie, assurer l'ordre et défendre les habitants. Pour l'aider dans sa tâche, on dépêcha d'abord avec lui une troupe de fusiliers marins. Peu de temps après, un régiment français débarqua au Canada. Outre le gouverneur, on nomma un intendant — dont le premier fut Jean Talon —, sorte de chef de l'exploitation chargé de l'administration civile ainsi que du développement social et économique de la colonie. Responsable des missions autochtones de même que de la loyauté et du bien-être social et spirituel des colons, un évêque, déjà en poste, complétait le triumvirat administratif.

Le projet défini par les Français sortait tout droit du carton à dessins des mercantilistes. Le Canada allait devenir une société agricole facile à défendre, faite de villages, de champs et d'églises — une petite France, en somme. Idéalement, il se nourrirait et se suffirait à lui-même en plus d'exporter des matières premières — bois, poissons et fourrures — vers la mère patrie. Ses surplus agricoles contribueraient également au soutien des Antilles françaises, qui exportaient de grandes quantités de sucre, mais n'arrivaient pas à se nourrir. Le Canada enrichirait les manufacturiers de la mère patrie en achetant des textiles, du matériel, des articles ménagers, des armes et des machines agricoles. Une fois les Autochtones pacifiés, l'Église les installerait dans des établissements chrétiens, où ils s'assimileraient peu à peu. Une telle colonie dynamique et croissante, établie sur le principal fleuve conduisant au cœur du continent, servirait aussi des intérêts stratégiques. Elle séparerait le royaume britannique de la baie d'Hudson des colonies de l'Atlantique, au sud, et empêcherait de facto les Anglais de prendre possession de l'intérieur. En théorie, du moins. Le projet ne se concrétiserait qu'au prix de ressources considérables, d'une participation de l'État et d'une volonté politique indéfectible. Tout compte fait, il est remarquable de constater le nombre d'objectifs du roi de France aujourd'hui réalisés.

Pour que le projet aboutisse, le Canada avait désespérément besoin de colons et de main-d'œuvre. Voilà pourquoi la France entreprit de subventionner des traversées. Des domaines ou seigneuries étaient ainsi cédés à des propriétaires terriens qui, en contrepartie, avaient l'obligation d'y établir des colons. La France expédia donc dans les fermes canadiennes des fournitures agricoles et des animaux de reproduction, en particulier des vaches et des chevaux. Au cours d'une seule décennie, la France retint les services de quatre mille « engagés » — hommes de métier, ouvriers et agriculteurs — et les transporta au Canada. À l'aide d'incitatifs, on encourageait les militaires démobilisés à s'établir au Canada. Pourtant, une population majoritairement jeune et masculine n'était pas en mesure de se reproduire toute seule. Au moyen d'une des mesures démographiques les plus imaginatives de tous les temps, le gouvernement français réunit quelque huit cents jeunes femmes vivant dans des hospices et des orphelinats, leur constitua une dot et les expédia au Canada. Dans une colonie en manque criant de femmes, ces « filles du roi » se marièrent dans un laps de temps remarquablement court, le plus souvent moins de deux semaines après leur arrivée. Afin de les caser toutes, l'administration imposa des amendes aux célibataires récalcitrants ou leur interdit de faire la traite des fourrures tant qu'il y aurait des filles à marier dans la colonie. Ce rééquilibrage des sexes, au cours de la deuxième moitié du XVIIe siècle, fut à l'origine de la remarquable croissance démographique que la colonie allait connaître par la suite. La politique gouvernementale n'y fut pas non plus étrangère. En effet, les familles de plus de dix enfants avaient droit à des allocations.

Tout au long de cette période, le gouvernement français injecta des dizaines de milliers de livres au Canada et, afin de diversifier l'économie, investit dans un certain nombre d'activités locales, notamment la construction, les travaux publics, les chantiers navals et l'industrie brassicole. En même temps, il appliqua une politique démographique implacable. Entre 1660 et 1700, il supervisa l'immigration d'environ dix mille personnes, dont cinquante pour cent de soldats, sept pour cent de serviteurs liés par contrat et treize pour cent de femmes. Vers l'an 1700, une colonie agricole raisonnablement prospère vit donc le jour sur les rives du Saint-Laurent, entre Québec et Trois-Rivières, ainsi que dans les environs de l'île de Montréal.

Évidemment, tout ne se passa pas comme prévu. On ne fut pas en mesure de retenir les colons dans des villages compacts, aménagés selon le modèle français ; ils préféraient en effet s'établir le long du fleuve, que bordait bientôt de part et d'autre une étroite bande d'exploitations agricoles. Gagnant en importance, l'agriculture, au tournant du siècle, constituait la plus importante activité économique, même si la traite des fourrures offrait toujours aux jeunes colons ambitieux le débouché le plus lucratif. Les gouverneurs allèrent jusqu'à créer, à l'intérieur des terres, une série de postes militaires ayant pour mandat de protéger et de favoriser l'activité commerciale. Là, des engagés canadiens-français, appelés coureurs des bois, au service de marchands de Québec et de Montréal, supplantèrent les Autochtones en se chargeant des aspects de la traite liés au transport, à la collecte et à l'approvisionnement. La traite des fourrures siphonnait-elle l'énergie des agriculteurs aux moments critiques de la saison et entraînait-elle un détournement des profits de la colonie vers la métropole ? Le débat fait toujours rage dans les cercles d'historiens. L'assimilation progressive des Autochtones battait de l'aile. En fait, les jésuites et d'autres ordres religieux préféraient tenir les Autochtones loin des influences de la société européenne, jugée corruptrice. La diversification de l'économie posait de graves problèmes. En raison des coûts élevés de la main-d'œuvre et de la pénurie chronique de travailleurs spécialisés, de nombreuses entreprises coloniales étaient déficitaires. La colonie, qui importait plus qu'elle n'exportait, était perpétuellement en manque de devises fortes. Pas moyen de retenir les espèces — les pièces de monnaie — au pays. Le renflouement des coffres à même ceux du gouvernement n'était pas toujours assuré. Le trésor royal, pressé de toutes parts, faisait face à de nombreuses obligations plus près de lui, et le Canada n'était pas une priorité. Il arrivait que l'argent se perde en mer ou soit volé. En une occasion mémorable, en 1685, le bateau transportant la paie d'été ne s'étant pas matérialisé, le gouverneur fit des notations sur des cartes à jouer, qui tinrent lieu de devises dans la colonie.

La défense demeurait le principal défi auquel était confrontée l'administration coloniale revigorée. Dans ce nouveau contexte, la Nouvelle-France prit l'initiative en déclarant la guerre aux Iroquois. Des troupes françaises et autochtones pénétrèrent au cœur du pays iroquois, massacrèrent les habitants et détruisirent les villages, anéantissant tout sur leur passage, jusqu'à ce que les Iroquois réclament une trêve. En 1701, affaiblis par la maladie, accablés par l'obligation d'intégrer de nombreux captifs, divisés en convertis au christianisme et non-chrétiens, humiliés par la brutale répression des Français, les Iroquois négocièrent la Grande Paix de Montréal, qui se révéla durable et élimina de façon définitive les risques de massacres par des Autochtones dans la vallée du Saint-Laurent. Par la suite, les Français furent en mesure d'installer des missionnaires dans les collectivités ravagées, dont les convertis formèrent une cinquième colonne de fait au sein des conseils autochtones. Avec le temps, les missionnaires incitèrent les Iroquois à établir des villages sur le territoire de la Nouvelle-France, dans les environs de Montréal. Les Mohawks — une des cinq nations formant la Confédération iroquoise — et les Indiens des missions devinrent de loyaux alliés des Français lorsque la guerre reprit.

La Nouvelle-France avait désormais de nouveaux ennemis. Lorsque la France et l'Angleterre étaient en guerre — ce qui arrivait assez souvent —, leurs pendants nord-américains profitaient de la moindre occasion pour s'entretuer avec enthousiasme. La guerre de la ligue d'Augsbourg (1688-1697) et la guerre de succession d'Espagne (1702-1713) — la guerre du roi William et la guerre de la reine Anne, comme on disait ici — ravivèrent les hostilités en Amérique du Nord. Accompagnés de leurs nouveaux alliés iroquois, des guérilleros français fondaient sur les établissements de la Nouvelle-Angleterre, en particulier dans la vallée du Connecticut, incendiaient les fermes, massacraient les habitants, les scalpaient et emportaient des prisonniers terrifiés. On estime à mille environ le nombre d'hommes, de femmes et d'enfants arrachés à ces colonies anglaises et transplantés en Nouvelle-France. Des parents affolés versèrent la rançon exigée pour bon nombre de ces captifs, mais la plupart d'entre eux, faute d'être « rachetés », se firent une nouvelle vie parmi leurs « hôtes » autochtones et français. Une des prisonnières anglaises, Esther Wheelwright, devint même mère supérieure des Ursulines de Québec, au milieu du XVIIIe siècle.

En guise de représailles, les habitants de la Nouvelle-Angleterre lancèrent des raids maritimes. Orphelins et mal défendus, les établissements de la baie de Fundy, vestiges des premiers efforts de colonisation, se révélèrent particulièrement vulnérables. Le cœur même de la Nouvelle-France fut pris d'assaut. Deux fois, des navires de la Nouvelle-Angleterre parurent sur le fleuve aux environs de Québec, sans toutefois réussir à lancer une attaque efficace. Les montagnes, les forêts et les marais des Adirondacks eurent raison d'une invasion tentée par la voie terrestre. La redoutable géographie du Canada, son climat et les tactiques défaillantes des Anglais préservèrent les colons français minoritaires.

La Nouvelle-France demeurait un enjeu relativement mineur dans un ensemble beaucoup plus vaste de préoccupations stratégiques françaises. La guerre ne donnait pas toujours les mêmes résultats, selon qu'on la menait en Europe ou dans les colonies d'outre-mer. Les Français et leurs alliés autochtones, passés maîtres dans l'art de faire la guerre en Amérique du Nord, étendirent leur influence loin à l'intérieur des terres, jusqu'aux régions avoisinant la baie d'Hudson, au nord, de même qu'au sud des Grands Lacs. Néanmoins, la France prit l'habitude d'annuler les pertes subies en Europe au moyen de concessions dans les colonies. Il en fut ainsi lorsque, en 1713, le traité d'Utrecht mit fin à la guerre de succession d'Espagne, au terme d'une longue période de conflits. Pour prix de la paix, les Français s'exonérèrent de leurs pertes en renonçant à des possessions en Amérique du Nord. Ils cédèrent ainsi la baie d'Hudson et l'Acadie aux Anglais de même que des établissements à Terre-Neuve. Ils conservèrent néanmoins d'importants droits de pêche au nord de l'île. La France perdit la Nouvelle-Écosse, mais elle conserva l'île du Cap-Breton. L'un des enseignements de ces guerres, c'était qu'il fallait protéger des Anglais les abords atlantiques du Canada. Dès 1719, les Français entreprirent donc de construire les plus imposantes fortifications des Amériques au Cap-Breton, plus particulièrement à English Harbour, judicieusement rebaptisé Louisbourg. C'est pour protéger ses intérêts dans le domaine des pêches et garder l'entrée au Canada par le Saint-Laurent que la France se dota de cette colossale merveille géométrique attribuable au génie militaire à la Vauban et pourvue d'une garnison en résidence ainsi que d'un escadron naval.

Au cours des trente années de paix qui suivirent la conclusion du traité d'Utrecht, la Nouvelle-France s'épanouit. Certes, elle n'était qu'une excroissance de la France, fortement dépendante de la mère patrie, mais elle n'allait pas devenir pour autant une réplique en miniature de celle-ci. Ses origines françaises ne lui fournissaient qu'un point de départ. La population tirait également parti des possibilités économiques offertes par le contexte nord-américain, dans un cadre politique aux contours un peu flous. Émergea ainsi une culture distincte, dotée de son caractère propre, à juste titre nommée Nouvelle-France.

L'immigration se poursuivit tout au long du XVIIIe siècle, à un rythme cependant moins soutenu. La plupart des immigrants venaient des villes portuaires de l'ouest de la France ou de leur arrière-pays et de Paris. Les villes produisaient cinq fois plus d'immigrants que la campagne française. Cependant, la croissance démographique de la colonie dépendait moins de l'immigration que de la croissance naturelle puisque, comme auparavant, pas moins des deux tiers des immigrants de la Nouvelle-France rentraient en France ou quittaient la colonie. Des quelque vingt-sept mille immigrants accueillis par le Canada avant 1760, neuf mille environ restèrent. Ces derniers, cependant, affichaient l'un des plus hauts taux de natalité jamais enregistrés. En Nouvelle-France, on dénombrait environ cinquante-cinq naissances par mille habitants, comparativement à quelque quarante dans la France du XVIIIe siècle — et à moins de dix dans le Canada d'aujourd'hui. Pas étonnant, dans ces conditions, que le grand nombre d'enfants turbulents et mal élevés ait sauté aux yeux des visiteurs. Cette fécondité exceptionnelle s'explique en grande partie par la proportion élevée de couples mariés en Nouvelle-France. Une fois l'équilibre des sexes assuré, la fertilité fut le moteur de la croissance démographique. Le taux de fertilité des couples était plus élevé qu'en France, en raison surtout d'une meilleure alimentation, de mariages plus précoces, d'intervalles plus courts entre les naissances et d'une espérance de vie plus longue. Chaque année, la Nouvelle-France échappait aux crises de subsistance et aux épidémies qui dévastaient la France. Cependant, un taux de mortalité infantile comparable à celui que connaissait la France freinait quelque peu la croissance de la population. Pourtant, dès 1740, la vallée du Saint-Laurent comptait plus de cinquante mille habitants d'origine européenne, dont cinq mille vivaient à Québec et trois mille cinq cents à Montréal. Ils étaient pour la plupart nés au Canada. Le Canada était leur patrie ; ils n'étaient plus des immigrants.

Grâce à la croissance démographique, une colonie de peuplement assez dense se forma entre Québec et Montréal, sur une distance d'environ quatre cents kilomètres. Établis sur les rives du fleuve, les habitants et leur abondante progéniture repoussèrent les limites de la forêt au rythme de un hectare par ferme par année. Pour déboiser, les colons avaient l'habitude d'incendier la forêt. Peu à peu, les bosquets d'érables, de pins et de chênes firent place à de riches pâturages et à des champs de céréales. Dans les années 1730, trente pour cent des terres des seigneuries les plus anciennes étaient défrichées. En général, plus un seul arbre ne trônait dans les îlots de paysage à l'européenne qui voyaient le jour dans un rayon de un à deux kilomètres du fleuve. Fait ironique, le bois se fit rare dans les environs immédiats des établissements, où tout avait été rasé. La forêt, cependant, n'était jamais bien loin, les propriétés foncières ne s'étirant que sur un ou deux rangs de profondeur. Au début, la forêt approvisionnait les colons en bois d'œuvre, en bois de feu et en gibier. Le gibier se faisant rare, son importance diminua, tandis que le nombre d'animaux domestiques augmentait. Dans les années 1730, les habitants des plus vieux établissements élevaient en moyenne cinq ou six vaches et un nombre légèrement inférieur de chèvres. Les principales cultures étaient, par ordre d'importance, le blé, l'avoine et les pois. On cultivait également de petites quantités de maïs indigène (blé d'Inde). Pendant un certain temps, le gouvernement subventionna la culture du chanvre destiné à la fabrication de cordes et celle du lin comme source de fibres. Les habitants faisaient pousser du tabac pour leur propre consommation. À cette époque, les pommes de terre et d'autres plantes indigènes ne jouaient pas encore un bien grand rôle dans la diète des familles. Selon les visiteurs, les hommes sentaient l'oignon.

À maints égards, les habitants reconstituèrent le paysage agricole européen en même temps qu'ils rejetèrent le modèle du village français. Ils préféraient établir leurs maisons de ferme, faites de pierres blanchies à la chaux ou de billots équarris posés pièce sur pièce et percés de petites fenêtres recouvertes de papier, à l'avant de leur profond et étroit lot seigneurial. Dans les faits, le Saint-Laurent et la vallée du Richelieu devinrent un long village dont les rives nord et sud formaient une sorte d'établissement ininterrompu. Les cours d'eau servaient de voies de communication en été, bien entendu, mais aussi en hiver, lorsqu'ils étaient gelés. Les visiteurs européens jugeaient désuètes les pratiques agricoles des habitants, notamment les champs ponctués de souches, les clôtures écroulées et le fumier entassé sur la glace qu'il fallait faire disparaître au printemps. C'était sans tenir compte de la fertilité remarquable de la terre fraîchement défrichée et de la pénurie de main-d'œuvre. Ce qui semblait rétrograde et signe de négligence aux yeux des étrangers se justifiait parfaitement dans le contexte canadien. Les familles d'habitants se nourrissaient des fruits de leur labeur et de leur terre. La plupart d'entre eux ne disposaient pas de surplus à vendre dans les marchés des environs, mais le cens qu'ils payaient aux seigneurs sous forme de produits alimentaires et la dîme qu'ils versaient en nature à l'Église constituaient une forme de marché local des denrées agricoles.

Dès le milieu des années 1730, le Canada dans son ensemble avait dépassé le stade de l'autosuffisance et commencé à exporter ses surplus agricoles vers les collectivités du bas Saint-Laurent, Louisbourg et les Antilles françaises. Pourtant, les peaux de castor, les fourrures et les cuirs destinés à la

France comptaient toujours pour plus de quatre-vingts pour cent des exportations de la Nouvelle-France. Par exemple, des forges virent le jour aux environs de Trois-Rivières, mais, en raison de la mauvaise qualité des minerais et des coûts élevés de la main-d'œuvre, l'entreprise ne fit pas long feu. En dépit de la croissance du secteur agricole et de tentatives visant à créer des industries locales, la Nouvelle-France du XVIIIe siècle demeura une entreprise vouée à la traite des fourrures, compte tenu surtout du frein à la création d'industries que représentait le coût de la main-d'œuvre.

La Nouvelle-France était dotée d'une hiérarchie sociale tacite semblable à celle de la mère patrie, à quelques notables exceptions près. Aux deux endroits, la subordination était le principe sous-jacent de la société civile, même s'il convient de souligner que la relative absence de structures d'autorité au sein des premiers établissements acadiens de la baie de Fundy se traduisit par une organisation sociale beaucoup plus égalitaire qu'en Nouvelle-France ou en France. Les droits et les responsabilités de chacun variaient selon son statut. Une hiérarchie très nette assortie d'obligations mutuelles régissait la société civile, du paysan au seigneur, du seigneur au roi et même du roi à Dieu, et vice versa. Le fait d'occuper une place au sein de cette hiérarchie était gage de sécurité. Sous l'autorité du roi, la noblesse d'épée — les descendants des vieilles familles (propriétaires fonciers et militaires) — et la noblesse de robe — les hauts fonctionnaires au service de la Couronne — occupaient le haut du pavé. Le statut social était fonction de la naissance et des attributions plus que de la richesse, même si les riches finissaient en général par acquérir un statut.

En Nouvelle-France, une petite caste de fonctionnaires et de militaires français, de passage pour la plupart, occupait les hautes sphères de la société. C'est ce génie militaro-aristocratique au sommet qui donna le ton. Les conditions particulières qui prévalaient au Canada atténuaient quelque peu les rigueurs du système. Rares furent les nobles français qui décidèrent de faire carrière au pays ; il fallut donc créer de toutes pièces la noblesse nécessaire au bon fonctionnement de la société. Il était légèrement plus facile de se faire anoblir ici qu'en France. Au Canada, par exemple, les marchands pouvaient accéder à la petite noblesse, mais pas en France. En raison de l'abondance des terres, il était relativement aisé d'acquérir les propriétés foncières qu'exigeait l'obtention d'un titre. Les militaires démobilisés avaient la possibilité d'acheter une seigneurie. Les cens liés à l'exploitation des terres seigneuriales ne dotaient toutefois pas les seigneurs d'un train de vie sensiblement supérieur à celui des habitants qui les entouraient. En dehors des villes principales et des mess de l'armée, la noblesse demeurait une présence pour l'essentiel invisible, dont l'influence se faisait néanmoins sentir.

À l'étude des dots, des testaments, des recensements et des inventaires de biens fonciers, les historiens discernent l'ordre social tacite qui avait cours à l'intérieur du spectre relativement étroit de la société canadienne. Les riches grossistes de même que les artisans hautement spécialisés — les orfèvres, par exemple — frayaient avec le gratin. Ces gens, à l'instar des nobles, étaient pour la plupart des oiseaux de passage qui rentraient en France à l'expiration du contrat qui les liait à leur maison de traite au Canada. Les membres d'un deuxième groupe — les capitaines de navire, les entrepreneurs, les ouvriers spécialisés et les tanneurs — entretenaient des relations cordiales avec ceux du premier. Les militaires, les notaires, les tailleurs, les menuisiers et les ouvriers métallurgistes formaient un troisième groupe distinct et respecté qui, dans l'échelle sociale, venait peu après le précédent. La vaste majorité de la population — les gens qui occupaient de petits métiers, par exemple les habitants, les cordonniers, les maçons, les charpentiers et les simples soldats — occupait un rang inférieur. Tout au bas de l'échelle venaient les ouvriers non spécialisés, les charretiers et les journaliers. La plupart des mariages s'effectuaient à l'intérieur d'un groupe ou dans les marges du groupe voisin.

Habituellement omis de la liste, parce qu'on ne les considérait pas comme faisant partie de la société civile, quelque neuf cents esclaves vivaient en Nouvelle-France. Les deux tiers d'entre eux étaient de jeunes Autochtones, victimes des guerres de l'intérieur, qu'on gardait comme serviteurs. Invariablement, ils mouraient prématurément, foudroyés par des maladies européennes. Environ trois cents esclaves noirs, importés des Antilles, travaillaient comme domestiques dans les maisons des fonctionnaires, des riches marchands et des ordres religieux. Les esclaves, qui travaillaient à l'intérieur plutôt qu'aux champs, s'étiolaient assurément sous l'effet de leur servitude. Au Canada, ils étaient toutefois des indicateurs du standing plutôt qu'une source essentielle de main-d'œuvre ; c'était une société où il y avait des esclaves, mais pas une société esclavagiste dont l'économie dépendait du travail forcé. Les Autochtones vivant dans les missions des alentours de Québec et de Montréal se trouvaient en quelque sorte dans les limbes. Ils étaient dans la société, mais en même temps à part. On les traitait un peu comme des enfants, des pupilles de l'État, qu'il fallait mettre à l'abri des vices européens comme l'alcool. Dans l'arrière-pays, la situation était toute différente.

Qui exerçait le plus d'autorité dans les campagnes ? Quelle importance avait le rang social chez les habitants ? Sur ces deux questions, les historiens ne s'entendent pas. En droit, le seigneur jouissait d'un statut social supérieur. En contrepartie du cens et des droits perçus, il avait l'obligation d'entretenir une maison seigneuriale, de construire un moulin, d'administrer la justice et d'organiser des corvées pour les travaux publics, par exemple l'aménagement de routes et de ponts. Dans l'église de la paroisse, un banc lui était réservé ; à l'occasion des fêtes, il bénéficiait d'un traitement de faveur. En pratique, cependant, les seigneurs brillaient souvent par leur absence. Les cours seigneuriales siégeaient rarement. Par ailleurs, certaines maisons seigneuriales, d'allure modeste, se distinguaient à peine de celles des habitants. En réalité, il semble bien que le seigneur n'ait pas régi l'organisation des collectivités où vivaient les habitants.

Le prêtre de la paroisse pouvait lui aussi prétendre au titre de leader de la collectivité. Il baptisait, mariait et enterrait les habitants, administrait les sacrements. Si on ne sollicitait pas ses conseils, il les prodiguait librement. Il chargeait la collectivité de construire et d'aménager l'église ; une fois érigée, cette dernière servait de lieu de rassemblement pour les habitants du coin. Les annonces importances étaient faites sur le parvis ; les cloches sonnaient les alertes et ponctuaient les célébrations. Dans les petites villes, les prêtres et les religieuses se chargeaient de l'éducation des enfants, des hôpitaux, des orphelinats et du séminaire, en plus de distribuer les aumônes aux nécessiteux. L'évêque, il va sans dire, occupait les hautes sphères de la spiritualité et exerçait un grand pouvoir au sein des conseils de la colonie. Au départ, il n'y avait pas beaucoup de religieux à la campagne, et les villages ne bénéficiaient pas tous d'un prêtre en résidence. Là où ils étaient présents, il arrivait souvent qu'on leur voue autant de ressentiment que de respect. Lorsque les temps étaient durs, c'était aux prêtres que revenait la tâche peu enviable de jeter l'opprobre sur les habitants à la conduite répréhensible et d'exiger de tous qu'ils paient la dîme. Souvent, leurs critiques et leurs exactions faisaient mal.

En fait, il semble bien que ce soit le capitaine de la milice, membre respecté de la collectivité choisi par les habitants eux-mêmes, qui exerçait l'autorité. En règle générale, il s'agissait d'un habitant de longue date bénéficiant d'une certaine expérience militaire. Il jouissait d'un respect suffisant pour mobiliser ses voisins en cas d'attaque et, en l'absence du seigneur, pour les convaincre de participer aux corvées. Il lui arrivait aussi de les représenter auprès des instances supérieures et, au besoin, de trancher de petites querelles. C'est par son entremise que l'administration coloniale communiquait avec ses sujets. Dans une société perpétuellement sur le pied de guerre, la direction de la milice n'avait rien d'un poste honorifique.

Les officiers de l'armée en service à l'étranger et les visiteurs d'autres pays évoquaient souvent l'émergence de ce qu'on pourrait appeler un caractère canadien, nettement distinct de celui de la mère patrie. Le Canada avait commencé à se doter d'une langue propre, parsemée de mots autochtones et d'expressions issues du réseau commercial polyglotte de l'Atlantique nord. En raison de l'importance du commerce, de l'armée et des communications transatlantiques, un nombre assez élevé d'habitants de la Nouvelle-France vivaient dans de petites villes. Les Canadiens étaient considérés comme indépendants, voire arrogants. Ils se montraient particulièrement sensibles aux affronts et aux insultes. Ils se rebiffaient à l'idée de passer pour des paysans. Les couvre-chefs ornés, la beauté et les manières enjôleuses des jeunes filles suscitaient de fréquents commentaires, au même titre que l'habitude osée qu'elles avaient d'exposer d'amples portions de chair, parfois même à l'église. Les curés houspillaient périodiquement leurs ouailles féminines, accusées de porter des tenues indécentes ou extravagantes. Les visiteurs considéraient les hommes comme forts, sains et presque exagérément susceptibles, mais un tantinet paresseux. Ils vouaient aux chevaux fringants une affection démesurée. Un cheval futé et de belle apparence forçait l'admiration, comme en témoigne le nombre inhabituel de chevaux dont rendent compte les documents d'époque. Certains observateurs critiques, moins portés sur les chevaux ou persuadés qu'une telle passion ne seyait qu'aux personnes de qualité, se disaient d'avis que les habitants auraient mieux fait de concentrer leur énergie sur leur bétail ou sur leurs champs. Apparemment, à l'indifférence des ménagères pour leur intérieur, relevée par les étrangers, correspondait l'entretien laxiste que les hommes faisaient de leurs champs. Le taux de natalité élevé observé en Nouvelle-France témoigne d'une vie sexuelle active chez les habitants, mais le taux d'illégitimité demeurait faible. Souvent, les jeunes femmes se mariaient enceintes, la publication des bans ayant sanctionné d'avance les relations sexuelles. En fait, l'empressement que mettaient certains habitants à se marier — les relations sexuelles n'étant tolérées que dans le cadre de cette institution — scandalisait le clergé et la collectivité. Certains couples impatients se contentaient de se déclarer mariés dans un lieu public, pratique appelée « *mariage à la gamine*[2] ».

La superstition, la magie et les croyances populaires exerçaient une influence considérable sur la mentalité d'une

2. *N.d.t.* En français dans le texte.

société hantée par des démons nocturnes et l'ombre menaçante d'une mort subite, souvent violente. La piété et les traditions populaires des immigrants venus de nombreuses régions françaises se fondirent dans le creuset du Saint-Laurent et accouchèrent d'un folklore coloré marqué par une imagination parfois débordante. La Nouvelle-France possédait en outre ses propres sources de légendes populaires. Pendant près de cent ans, les raids des Iroquois, surgis soudain de la forêt avec une fureur meurtrière, suscitèrent une terreur bien compréhensible. La menace disparut avec la Grande Paix de 1701, mais les souvenirs et les cauchemars eurent la vie plus dure. Des enfants disparaissaient de jour comme de nuit. Les familles d'habitants vivaient dans des lieux isolés, en proie à des nuits interminables, à des orages violents et à des animaux sauvages. Nombreux étaient ceux qui ne rentraient jamais de descentes en canot sur des rivières parcourues de rapides, d'expéditions de pêche en eaux troubles ou de longs voyages dans l'intérieur. La noyade était une cause de mort précoce étonnamment fréquente. La forêt n'était jamais loin, prête à avaler les imprudents.

Dans cet environnement extrême et dangereux, le naturel s'effaçait rapidement devant le surnaturel. Les tremblements de terre s'accompagnaient de signes lumineux et d'apparitions. Les hurlements des loups et les craquements des branches dans l'obscurité s'expliquaient par la présence de loups-garous. Les lucioles et les feux follets hantaient les esprits troublés. Le diable, présence maligne et maléfique au milieu des colons — qu'il tentait, tourmentait et possédait —, servait d'explication toute faite aux malheurs, accidents, âmes perdues et objets disparus. Rien d'étonnant à ce que les Canadiens, à la vue des ombres dansantes de l'âtre, les soirs de tempête, se soient crus les proies des sorcières et des spectres. Ils ripostaient à grand renfort de jurons, de remèdes de grand-mère et d'incantations religieuses. En cas d'échec des exorcismes conventionnels ou des remèdes populaires, ils demandaient parfois à la cour de les protéger contre la malédiction des sorcières. Des feuilles de papier pliées de la bonne manière favorisaient la réalisation des vœux les plus chers. Il semble bien que ces croyances populaires aient été plus profondément ancrées chez les habitants que chez les notables instruits, qui rejetaient ces chimères.

En Nouvelle-France, ils étaient nombreux à vivre ou à avoir vécu une double vie. Les établissements européens des rives du Saint-Laurent entretenaient en tout temps des liens continus avec l'intérieur des terres — un autre monde. Souvent, de jeunes hommes passaient une bonne partie de leur vie à courir les bois : ils gagnaient la forêt lestés de biens à échanger contre des ballots de fourrures, exploitaient les postes de traite de l'intérieur et entretenaient des alliances avec les Autochtones. Chaque année, quelque quatre cents hommes prenaient part à cette activité, et le tiers d'entre eux passaient l'hiver dans les terres. Là, loin de l'autorité, ces intrépides jeunes gens acquéraient l'apparence et les manières d'aventuriers invétérés, libres comme le vent. Vivant parmi les Autochtones, ils en adoptaient les mœurs. Bon nombre d'entre eux entretenaient des liaisons à demi permanentes avec des femmes autochtones et avaient une deuxième famille dans les terres. Le commerce des fourrures donna naissance à un nouveau peuple, à mi-chemin entre les cultures européenne et autochtone. Les enfants de la traite des fourrures, appelés « sangsmêlés » ou métis, habitaient avec leur mère au sein de leur groupe tribal ; certains, vivant avec une compagne autochtone ou métisse, s'occupaient de la traite des fourrures ; d'autres encore accompagnaient leur père dans les établissements de la vallée du Saint-Laurent. Les pères et leurs fils rapportaient forcément dans leur paroisse seigneuriale une attitude plus décontractée, insouciante et libre. Peut-être aussi affichaient-ils un certain dédain pour le travail ingrat et les servitudes de la vie agricole.

D'un point de vue colonial comparatif, l'expansion et l'étendue territoriale de la Nouvelle-France étaient franchement remarquables, au vu surtout de sa population limitée. Même si la colonie demeurait centrée sur le Saint-Laurent, le Canada connut une croissance phénoménale qui lui permit de s'étendre à la majeure partie du centre de l'Amérique du Nord. Champlain avait exploré la rivière des Outaouais, la baie Georgienne et ce qui constitue aujourd'hui le centre de l'Ontario. Dès les années 1660, d'autres aventuriers avaient fait des avancées jusqu'à la baie d'Hudson, au nord, et jusqu'au lac Michigan et à la rive septentrionale du lac Supérieur, à l'ouest. Au milieu des années 1670, Jolliet et Marquette explorèrent le haut Mississippi et s'émerveillèrent des gigantesques troupeaux de bisons aperçus sur ses rives. Quelques années plus tard, La Salle, à la recherche de peaux de bisons, étendit le réseau commercial jusqu'à l'embouchure du Mississippi, au sud. Vers la fin du XVIIe siècle, les marchands de fourrures s'étaient établis dans les bassins hydrographiques de l'Ohio et du Mississippi nord, au pays de l'Illinois. Au cours de la première moitié du XVIIIe siècle, des explorateurs français et canadiens s'aventurèrent vers l'ouest jusqu'aux grandes plaines des États-Unis d'aujourd'hui et rallièrent même les missions espagnoles du Texas. À peu près à la même époque, la famille La Vérendrye et ses guides autochtones quittèrent le couvert forestier pour s'engager dans les prairies du Manitoba d'aujourd'hui et poussèrent vers le sud-ouest l'exploration du haut Missouri.

Comment expliquer le zèle expansionniste acharné dont fit preuve cette minuscule colonie, au point de dominer l'Amérique du Nord ? La géographie favorisait les Français. Le bassin hydrographique du Saint-Laurent constituait une autoroute virtuelle drainant le cœur du continent. Grâce à un interminable chapelet de lacs et de rivières de même qu'à des portages courts donnant accès à d'autres bassins versants, les Français s'enfoncèrent toujours plus avant. Sur la côte est, les colons anglais s'étaient quant à eux fait barrer la route par des montagnes. La traite des fourrures était par nature expansionniste. Non seulement les aires de chasse s'épuisaient-elles rapidement, mais en plus les négociants avaient intérêt à se rapprocher de la source d'approvisionnement pour négocier des conditions plus favorables avec leurs fournisseurs, éliminer les intermédiaires et obtenir les plus belles peaux, qui se vendaient à meilleur prix. Nul doute que ces incursions firent des mécontents chez les Autochtones qui, jusque-là, administraient les transactions à titre d'intermédiaires. L'expansion géographique de la traite des fourrures fut donc rarement pacifique. Une fois l'intérieur ouvert au commerce après 1700, des centaines de coureurs des bois autorisés créèrent des postes de traite dans la région des Grands Lacs de même qu'au sud-ouest, le long du Mississippi. L'été 1740, par exemple, vit de cinq à six cents hommes quitter Montréal pour les postes de l'intérieur.

L'État se dota lui aussi d'une stratégie expansionniste. Au départ, le gouvernement français fut écartelé entre ses objectifs nationaux (maintenir une colonie agricole compacte et facile à défendre le long du Saint-Laurent) et ses buts stratégiques concurrentiels (encercler ses rivaux britannique et espagnol). Ces derniers l'emportèrent. Dès 1671, au cours d'une cérémonie tenue à Sault Ste. Marie, des agents de la Couronne française érigèrent une croix et revendiquèrent au nom de la France toute la portion occidentale de l'intérieur du pays. Pour défendre ses objectifs diplomatiques et asseoir sa domination sur les Grands Lacs, la Couronne établit des postes militaires à Kingston, à Detroit et à Michilimackinac. Peu de temps après, les Français construisirent des avant-postes dans le pays de l'Illinois afin de favoriser l'activité commerciale, de faire face à l'hostilité des Autochtones et de contrecarrer les visées expansionnistes des Anglais. Un chapelet d'avant-postes militaires français — faisant aussi office de postes de traite, les officiers tirant le meilleur parti possible de leur affectation — affirmaient donc les droits de la France sur le territoire.

D'autres visées entraient en ligne de compte. En effet, on ne doit pas sous-estimer le désir de gloire et d'immortalité qui animait tous les participants. Les aventuriers souhaitaient en savoir davantage sur le continent inconnu. Jusqu'à la fin du XVIIIe siècle, ils étaient à la recherche de l'insaisissable passage vers l'Asie. L'éventualité devenant de moins en moins probable, les explorateurs consacrèrent leur énergie à la quête des mystérieuses mers de l'Ouest et du Sud. Les Français avaient toujours une raison de s'enfoncer dans les terres, habituellement à l'instigation de leurs interlocuteurs autochtones. La religion évangélique militante incitait aussi les Français à pousser plus loin, en particulier à la fin du XVIIe siècle. Soutenus par l'État et de pieux commanditaires français, les jésuites, les récollets et les sulpiciens firent l'impossible pour porter la religion catholique réformée dans les villages autochtones et ainsi sauver les âmes païennes. Au cours de ces missions avancées, il n'était pas rare que des prêtres accompagnent les soldats, les explorateurs et les négociants en fourrures. Dans l'entreprise d'exploration, l'Église, l'État et le commerce se complétaient. Il ne fait aucun doute que la géographie favorisait le Canada, mais la religion, la science, l'armée et l'économie — autant de points forts — contribuaient à asseoir ses ambitions sur le continent.

Pendant la première moitié du XVIIIe siècle, la Nouvelle-France s'étendait de Louisbourg à la pointe du Cap-Breton jusqu'à la région des Grands Lacs et aux grandes plaines en passant par le Saint-Laurent. Le Canada français exerçait sa mainmise sur tout le bassin du Mississippi jusqu'à sa colonie de la côte du golfe du Mexique au sud, la Louisiane, et, à l'ouest, jusqu'à la Nouvelle-Espagne. Chaque été, le port de Louisbourg grouillait d'activité avec le va-et-vient de plus d'une centaine de navires de guerre et de bateaux de marchandises, la plupart à destination des colonies des Antilles ou de la France. Derrière les massifs remparts de briques de Louisbourg, les marins et la garnison protégeaient les abords atlantiques du Canada et affirmaient la puissance militaire de la France en Amérique du Nord. Elle avait beau livrer d'énormes quantités de poisson séché et salé aux marchés de la France métropolitaine et des Antilles, Louisbourg, centre névralgique de la pêche française dans l'Atlantique nord, n'arrivait pas à se nourrir. L'approvisionnement de la forteresse rocheuse venait des établissements acadiens des environs — placés à l'époque sous la tutelle bien symbolique des Britanniques — et des colonies de la Nouvelle-France dans la vallée du Saint-Laurent. En vertu de droits territoriaux conservés malgré la cession de Terre-Neuve à l'Angleterre aux termes du traité d'Utrecht de 1713, certains pêcheurs de Louisbourg et du Cap-Breton exploitaient des fonds de pêche au nord de la péninsule de Terre-Neuve.

Dans les années 1740, le fleuve Saint-Laurent constituait dans les faits la rue principale de la Nouvelle-France. Chaque été, une douzaine de navires de haute mer faisaient escale à Québec, assurant ainsi le maintien de communications directes avec la France métropolitaine. Québec comptait environ cinq mille habitants, répartis entre la haute et la basse ville, et faisait office de capitale politique, militaire et spirituelle de la colonie. Les représentants du roi, des forces armées et des établissements ecclésiastiques en occupaient les hauteurs. Les murs et les clochers perchés sur la falaise lui donnaient l'aspect d'un village français fortifié aménagé au sommet d'une colline. Sous le cap, amarrés là où le fleuve se rétrécit, des bateaux remplis de biens importés déchargeaient leur cargaison. Des ouvriers transportaient ces biens dans les entrepôts des marchands et remplissaient les cales de ballots de peaux de castor, de chevreuil, d'orignal et de belette en prévision du voyage de retour. En amont de Québec, des caboteurs et de petits bateaux à rames acheminaient des biens vers l'entrepôt principal de Montréal et, au retour, transportaient la récolte de fourrures de la saison. Le long des rives, les familles d'habitants cultivaient les champs longs et étroits qui s'étiraient derrière des rangées de maisons proprettes entourées d'immenses potagers et de buissons de petits fruits. Étant donné l'état lamentable des routes, ils préféraient l'hiver et ses rigueurs : en effet, ils n'avaient alors qu'à se laisser glisser sur la glace lisse du fleuve, emmitouflés dans des fourrures, leur traîneau emporté par leurs chevaux galopants. Montréal, centre névralgique de la traite des fourrures à l'intérieur des terres, avait commencé à disputer à Québec le titre de capitale économique. Les établissements des plaines fertiles de la région fournissaient la ville en denrées alimentaires et la traite des fourrures assurait du travail à ses résidants.

Le cœur de la Nouvelle-France battait sur les rives du Saint-Laurent, mais la colonie tirait aussi de grands avantages des liens commerciaux qu'elle entretenait avec les Autochtones de l'Ouest et du Nord-Ouest. Au-delà des rapides du Saint-Laurent, les Européens se concentraient dans des établissements faisant double office de forts militaires et de postes de traite. Dans le Nord-Ouest, des soldats français réguliers, des marchands, des missionnaires, des familles autochtones ainsi que des coureurs des bois accompagnés de leur femme autochtone et de leurs enfants métis se mêlaient les uns aux autres à l'abri des palissades. Des colonies agricoles ayant pour tâche de nourrir tout le petit monde vivant du commerce essaimèrent autour des postes du Mississippi. Dans cette région, des esclaves venus de la Louisiane constituaient une bonne partie de la main-d'œuvre agricole. Le Canada de l'époque était un chapelet de collectivités sensiblement différentes : à l'est, des ports, des petites villes et des établissements seigneuriaux ; au centre du continent, des enclaves militaro-commerciales réparties le long des lacs et des cours d'eau.

Mus par les besoins de l'empire et par les impératifs du commerce des fourrures, les Français s'enfonçaient toujours plus profondément dans les terres. Dès les années 1740, ils entretenaient des postes et faisaient la traite des fourrures dans toute la région des Grands Lacs et même dans les territoires du Mississippi, au sud-ouest, par-delà la ligne de partage des eaux. Suivant une deuxième ligne de force, la présence commerciale et militaire des Français s'étendait au nord-ouest, de la portion supérieure des Grands Lacs jusqu'au lac Winnipeg et au-delà. Chaque année, plus de cent hommes passaient l'hiver dans ces postes de l'arrière-pays ; l'été, plus de cinq cents pagayeurs transportaient des biens à échanger jusque dans les prairies de l'Ouest et, au retour, traversaient une partie du continent chargés de ballots de fourrures.

L'extraordinaire poussée des Français bouleversa les collectivités autochtones, sans toutefois les écraser ni les anéantir. À de nombreux endroits, les Autchtones furent chassés de leurs territoires traditionnels, mais, sur une bonne partie du continent, leurs collectivités restèrent en place, résistèrent, s'adaptèrent et intégrèrent des éléments choisis de la culture européenne. Grâce à la diplomatie, les leaders autochtones arrachèrent une fragile autonomie relative aux nations colonisatrices européennes qui rivalisaient entre elles. L'arrivée d'articles européens — couteaux, haches, récipients, marmites, fusils, tissus, couvertures, miroirs et billes — facilita la vie des Autochones, mais c'est l'importance des fourrures comme monnaie d'échange qui transforma leur vie. Dans de vastes régions du continent, la traite des fourrures devint l'axe principal de la culture autochtone. Si le tabac et le brandy rapprochaient du monde des esprits, la surconsommation se traduisait par une désintégration des structures sociales. L'avènement des armes européennes, qui décupla la force des Autochtones, fit d'eux des ennemis encore plus redoutables.

Le commerce entraînait forcément des différends. La guerre avait beau ne pas être étrangère à la culture autochtone, les nouvelles batailles, rendues beaucoup plus sanglantes par les armes européennes, eurent raison d'anciennes alliances. Cependant, l'agent le plus destructeur — les maladies épidémiques venues d'Europe — précédait l'arrivée des colons, transmis par les intermédiaires autochtones, les missionnaires français, les coureurs des bois et les explorateurs. Dans les faits, les maladies européennes firent le vide avant même l'arrivée des colons. Par suite du contact avec les Européens, des populations autochtones furent anéanties et des cultures profondément ébranlées bien avant la première vague de colonisation.

Même dans l'Arctique et dans les grandes plaines, l'impact de l'expansion européenne se fit sentir longtemps avant que les Européens eux-mêmes n'entrent en scène. Les commerçants de fourrures de la Compagnie de la Baie d'Hudson, par exemple, restaient résolument cantonnés dans leurs établissements des rives de la baie d'Hudson. Les Autochtones, chargés de biens à échanger, empruntaient les rivières, les lacs et les forêts du Nord et, au printemps, revenaient avec une cargaison de belles fourrures bien épaisses. L'influence des négociants de la baie d'Hudson s'étendait jusqu'aux terres boisées du nord des Prairies, à des centaines de kilomètres de là. Dans les îles de l'Arctique, les Inuits installés depuis peu migrèrent vers le nord dans l'espoir d'éviter le contact fatal avec les nouveaux arrivants. Les Prairies virent arriver de gigantesques troupeaux de chevaux sauvages, descendants de bêtes évadées venues de la Nouvelle-Espagne, au sud. Au début du XVIIIe siècle, les Autochtones domestiquèrent ces mustangs et, ce faisant, se dotèrent d'une nouvelle arme pour la chasse aux bisons. Eux qui avaient l'habitude de chasser à pied le firent dès lors à cheval. Voilà un cadeau inattendu de la civilisation européenne. Ils se procurèrent aussi des couteaux et des armes à feu — bien avant que les premiers explorateurs et négociants venus de l'Est ne s'aventurent dans leur territoire. Les chevaux sauvages de la Nouvelle-Espagne bouleversèrent l'équilibre entre les humains et les animaux des grandes plaines. Au cours des vingt-cinq dernières années du XVIIIe siècle, les tribus de la côte ouest commencèrent à leur tour à ressentir les effets du contact avec l'Europe : en effet, des Russes venus du Nord avaient commencé à sonder la région et des marins espagnols remontaient la côte depuis le Mexique. De façon directe et indirecte, ces influences européennes venues du Nord, du Sud, de l'Ouest et surtout de l'Est transformèrent les premiers habitants du Canada. Lentement mais sûrement, les contacts soutenus, la colonisation envahissante et l'adaptation culturelle réciproque tiraient sur les ficelles du Masque de transformation qui, en s'ouvrant, révéla un nouveau Canada.

À la manière d'un collier de perles, les possessions françaises en Amérique du Nord formaient un vaste croissant s'étendant du golfe du Saint-Laurent au golfe du Mexique en passant par la vallée du Mississippi. La puissance militaire et culturelle européenne avait imprégné en profondeur le territoire des Autochtones et altéré leur mode de vie. Les Autochtones durent se résigner aux bouleversements nés de la présence européenne : ils commercèrent, s'adaptèrent, résistèrent, négocièrent ou se déplacèrent au gré des circonstances. Le bastion de l'impérialisme français en Amérique du Nord était la colonie agricole et commerciale de la Nouvelle-France, laquelle, en raison de la croissance démographique naturelle qu'elle connut tout au long du XVIIIe siècle, acquit peu à peu un caractère canadien propre. Dans le cadre d'un régime politique et social français et grâce à la protection de l'armée française, une collectivité relativement prospère d'agriculteurs, d'artisans, de citadins et de commerçants de fourrures — des gens robustes et bien nourris —, s'épanouit sur les rives du Saint-Laurent. Dans l'arrière-pays, le contact donna naissance à de toutes nouvelles sociétés métisses, à des sortes d'« entre-deux ». De nombreux Canadiens avaient des racines françaises, mais, au contact des Nord-Américains, ils avaient changé et élu domicile sur ce qui était désormais la nouvelle « terre de leurs aïeux ».

Américains britanniques

Au cours d'une période relativement brève, le Masque de transformation s'ouvrit à nouveau et révéla un nouveau visage. Le Canada, en 1740, était profondément français. Pourquoi, dans ces conditions, devint-il si ostensiblement britannique au cours du siècle suivant ? La réponse sommaire, bien entendu, c'est la Conquête. Mais elle n'explique pas pourquoi le Canada est demeuré britannique tout au long d'une époque marquée par des révolutions, des invasions et des insurrections ni pourquoi les habitants d'origine britannique, mais aussi les Canadiens français et même les Autochtones, se sont montrés fidèles à la Couronne britannique et aux idéaux qu'elle incarnait. Comment les Canadiens sont-ils devenus britanniques d'esprit, sinon de cœur, alors qu'il existait d'autres possibilités ? L'explication, dans ce cas-ci, sera un peu plus longue.

Au milieu du XVIIIe siècle, les Canadiens n'occupaient évidemment pas seuls le continent ; leur présence n'était pas non plus incontestée. À cause de leur insatiable appétit territorial et de leur religion catholique, sans parler des raids terrifiants dont ils avaient l'habitude, ils s'étaient fait des ennemis jurés parmi leurs voisins, majoritairement anglais et protestants. Qui plus est, les possessions françaises dans les Amériques n'étaient que des pions sur un échiquier beaucoup plus vaste où se bousculaient les principales puissances d'Europe : la France, l'Espagne, la Hollande et l'Angleterre (et, au lendemain de l'*Acte d'Union* de 1707, la Grande-Bretagne). Les Hollandais, qui constituaient toujours une puissance impériale importante, avaient depuis longtemps abandonné l'Amérique du Nord en cédant New York en 1664. Les empires se livrèrent leur combat principal en Europe ; pour l'essentiel, les guerres coloniales étaient des affaires d'importance secondaire. Cependant, les colonies des puissances européennes en Amérique du Nord avaient leurs propres raisons de s'entredéchirer. Lorsque les enjeux étaient suffisamment importants, comme ce fut le cas dans les années 1750, il arrivait que la lutte impériale au sens large se transpose dans ce théâtre.

Le long des frontières contestées de la Nouvelle-France, les escarmouches, les raids, les batailles et les préparatifs militaires faisaient partie de la vie de tous les jours. Au sud, les territoires revendiqués par la France en Louisiane étaient pris en étau entre des possessions espagnoles : la Floride à l'est et le Texas à l'ouest. Sur la côte de l'Atlantique, les treize colonies britanniques avaient commencé à lancer des expéditions expansionnistes dans le pays de l'Ohio, au-delà des Alleghanys, où elles se heurtèrent inévitablement aux Français et à leurs alliés autochtones. Dès 1754, soit deux ans avant le déclenchement officiel des hostilités entre la France et la Grande-Bretagne en Europe, une guerre non déclarée, connue en Amérique sous le nom de Guerre contre les Français et les Indiens, faisait rage le long de cette frontière intérieure. Le jeune George Washington profita de ces campagnes pour faire ses classes, même si ses états de service (un raid victorieux et une capitulation ignominieuse) n'ont rien eu de particulièrement reluisant. Dans les années 1740, la Nouvelle-Angleterre reprit de plus belle la guerre quasi permanente qu'elle livrait à la Nouvelle-France. Piquées au vif par des raids terrestres venus du nord, les forces de la Nouvelle-Angleterre, avec l'appui des Britanniques, assiégèrent Louisbourg, qu'ils forcèrent à capituler. En 1748, la forteresse fut rendue aux Français, au grand déplaisir de la Nouvelle-Angleterre, qui avait malgré tout fait la preuve de la vulnérabilité des Français, là même où ils étaient réputés régner en maître.

Pour contrer la menace que présentait Louisbourg et doter leur flotte d'une assise en Amérique du Nord, les Britanniques établirent une base navale dans un port qu'ils nommèrent Halifax et prirent des mesures pour coloniser les terres enlevées aux Français, qu'ils appelèrent « Nouvelle-Écosse ». Plus au nord, ils avaient obligé les Français à abandonner leurs fonds de pêche sur la côte sud de Terre-Neuve. En revanche, un traité international garantissait le droit de pêche de ces derniers sur la côte nord de l'île. Au milieu du siècle, de plus en plus de pêcheurs anglais et irlandais passaient l'hiver à Terre-Neuve pour s'assurer les meilleurs fonds de pêche : quelque cinq mille personnes habitaient dans l'île à longueur d'année. L'été, à l'arrivée des pêcheurs migrants, ce nombre passait à plus de quinze mille. Les Britanniques avaient pour l'essentiel fait main basse sur la pêche à Terre-Neuve, d'une grande importance stratégique, même si les Français s'accrochaient à leurs droits de pêche sur la rive nord. Dans le Grand Nord, des commissionnaires et des serviteurs surtout écossais de la Compagnie de la Baie d'Hudson, à partir de leurs postes de traite fortifiés sur la baie, affirmaient les droits des Britanniques sur toute la portion septentrionale du continent.

En Amérique, les Français n'étaient pas aussi solidement implantés qu'ils en donnaient l'impression. En fait, ils étaient encerclés et minoritaires. Ils bénéficiaient toutefois de deux avantages grâce auxquels ils résistèrent plus longtemps qu'on aurait pu le prévoir : d'une part, de solides alliances avec les Autochtones ayant pour effet de gonfler leur nombre et, d'autre part, une maîtrise des tactiques de guérilla frontalière, y compris des attaques terroristes sans scrupules contre des civils. Ils accusaient aussi des lacunes flagrantes. Les soldats français, trop peu nombreux, s'étaient dispersés pour défendre les fortins qui parsemaient l'intérieur. Les voies d'approvisionnement et de communication s'étiraient sur des milliers de kilomètres. Le point le plus faible de cette chaîne de commandement se situait à un endroit crucial, à savoir le lien atlantique entre la France et la Nouvelle-France, là où la marine britannique commençait à imposer sa suprématie. Si la puissance navale britannique rompait ce lien vital, la France perdrait rapidement sa mainmise sur le continent.

Dans l'ensemble de l'Amérique, les Britanniques étaient beaucoup plus forts que les Français, qu'ils surpassaient largement en nombre. La croissance démographique des premiers était aussi plus rapide, en raison d'un afflux constant d'immigrants. Suivant la plupart des indicateurs, cette croissance favorisait également une plus grande prospérité. En 1760, la Nouvelle-France comptait environ soixante mille habitants d'origine européenne répartis le long du Saint-Laurent et quelques milliers de plus à l'intérieur des terres ; les treize colonies britanniques, en revanche, abritaient plus de un million et demi d'habitants. Chétive et pauvre par comparaison, la Nouvelle-France s'était vu épargner la défaite par la débrouillardise de ses militaires, par l'indécision des treize colonies aux prises avec des divisions internes de même que par la complexité logistique d'une attaque combinée (terrestre et maritime) contre Québec. Si l'empire français en Amérique a survécu aussi longtemps, c'est en grande partie parce que les Américains britanniques ne sont pas arrivés à former un front uni pour lancer une attaque concertée contre leur audacieux ennemi. La situation n'allait pas tarder à changer.

Les premières années de la Guerre contre les Français et les Indiens furent désastreuses pour les Britanniques, qui réagirent mal à ces défaites. Les Français humilièrent les forces expéditionnaires britanniques et américaines lancées à l'assaut des forts du pays de l'Ohio et des frontières de l'État de New York. Il n'y a que dans la zone limitrophe entre la Nouvelle-Écosse et la Nouvelle-France que les troupes de la Grande-Bretagne et de la Nouvelle-Angleterre obtinrent des succès en s'emparant de deux avant-postes français. Cette reprise des hostilités ouvertes plaçait les résidants franco-acadiens de la Nouvelle-Écosse dans une situation difficile. Depuis 1713, les Acadiens de la baie de Fundy étaient officiellement des sujets britanniques. Les forces de la Grande-Bretagne et de la Nouvelle-Angleterre stationnées en Nouvelle-Écosse soupçonnaient depuis longtemps les Acadiens de soutenir l'effort de guerre des Français. Non sans raison, les Britanniques étaient d'avis que les prêtres français en Acadie faisaient office d'agents de la France plus que de conseillers pastoraux. Lorsqu'ils prirent les deux forts français en 1755, les Britanniques découvrirent à l'intérieur des centaines d'Acadiens. Leurs plus sombres pressentiments furent ainsi confirmés.

Jusque-là, les Britanniques avaient, pour l'essentiel, réagi à l'anomalie que constituait la présence d'une population catholique romaine et francophone au sein de leur empire en balayant le problème sous le tapis. Ils apaisèrent leur conscience et se mirent en règle avec eux-mêmes en exigeant des Acadiens qu'ils prêtent le serment d'allégeance au roi britannique. Au terme de négociations, les Acadiens se plièrent à la mesure, à condition qu'on ne les force pas à prendre les armes contre leurs anciens compatriotes au nom de leur nouveau roi. Selon la logique latitudinaire de l'empire au milieu du XVIIIe siècle, la loyauté et la neutralité déclarées des Acadiens faisaient oublier leur langue et leur religion. La neutralité était alors considérée comme la condition *sine qua non* de la jouissance paisible de leurs terres sous la houlette des Britanniques. Lorsque leur loyauté fut mise en doute, les Acadiens se trouvèrent aux prises avec des difficultés plus grandes que tout ce qu'ils auraient pu imaginer.

Les Britanniques répondirent conformément à la tradition, c'est-à-dire en obligeant les Acadiens à prêter un nouveau serment d'allégeance, cette fois sans condition. Les Britanniques interprétèrent comme une forme d'hostilité l'importance que les Acadiens attachaient à leur neutralité. Craignant qu'une guerre à laquelle participeraient les forces françaises de Louisbourg ainsi que des guerriers autochtones mobilisés par des sympathisants acadiens n'entraîne la perte de la Nouvelle-Écosse, les représentants de la Grande-Bretagne adoptèrent sur-le-champ une politique qui, de nos jours, serait qualifiée de nettoyage ethnique. En 1755, au moment où affluaient des nouvelles des défaites encaissées par les Britanniques sur le front occidental, le gouverneur et son conseil prirent sur eux de déporter la population acadienne au grand complet. La décision d'expulser les Acadiens fut prise au niveau local, par des officiers de l'armée et de la marine britanniques, inquiets de la situation stratégique, de même que par des conseillers, issus pour la plupart de la Nouvelle-Angleterre, qui espéraient peut-être hériter des terres abandonnées. Au cours du premier été, des soldats rassemblèrent quelque huit mille hommes, femmes et enfants, les entassèrent à bord de bateaux de transport de troupes, incendièrent leurs récoltes et leurs villages, puis les déportèrent vers les principales villes portuaires des treize colonies. Ce faisant, les forces de la Grande-Bretagne et de la Nouvelle-Angleterre se débarrassaient de colons à la loyauté douteuse, installés là où ils risquaient de faire pencher la balance, en les parquant dans des lieux lointains où la majorité aurait tôt fait de les assimiler. La déportation et les terres ainsi libérées ouvrirent également la voie à une nouvelle vague d'immigration à la frontière nord de la Nouvelle-Angleterre. Cette politique honteuse, administrée avec une force brutale, ne fut toutefois pas mortelle.

Au terme de la déportation, qui s'étendit sur près d'une décennie, la population acadienne fut semée aux quatre vents. La plupart des déportés se perdirent dans la foule polyglotte qui grouillait dans les ports coloniaux britanniques auxquels ils étaient assignés. L'été, la maladie se propageait rapidement à bord des bateaux bondés et faisait de nombreuses victimes. Quelques administrateurs coloniaux, pris de court par l'arrivée inopinée de réfugiés malades et franchement indésirables, expédièrent ces derniers en Grande-Bretagne. Quelques-uns finirent même en France.

Les Acadiens, il va sans dire, résistèrent à leur expulsion forcée par tous les moyens possibles. Des centaines de familles s'enfuirent dans les bois. Certains s'évadèrent des blocs pénitentiaires où on les retenait prisonniers. Des mutins obligèrent un bateau mal gardé à faire demi-tour. La déportation fut à l'origine d'errances épiques et poétiques de la part d'Acadiens désireux de réunir leurs familles, de rebâtir leurs collectivités et, dans la mesure du possible, de réintégrer leur patrie. Des Acadiens déportés dans des colonies du Sud passèrent par Haïti pour se rendre en Louisiane dans l'espoir de se refaire une vie nouvelle dans un milieu côtier et français. Même les exilés acadiens en France, gagnés par l'agitation, se rendirent en Louisiane avec l'aide des Espagnols. Après 1764, les Acadiens furent autorisés à revenir en Nouvelle-Écosse. Quelques centaines de familles rentrèrent, mais elles n'étaient plus chez elles ; entre-temps, en effet, des colons de la Nouvelle-Angleterre avaient pris possession de leurs anciennes terres. À la fin du XVIIIe siècle, les Acadiens qui, à leur retour, s'étaient établis sur les rives du golfe du Saint-Laurent étaient plus nombreux que ceux qui vivaient dans la colonie acadienne originelle de la baie de Fundy. Un siècle plus tard, Henry Wadsworth Longfellow, poète de Boston, composa un poème épique larmoyant fondé sur la déportation et ses légendes. *Évangéline*, récit du courage féminin, de la fidélité et de la cruauté du destin, raconte le périple qu'effectue aux États-Unis une jeune mariée à la recherche de son amoureux. Malgré le vilain rôle dévolu aux Britanniques, le poème connut un énorme succès en Angleterre. Par l'intermédiaire du réseau culturel impérial, le poème revint au Canada, fut traduit en français au Québec et devint, au XIXe siècle, l'un des symboles du réveil national des Acadiens du Nouveau-Brunswick.

Entre-temps, à la Guerre contre les Français et les Indiens — appelée, après 1756, la Guerre de sept ans —, le vent avait commencé à tourner. Débarrassé de l'insurrection écossaise sur son territoire et résolu à mettre un terme au fléau des

Français, le gouvernement britannique, en 1757, inonda le théâtre américain d'actifs militaires. L'été suivant, treize mille soldats de l'armée britannique, environ cinq cents soldats américains et mille huit cent quarante-deux pièces d'artillerie assiégèrent Louisbourg, la place forte des Français. Une fois de plus, les fortifications en apparence inexpugnables tombèrent après un mois de pilonnage implacable de la part des batteries britanniques. Des canonniers incendièrent la flotte française amarrée dans le port. Du côté de la mer, d'où les Français n'avaient pas prévu qu'une attaque pût venir, les murs de briques érigés à la va-vite s'effritèrent sous la fureur des assauts. Louisbourg capitula presque sans riposte. Quelques mois plus tard, loin à l'ouest, au pays de l'Ohio, un imposant détachement de plus de dix mille soldats britanniques et américains eut raison des quelque trois cents Français qui défendaient le fort Duquesne, lequel fut triomphalement rebaptisé fort Pitt, du nom du premier ministre responsable de la revitalisation de l'effort de guerre. Les tribus autochtones de la région, jusque-là alliées des Français, conclurent une paix séparée avec les Britanniques. Au cours d'une année particulièrement calamiteuse de campagnes britanniques, les Français avaient ainsi été dépossédés du pays de l'Ohio et de leur bastion sur les abords de l'Atlantique. La table était mise pour un moment d'une grande intensité dramatique, c'est-à-dire l'attaque du cœur de l'Amérique française — la ville de Québec.

Au début de l'été 1759, une gigantesque flottille de navires de guerre britanniques débarqua environ huit mille cinq cents soldats réguliers de l'armée britannique, commandés par le major général James Wolfe, sur la rive sud du Saint-Laurent, en face de Québec. Wolfe, qui avait servi comme commandant des troupes pendant le siège de Louisbourg, l'année précédente, était impatient d'attaquer la Nouvelle-France par le Saint-Laurent. Le marquis de Montcalm, général français, déploya ses treize mille hommes, qui prirent position sur les hauteurs du fleuve de même que, en aval de Québec, sur la portion en pente douce de la rive nord — là où, en somme, l'attaque était la plus probable —, et attendit patiemment Wolfe. Au départ, celui-ci sembla accablé par la géographie des lieux et frustré par l'apparent refus de l'ennemi de sortir à découvert. Au début de juillet, les Français repoussèrent une tentative d'invasion — ordonnée par Wolfe contre l'avis de ses officiers — au point le mieux gardé. Les Britanniques encaissèrent de lourdes pertes.

Aux lendemains de la défaite, Wolfe donna l'impression de perdre la maîtrise de la situation. Aux prises avec des calculs rénaux et la dysenterie, mais, plus encore, tiraillé par l'indécision, il se comporta mal. Pendant qu'il débattait de l'endroit où lancer son attaque, il s'en prit à la population civile sans défense plutôt qu'à son ennemi retranché. Il ordonna qu'on incendie les établissements de la rive sud du fleuve. Sur ses ordres, des artilleurs canonnèrent Québec depuis l'autre rive afin de réduire la ville en cendres. Ces mesures punitives ne servaient pas d'autres fins que la vengeance. Tandis que le temps dont disposait l'expédition estivale tirait à sa fin, il confia plus ou moins à ses trois brigadiers le soin de préparer l'assaut final. Enfermé dans sa chambre de convalescent, où il méditait sur l'*Élégie écrite dans un cimetière de campagne* (« Les sentiers de la gloire ne mènent qu'au tombeau… »), Wolfe, à demi fou, faisait les frais des plaisanteries de ses officiers subalternes.

Sous ce commandement pour le moins irrésolu, les forces britanniques décidèrent sur le tard de tenter un débarquement plus en amont, mesure qui aurait pour effet de couper les lignes d'approvisionnement entre Montréal et Québec, de diviser les Français en deux et de positionner l'armée du Saint-Laurent de manière qu'elle puisse concerter ses efforts avec ceux de la force d'invasion terrestre du général Amherst, qui se préparait à frapper dans le corridor du lac Champlain et de la rivière Richelieu. Wolfe donna son accord, même si le ton pessimiste du message qu'il fit parvenir au premier ministre pour l'informer du projet illustre à la fois son état d'esprit et les chances de réussite de l'entreprise. La nouvelle de la prise du fort Niagara par les Britanniques laissa croire que l'étau se resserrait sur le Canada. Au début de septembre, des bateaux de transport de troupes de la marine prirent position en haut de Québec, montant et descendant au gré des marées. Les Britanniques donnaient l'impression de vouloir débarquer sur un terrain accidenté et mal défendu, loin en amont de Québec. Cependant, comme d'autres soldats faisaient mine de préparer une invasion en aval, le gros des forces françaises demeura campé sur ses positions. Après que de fortes pluies eurent retardé l'invasion, Wolfe, sans consulter personne, révisa ses plans : au lieu de débarquer par le terrain plus facile à prendre en amont du fleuve, comme prévu, il lança un assaut risqué contre les redoutables falaises auxquelles la flotte faisait face un peu en amont de Québec.

Dans le cadre d'une audacieuse opération amphibie menée par une forte marée, la marine débarqua des soldats au pied des falaises au beau milieu de la nuit du 13 septembre 1759. Les sentinelles françaises crurent qu'il s'agissait d'un convoi venu de Montréal qui, après avoir trompé la vigilance des Britanniques, apportait les vivres dont on avait le plus grand besoin. Les soldats britanniques escaladèrent un défilé étroit et prirent des positions défensives sur les hauteurs, tandis que des marins hissaient quelques pièces d'artillerie le long d'un sentier. À huit heures du matin, Wolfe avait constitué face à

Québec, dans les champs d'Abraham Martin — les Plaines d'Abraham, comme on disait dans le coin —, une ligne de front composée de six régiments. Opération combinée téméraire, aussi risquée qu'inattendue, brillamment exécutée. Se rendant compte que l'assaut principal avait été donné en amont et que Wolfe, contre toute attente, avait pris position sur les hauteurs, Montcalm rapatria prestement ses troupes d'élite à Québec et, au moment où les brumes matinales se dissipaient, les fit marcher sur l'ennemi.

Sur le terrain, ce matin-là, deux armées comprenant environ quatre mille cinq cents hommes chacune se faisaient face ; peut-être les Français détenaient-ils un léger avantage numérique. Les Britanniques avaient quelques pièces d'artillerie en position ; les Français n'en avaient pas. Les Britanniques s'étaient rapprochés de la ville ; les Français se trouvaient sur une légère élévation, d'où ils dominaient l'ennemi. La principale différence entre les deux armées tenait à l'entraînement et au soutien. Pour la plupart, les soldats français n'avaient pas subi l'épreuve du feu, et de nombreux miliciens avait été incorporés à la force régulière pour combler les rangs. Les soldats britanniques, en revanche, étaient bien entraînés, disciplinés et rompus aux rigueurs du combat. Les Français ne disposaient pas de réserves suffisantes pour soutenir un siège prolongé. Montcalm doutait de l'aptitude au combat de ses hommes. Il craignait aussi que les Britanniques ne coupent ses lignes d'approvisionnement. Au moment où les deux généraux positionnaient leurs hommes en prévision de la première bataille européenne orchestrée de longue date entre armées régulières en Amérique du Nord, les Britanniques disposaient d'un léger avantage.

Persuadé que cet avantage ne ferait que croître avec le temps, Montcalm commit une erreur fatale. Au lieu d'attendre des renforts, de faire sortir des pièces d'artillerie de la ville et de gagner du temps avant l'arrivée des troupes de soutien qui viendraient de Montréal et prendraient l'ennemi à revers, il décida d'attaquer avant que les Britanniques n'aient eu le temps de raffermir leurs positions. Vers dix heures, on déroula les bannières de soie et on fit rouler les tambours. Formant une colonne centrale flanquée de deux files étendues, les troupes françaises — masse humaine où dominaient le gris et le blanc —, se ruèrent sur les Britanniques. Pour attendre les assaillants, ces derniers avaient constitué une fine ligne de couleur rouge, où les soldats se déployaient sur deux ou trois rangées. Les Français ouvrirent le feu immédiatement. L'assaut fut bientôt désordonné, les soldats inexpérimentés se butant à ceux qui s'étaient laissé choir pour recharger. En dépit des lourdes pertes subies, en raison surtout des tirs des irréguliers et des Autochtones massés sur les flancs, les Britanniques tinrent bon et respectèrent le « halte au feu ». Lorsque les Français ne furent plus qu'à trente mètres, la ligne de front britannique ouvrit le feu à son tour et des salves ondulantes retentirent. Entrant en action, les pièces d'artillerie britanniques firent pleuvoir la mitraille sur les Français. Les tirs à bout portant, disciplinés, brisèrent l'offensive des Français. Au milieu de la fumée, les Britanniques s'avancèrent de quelques mètres et firent feu de nouveau. Le centre de l'avancée française hésita, se laissa déporter sur la droite, puis recula. Le flanc droit s'effondra, et la déroute fut totale. En formation plus ou moins ordonnée, les Britanniques se lancèrent à la poursuite de l'ennemi, mitraillant les soldats français qui battaient en retraite. Tout fut terminé en moins d'une demi-heure.

Sonnant la charge sur le flanc droit de son armée, Wolfe succomba tout juste au moment où le vent commençait à tourner, fauché par la balle d'un tireur d'élite. Montcalm subit lui aussi une blessure mortelle pendant la retraite des Français. De part et d'autre, les pertes se chiffraient à environ six cent cinquante hommes, un peu plus du côté des Britanniques. Environ soixante soldats britanniques, dont bon nombre d'officiers supérieurs, étaient morts au combat. En raison de la perte de Wolfe et de ses adjoints immédiats, les Britanniques se trouvèrent pendant un moment sans commandement, et les Français en profitèrent pour s'enfuir. S'il avait attendu l'après-midi pour lancer l'assaut, sans doute Montcalm l'aurait-il emporté. Les renforts venus du nord arrivèrent trop tard. Les soldats montréalais, survenus peu de temps après la bataille, eurent le bon sens de se replier sur Montréal, où ils furent plus tard rejoints par les survivants de l'armée de Montcalm.

Il est rare que le destin de tout un continent se joue sur un seul engagement. Les Français avaient perdu une bataille, mais pas forcément la guerre. Sur le terrain, ils conservaient une armée puissante ; ils contrôlaient le haut Saint-Laurent, le Richelieu et la ville fortifiée de Montréal ; enfin, ils avaient l'avantage de se battre en terrain connu, au milieu d'une population bienveillante. Pourtant, la bataille des Plaines d'Abraham fut décisive d'un point de vue capital : les Britanniques avaient atteint leur objectif en s'emparant de Québec. L'exploit revêtit une importance symbolique considérable en Amérique du Nord, mais aussi en Grande-Bretagne, où la nouvelle fut accueillie par des feux de joie sur les collines, et en France. La mère patrie avait pourtant fait tout ce qu'elle pouvait pour défendre ses intérêts dans cette région éloignée du monde. La question était de savoir si les Français sauraient se ressaisir ou si au contraire les Britanniques allaient poursuivre sur leur lancée.

Le printemps venu, la situation s'était inversée. À la fin du mois d'avril, l'armée française revigorée prit position dans un champ boueux non loin des Plaines d'Abraham. Cette fois-là, ce furent les Britanniques qui, peut-être trop confiants après leur victoire de l'automne précédent, foncèrent tout droit sur les Français. À cette occasion, ceux-ci, menant une charge féroce à la baïonnette, eurent le dessus. Les Britanniques battirent en retraite, non sans avoir essuyé de lourdes pertes (259 morts et 829 blessés). Les Français encerclaient maintenant une armée britannique exsangue, démoralisée et affamée, retranchée à l'intérieur des murs de Québec.

En fin de compte, c'est la marine qui trancha. Le 9 mai, un bâtiment de guerre britannique remonta le fleuve jusqu'à Québec. Une semaine plus tard, deux autres le suivirent. Ces navires soulagèrent et réapprovisionnèrent la force expéditionnaire ; les Français furent incapables d'en faire autant. En novembre, dans la baie de Quiberon, les Britanniques avaient en effet taillé la flotte française en pièces. L'armée française quitta Québec et se dirigea vers Montréal pour se porter à la rencontre des forces terrestres britanniques qui, venues du sud, remontaient méthodiquement la vallée du Richelieu. En septembre 1760, l'armée du Saint-Laurent et les forces terrestres se rejoignirent à Montréal. Pour l'acte final de la « chute du Canada », l'armée britannique massa quelque dix-sept mille hommes à l'extérieur des murs de Montréal, où étaient regroupés seulement trois mille cinq cents défenseurs français. À un émissaire français, le commandant britannique, le général Jeffrey Amherst, déclara d'un ton impérieux : « Je suis venu prendre le Canada et je ne me contenterai de rien de moins. » S'ils voulaient éviter un bain de sang et la dévastation de la région, les défenseurs n'avaient guère le choix. Le 8 septembre 1760, Vaudreuil, gouverneur né au Canada, et le commandant de l'armée, Lévis, capitulèrent sans livrer bataille. Aux affres de la défaite, les Britanniques ajoutèrent l'humiliation. En se rendant, en effet, l'armée française n'eut pas droit aux honneurs de la guerre.

Ce que la guerre donne, la paix parfois le reprend. L'issue définitive de la Guerre de sept ans ne fut connue qu'à la conclusion du Traité de Paris de 1763, qui mit fin aux hostilités entre l'Angleterre et la France. En plus de marquer la fin de la guerre en Amérique du Nord, le document réglait des contentieux mondiaux. En gros, les Français perdirent du terrain en Inde, dans les Antilles et au Canada. On confirma le statut de la Louisiane à titre de possession espagnole. Non sans certains débats internes, les Britanniques décidèrent de conserver le Canada, dans la mesure du possible, pour prévenir de nouveaux affrontements avec leurs colonies américaines. Lorsqu'on songe que la France a renoncé sans broncher au Canada à seule fin de reprendre ses deux colonies insulaires dans les Antilles, l'amour-propre des Canadiens en prend pour son rhume. Plus encore, les Français dirent gaiement adieu au Canada, mais pas à Terre-Neuve. Pour la France, en effet, la pêche revêtait une importance stratégique plus grande que la possession du Canada. C'est pour cette raison qu'elle conserva deux îles du golfe du Saint-Laurent (Saint-Pierre et Miquelon) et des droits de pêche sur la côte nord de Terre-Neuve. Après avoir investi quatre-vingts millions de livres et subi de lourdes pertes humaines, les Britanniques avaient la mainmise sur l'est de l'Amérique du Nord, de l'Arctique aux Antilles. Quant à savoir pourquoi les Français ont renoncé si facilement au Canada, les historiens avancent l'explication suivante : ils croyaient que l'acquisition du Canada affaiblirait la Grande-Bretagne au lieu de la renforcer et que la présence du Canada au sein de l'Empire britannique hâterait le jour où les treize colonies souhaiteraient s'affranchir.

Les Français n'étaient peut-être pas aussi machiavéliques ni aussi clairvoyants que cette interprétation le laisse supposer. Une chose, cependant, est certaine : ils ont compris qu'il serait plus facile d'unir le continent par la force que de concilier les intérêts politiques divergents des colonies. Après tout, la première tentative des Britanniques d'intégrer un peuple différent dans le giron de l'empire s'était soldée par la tragédie et l'infamie, c'est-à-dire la déportation des Acadiens. À l'époque, qui, à part les Français, auraient eu l'audace de prédire que, vingt ans plus tard, la seule partie de l'Amérique qui allait demeurer britannique serait le Canada ?

Il fallait maintenant intégrer le Canada à l'empire. Au cours des premières années, la politique impériale visant à accomplir cette tâche difficile eut des airs de valse-hésitation. Dans un premier temps, la Grande-Bretagne envisagea de faire du Canada une colonie comme les autres, nommément en le dotant d'institutions coloniales britanniques, en l'anglicisant et en le convertissant au protestantisme. Devant l'échec de la tentative, la politique de l'empire effectua un virage à cent quatre-vingts degrés : dans l'espoir d'obtenir la fidélité de ses sujets en des temps tumultueux, on fit du Canada une exception. La Grande-Bretagne passa donc de la politique de conformité énoncée dans la *Proclamation royale* de 1763 et dotant le Canada d'un gouvernement civil à l'octroi d'un statut d'exception défini par l'*Acte de Québec* de 1774. Avec le temps, d'autres changements surviendraient. Au moment de l'élaboration de ces politiques, la Grande-Bretagne devait concilier des objectifs contradictoires : la sécurité des intérêts britanniques et la satisfaction des nouveaux sujets britanniques du Canada, les relations pacifiques avec les Autochtones de l'Ouest et la reconnaissance des aspirations coloniales américaines, nommément l'autonomie et l'expansion vers le Pacifique. Impossible d'accomplir tous ces objectifs au moyen d'une seule politique.

En vertu de la *Proclamation royale*, le Québec se limitait désormais à un petit parallélogramme situé le long du Saint-Laurent, de la rivière des Outaouais à Gaspé. Ce découpage arbitraire eut pour effet de séparer le cœur du Canada des régions riches en pelleteries de l'intérieur et des fonds de pêche situés en aval du fleuve. Le gouverneur de Terre-Neuve se vit confier la responsabilité de la pêche aux phoques et des villages de pêche du golfe. Les anciennes possessions françaises du Cap-Breton furent assimilées à la Nouvelle-Écosse. Le bassin des Grands Lacs, la vallée du Mississippi et tous les territoires à l'ouest des monts Alleghanys furent constitués en territoires indiens réservés. Avant même l'annonce de la politique, les Britanniques furent pour la première fois mis à l'épreuve dans la région.

Au cours de l'été 1763, un chef autochtone charismatique du nom de Pontiac, à la tête d'une confédération panindienne, entreprit une croisade ayant pour but de débarrasser la région des Britanniques. Au cours d'une violente campagne marquée par la duperie, la torture et le massacre de civils du côté des Autochtones de même que par des représailles et une guerre bactériologique impitoyable de celui des Britanniques, plusieurs forts de la portion occidentale de l'intérieur tombèrent aux mains des forces autochtones. Pontiac et les siens souhaitaient occuper un espace échappant à la tutelle des

Britanniques et des Américains. Ils voulaient aussi traiter d'égal à égal avec les factions européennes et américaines et négocier des accords quand leur intérêt serait en jeu. La révolte s'étiola peu à peu, l'aide promise par les Français tardant à se matérialiser et les Autochtones devant se préparer à passer l'hiver. Les forces de répression britanniques reprirent alors la situation en main.

Le soulèvement orchestré par Pontiac, d'une part, et la *Proclamation royale*, d'autre part, sont à l'origine d'un phénomène important : la conviction des Autochtones selon laquelle la Couronne britannique a l'obligation de les protéger. En effet, les Britanniques se rendirent compte qu'il fallait, pour entretenir des relations pacifiques avec les sociétés de l'intérieur, supérieures en nombre et incontournables sur le plan militaire, éviter d'empiéter sur leurs territoires sans leur consentement. Les réserves indiennes constituées aux termes de la *Proclamation royale* furent, en droit britannique, la première reconnaissance officielle des droits autochtones. La Couronne ne pouvait plus arpenter, occuper ni coloniser des terres indiennes avant d'en avoir fait l'acquisition avec le consentement des Autochtones. Elle ne pouvait donc plus s'approprier des terres comme elle l'avait fait sous le règne des Français ni les occuper sans consentement, comme ce fut le cas pour la plupart des colonies américaines. Les Britanniques décidèrent de traiter avec les Autochtones de gouvernement à gouvernement. Si la politique eut l'heur d'apaiser les inquiétudes des Autochtones, elle enflamma les colons américains avides de terres qui, déjà, franchissaient les montagnes de l'intérieur. En droit tout au moins, la proclamation faisait échec à leurs aspirations.

Au Québec, la nouvelle politique signalait également un changement de régime capital. Un gouverneur militaire y exercerait le pouvoir avec l'appui d'un conseil consultatif composé de membres désignés, mais, en temps opportun, une Assemblée représentative comparable à celle dont bénéficiaient les autres colonies serait constituée. L'imposition du droit pénal et civil anglais attirerait, espérait-on, des migrants anglophones d'autres colonies, lesquels, avec le temps, finiraient par submerger la population francophone. Comme dans le reste de l'empire, la *Proclamation royale* interdisait aux catholiques d'occuper une charge publique. Quant à l'Assemblée proposée, seuls les nouveaux venus anglais pourraient y siéger. Le nouveau gouverneur reçut l'ordre d'encourager les habitants à « adopter la religion protestante ». La migration, le mariage mixte et l'assimilation, pensait-on, seraient les principaux instruments d'une métamorphose sociale et, à terme, politique. Dans un premier temps, la politique britannique eut donc pour but de gommer tout ce que les Canadiens avaient de français et de catholique afin d'en faire des sujets coloniaux britanniques modèles et parfaitement acculturés. La *Proclamation royale* visait la même fin que la déportation des Acadiens, sans que les Britanniques se salissent les mains en expulsant les Français. Le projet échoua et, le moment venu, il fallut renverser la vapeur.

Les gouvernements ont beau imaginer des politiques de haut vol, la vie est plus prosaïque. Pour dire les choses simplement, les habitants de la Nouvelle-Angleterre n'affluèrent pas comme on l'avait prévu. Quelque sept mille d'entre eux accaparèrent les terres et les ports involontairement abandonnés par les Acadiens dans l'ouest de la Nouvelle-Écosse. Un nombre inférieur d'immigrants anglais et écossais leur emboîta le pas. Au Québec, ce fut une tout autre histoire. Le changement de gouvernement ne s'accompagna pas d'une migration agricole d'envergure. Au contraire, une bande d'aventuriers et de marchands querelleurs grouillait au Québec, approvisionnant l'armée et alimentant le commerce des fourrures. Sous l'autorité du gouverneur militaire, un petit groupe d'administrateurs et d'officiers de justice redéfinit l'appareil du gouvernement civil. Même après une décennie, le nombre d'immigrants anglophones se limitait à quelques centaines. Entre-temps, les habitants des campagnes continuaient de se reproduire aussi allègrement qu'auparavant. Impossible pour des centaines de personnes d'en assimiler des milliers ; en fait, le contraire risquait même d'arriver, des immigrants anglais épousant des filles de famille canadienne-française. Comme le confessa le deuxième gouverneur, désabusé, le Canada, à moins d'une catastrophe, serait français « jusqu'à la fin des temps ».

Dans les hautes sphères, la conquête militaire et le changement de régime transformèrent la société canadienne en profondeur ; dans les paroisses et les villages, la vie se poursuivait comme avant. La plupart des soldats et des administrateurs civils ainsi que bon nombre de marchands, qui, de toute façon, ne faisaient que passer, étaient rentrés en France après 1760. La guerre avait ainsi eu raison de l'essentiel de l'élite militaire, marchande et dirigeante. Les historiens se sont longtemps demandé si cette perte des anciens notables avait entraîné une « décapitation » de la société. Tout compte fait, il semble bien que non. Des homologues britanniques prirent leur place ; les entreprises reprirent leurs activités, sous la gouverne de nouveaux administrateurs ; les négociants en fourrures canadiens conclurent avec des marchands britanniques des contrats lucratifs. Bref, les Canadiens s'accommodèrent du nouvel ordre, y participèrent activement et, mine de rien, façonnèrent le nouveau régime à leur image. Malgré ses nouveaux maîtres britanniques, le Canada conserva son visage français.

La religion illustre le mécanisme d'accommodement mutuel alors mis en place. Le dernier évêque de la Nouvelle-France mourut en 1760. En théorie, l'événement n'aurait pas dû inquiéter le gouvernement britannique colonial, aux yeux duquel la religion catholique n'avait pas de statut particulier, sans compter qu'il avait pour politique de l'éliminer. Au XVIIIe siècle, cependant, le gouvernement civil n'imaginait pas être en mesure de travailler efficacement sans la cohésion sociale attribuable à la religion. Or l'Église anglicane pouvait difficilement jouer ce rôle auprès de la majorité catholique. D'ailleurs, les nouveaux administrateurs voyaient dans l'Église catholique une alliée institutionnelle capable d'obtenir de ses ouailles une loyauté indéfectible envers le nouveau régime. Dans les faits, le gouverneur britannique choisit donc lui-même le candidat qu'il croyait le plus apte à jouer ce rôle et fit pression auprès du gouvernement de la métropole pour qu'il ferme les yeux. Rome se fit alors un plaisir de désigner le nouvel évêque. Sous les auspices de la Grande-Bretagne et avec une sanction officielle, l'Église catholique romaine continua donc de jouer son rôle dans les domaines de la spiritualité, des services de pastorale, du bien-être social, de la santé et de l'éducation.

Une fois en place, le gouverneur et son conseil comprirent qu'ils devaient, à peu près pour les mêmes raisons, tergiverser dans le dossier de l'Assemblée représentative promise. Constituée en vertu de la loi britannique, qui interdisait aux catholiques d'occuper une charge publique, l'institution interdirait nécessairement à la vaste majorité de la population toute forme de participation au gouvernement civil. Celle-ci ne serait accessible qu'à la petite coterie de marchands frondeurs et, disons-le, légèrement louches arrivés depuis peu. En véritables aristocrates, les juges et les officiers de l'armée, forts de leur mépris de classe habituel pour les commerçants, portaient un regard condescendant sur la communauté des marchands, lesquels, à leur avis, étaient des hommes sans scrupules ayant profité de la guerre. En cédant le pouvoir à pareille engeance, on travestirait la justice britannique. Tout compte fait, les autorités britanniques préféraient s'en remettre aux avis de seigneurs plus distingués et même de certaines vieilles familles françaises demeurées sur place. Au grand dam des marchands, qui pestaient contre la tyrannie et criaient au déni de justice, l'Assemblée représentative promise ne se matérialisa jamais. Après avoir gouverné le Canada pendant une décennie, la Grande-Bretagne dut choisir entre l'application plus rigoureuse de la politique établie et la reconnaissance publique des accommodements administratifs exceptionnels nés de l'expérience. Elle n'eut pas le loisir de soupeser sa décision dans le calme.

En 1774, les Britanniques firent ce qu'il fallait faire : ils reconnurent la réalité du terrain en dotant le Canada d'une structure administrative unique. L'*Acte de Québec*, adopté cette année-là, redonna au gouverneur de Québec la responsabilité du commerce dans l'ouest de l'arrière-pays, annexant à nouveau le pays de l'Ohio au Canada à des fins administratives. Quant au Québec proprement dit, la loi rétablit officiellement l'Église catholique, institua un régime juridique mixte — mélange de droit pénal anglais et de droit civil français régissant les biens fonciers —, et dota la région d'un gouverneur et d'un conseil législatif nommé, où les catholiques romains avaient le droit de siéger. Les décideurs britanniques rejetèrent l'idée d'une assemblée élue réservée aux protestants et celle d'une assemblée entièrement ouverte aux membres de la majorité francophone. Ni l'une ni l'autre de ces solutions ne semblait gage de stabilité ou de loyauté, en particulier en cas de crise. La Grande-Bretagne décida donc d'exercer une forme de gouvernement pragmatique, acceptable pour la majorité, plutôt que de tenter d'imposer un système qui ne satisferait qu'une minorité volatile et éveillerait l'hostilité du pays. Pour la plupart des Québécois d'origine française, l'*Acte de Québec* était la première reconnaissance de leur culture distincte au sein de l'Empire britannique. Suivant la même logique, la loi refusait aux anglophones des privilèges auxquels ils croyaient avoir droit en tant que sujets britanniques.

La question du gouvernement du Canada revêtit une importance capitale dans le contexte politique de l'époque, caractérisé par l'hostilité de plus en plus grande des treize colonies vis-à-vis de la Grande-Bretagne. Rien ne sert ici de rappeler longuement le prélude à la Révolution américaine. Disons simplement que, tout au long des années 1760 et au début des années 1770, plusieurs facteurs — les limites à l'indépendance des assemblées législatives coloniales imposées par la Grande-Bretagne, les restrictions à l'expansion territoriale, l'ingérence dans les affaires commerciales et la levée d'impôts sans consultations préalables — firent monter la tension entre le gouvernement de la Grande-Bretagne et les assemblées coloniales. Puis, en 1774, en réaction à la destruction d'une cargaison de thé de la Compagnie des Indes orientales par les Fils de la liberté, à Boston, la Grande-Bretagne adopta une série de « lois coercitives » conférant aux gouverneurs plus d'autonomie par rapport aux assemblées populaires, mesures si incendiaires que des colons indignés préparèrent la résistance en les qualifiant de « lois intolérables ». L'*Acte de Québec* fut l'une de celles-là.

À propos de cette loi, la majorité des colons américains jugea intolérable ce que la majorité des Canadiens estimait parfaitement raisonnable. D'abord, on y reconnaissait la religion catholique romaine, l'État allant même jusqu'à cautionner officiellement la perception de la dîme, alors que les Américains tenaient à écraser la vipère du papisme. Ensuite, les Britanniques, en refusant aux citoyens du Québec des institutions représentatives acceptables, gardaient un peuple timoré sous leur coupe militaire. À juste titre, les Américains virent dans l'*Acte de Québec* un outil visant à doter la Grande-Bretagne d'une sphère d'influence septentrionale d'où elle pourrait plus facilement dominer l'Amérique. Au Québec, la tyrannie à laquelle s'opposaient les treize colonies était particulièrement flagrante. Enfin, l'*Acte de Québec* livrait l'héritage territorial présumé des colonies américaines, le pays de l'Ohio, à l'ennemi de naguère, le Canada.

La Révolution américaine eut un impact profond sur le Canada, directement, puisqu'il fit les frais d'une invasion, et indirectement, étant donné les conséquences du mouvement sur l'histoire canadienne. Lorsque, en 1775, la résistance aux Britanniques se mua en rébellion, les colons américains invitèrent leurs frères du Québec à joindre les rangs du Congrès continental. Leurs agents énergiques et leurs pamphlets incendiaires ne suscitèrent toutefois pas beaucoup d'intérêt. Les Canadiens rejetèrent cette première proposition qu'on leur fit de devenir membres de la République naissante, plus par indifférence et parce qu'ils avaient d'autres chats à fouetter que parce qu'ils étaient ouvertement hostiles à l'idée. Le Congrès continental décida alors de lancer une attaque préventive contre le pouvoir en place à Québec afin de libérer les Canadiens. (L'illusion dangereuse qu'ont les États-Unis, à savoir que le monde entier attend d'être libéré par eux, ne date donc pas d'hier.)

Vers la fin de l'été 1775, deux armées marchèrent sur le Canada. La première, commandée par le général Montgomery, remonta sans encombres vers Montréal par le corridor bien balisé du lac Champlain ; l'autre, sous les ordres de Benedict Arnold, entra au Québec en se frayant péniblement un chemin dans les forêts du Maine d'aujourd'hui. En dépit d'appels pressants de la part de l'Église catholique et du gouverneur, la population canadienne ne manifesta pas la moindre intention de se protéger contre les Américains. Tandis que l'élite canadienne-française se rangeait derrière la Couronne britannique et que l'Église prêchait littéralement la résistance, la milice demeura inerte. Les Américains s'emparèrent de Montréal et fondirent sur Québec, où le gouverneur avait rassemblé les forces britanniques. À Montréal et dans les campagnes, les envahisseurs étaient accueillis chaleureusement, pour peu qu'ils paient leurs provisions en espèces sonnantes et trébuchantes et se comportent respectueusement. Cependant, même des émissaires aussi talentueux et bilingues que l'était Benjamin Franklin furent impuissants à éveiller la moindre ferveur révolutionnaire chez les Canadiens.

Au début de l'hiver, les forces combinées du Congrès continental assiégèrent Québec. L'invasion américaine se disloqua sous l'effet de la géographie et du climat de la ville. Incapables de frapper la Haute-Ville, les Américains décidèrent plutôt, dans la nuit du 31 décembre, de piller les entrepôts de la Basse-Ville. Au milieu d'une tempête de neige aveuglante, les soldats britanniques réguliers repoussèrent sans mal l'attaque mal avisée, tuant Montgomery, blessant Arnold et faisant trois cents prisonniers. Plus comique que tragique, le siège, qui se poursuivit tout l'hiver, perdit chaque jour un peu plus de mordant, au gré des maladies et des désertions. Au terme de leur période d'affectation, quelques centaines d'Américains offrirent même leurs services à l'armée britannique. Au printemps, l'arrivée de la flotte britannique et de renforts eut pour effet de disperser les envahisseurs, dont la population avait du reste commencé à se lasser. Apparemment, les successeurs plus doctrinaires de Montgomery et d'Arnold avaient réussi à s'aliéner ceux-là mêmes qu'ils entendaient libérer : en effet, ils affichaient une hostilité ouverte envers la langue et la religion de leurs hôtes et réglaient leurs achats avec du papier monnaie d'une valeur douteuse. La population, majoritairement composée de catholiques convaincus et satisfaits de leur sort, ne comprenait rien à la croisade des révolutionnaires désireux de l'affranchir du joug britannique et de l'arracher aux griffes de la pauvreté.

Au grand désespoir des deux parties, les Canadiens semblent avoir décidé d'adopter une stricte position de neutralité dans ce conflit. Ils refusèrent de défendre les Britanniques tout autant que de monter dans le train de la révolution. À l'instar des Québécois, les Néo-Écossais optèrent pour la neutralité. Ces derniers, rappelons-le, arrivaient tout juste de la Nouvelle-Angleterre. L'invitation à joindre les rangs de la rébellion venait non pas d'ennemis, mais bien au contraire d'oncles et de cousins. Pourtant, ils choisirent la solution acadienne : observer une stricte neutralité, laisser les belligérants s'entretuer et s'entendre avec le vainqueur, une fois la poussière retombée. Position qui n'avait rien d'héroïque. Une chose est sûre, elle n'aide pas l'historien à comprendre où allait l'allégeance populaire. L'invasion mal préparée et peu enthousiaste lancée contre la Nouvelle-Écosse s'éteignit avant même d'avoir pris forme. En pratique, la loyauté des Néo-Écossais ne fut donc jamais mise à l'épreuve. Leur conduite nous permet toutefois de conclure qu'ils ont décidé de ne pas donner suite à l'invitation que leur faisaient leurs parents de joindre le mouvement révolutionnaire. Après l'été 1776, le renforcement de la présence militaire britannique, qui eut pour effet de stimuler l'économie locale, gagna la faveur populaire canadienne. Halifax grouillait d'activités et la campagne prospérait grâce à la présence de la flotte britannique, qui y avait élu domicile. De la même façon, le Québec tira des avantages considérables de la consolidation des forces britanniques en prévision d'une invasion contre les colonies rebelles.

Ce n'est qu'une fois les hostilités terminées que le principal impact de la Révolution américaine se fit sentir au Canada. Sur le plan politique, les Canadiens avaient rejeté l'avenue révolutionnaire. À partir de ce moment, ils allaient donc devoir se définir par opposition à la tradition révolutionnaire ou, à tout le moins, par rapport à elle. Les Britanniques, pressés de mettre un terme à la guerre et d'amadouer des États-Unis à l'indépendance toute nouvelle, donnèrent aux Américains tout ce qu'ils voulaient — à l'exception du Canada, que les délégués avaient négligemment inscrit dans leur liste de revendications. En revanche, la Grande-Bretagne céda le pays de l'Ohio à la nouvelle république, au grand dam des Canadiens. Aux termes du traité de Versailles de 1783, qui mit officiellement fin à la Révolution américaine, le Canada perdit son arrière-pays naturel, dont il avait pourtant réussi à maintenir la majeure partie par les armes. Les Français conservèrent des droits de pêche à Terre-Neuve, privilège dont ils jouirent jusqu'en 1904, même si le « rivage français »

(*French Shore*) passa du nord à l'ouest de l'île. Enfin, sur le plan géopolitique, le Canada acquit une importance nouvelle au sein de l'empire en tant que bastion stratégique nord-atlantique et nord-américain de la Grande-Bretagne. En un sens, la nouvelle donne était avantageuse, les Britanniques se devant de soutenir le Canada. En revanche, la destinée de ce dernier sur le continent américain demeurait liée à celle de l'empire.

La Révolution américaine fut à l'origine d'un afflux de réfugiés qui transforma radicalement le tissu social du Canada. À la fin des hostilités, quelque soixante mille réfugiés venus de ports de la côte est prirent la mer pour aller trouver refuge en Nouvelle-Écosse. Dix mille autres gagnèrent le Québec : les autorités les déplacèrent par la suite vers des terres situées le long de la rivière des Outaouais et dans les environs de Kingston. Les femmes comptaient pour quarante pour cent de ce tout premier mouvement de réfugiés du monde moderne, les hommes pour un peu moins de quarante pour cent et les enfants pour un peu plus de vingt pour cent. Bon nombre de loyalistes n'étaient pas des réfugiés politiques au sens où ils avaient dû s'exiler en raison de leurs convictions idéologiques ; en fait, ils s'étaient tout simplement trouvés du côté des perdants. Leurs intérêts et leurs accointances d'avant la guerre les rattachaient aux Britanniques. Certains étaient membres de l'ancienne administration coloniale ou avaient travaillé pour elle. À tort ou à raison, d'autres étaient soupçonnés de collaboration avec l'ennemi. À la fin de la Révolution, les plus compromis d'entre eux abandonnèrent leurs biens ou virent leurs terres confisquées avant de s'enfuir. Cependant, ils furent nettement plus nombreux à rester sur place et à s'accommoder du mieux qu'ils pouvaient du nouveau régime.

À maints égards, la révolution fut une guerre civile. Les intérêts et les convictions divisaient des frères et des sœurs, des pères et leurs enfants; la ligne de faille courut entre les familles mais aussi à l'intérieur d'elles. Outre leurs maisons, les loyalistes laissèrent derrière eux des parents et des amis. Longtemps après, des familles gardèrent le contact au moyen d'une correspondance soutenue et de voyages occasionnels. La Révolution américaine divisa les Autochtones de la même manière. Dans l'État de New York, par exemple, la plupart des Iroquois demeurèrent neutres, même si certains d'entre eux finirent par se ranger du côté des révolutionnaires. Des Mohawks dirigés par le chef Joseph Brant maintinrent leurs liens avec les Britanniques. Pendant les hostilités, des soldats britanniques, des guerriers autochtones commandés par Brant et des contre-révolutionnaires irréguliers menèrent une guérilla sans merci dans le nord de l'État de New York, parfois contre les leurs. Ils assassinèrent des parents, incendièrent des fermes et des églises qu'ils avaient eux-mêmes construites. Impossible pour eux de réintégrer par la suite les foyers qu'ils avaient détruits. Après la guerre, les Britanniques mirent des terres à la disposition de ces combattants réfugiés à la pointe ouest du lac Ontario, non loin du lieu qui, dans la péninsule du Niagara, leur avait servi de base pendant la guerre. Les Mohawks demandèrent aussi de l'aide. Les Britanniques achetèrent à des Mississauga, à l'usage de leurs alliés autochtones déplacés, une énorme parcelle de terrain le long de la rivière Grand.

La migration des Mohawks et des membres d'autres tribus autochtones nous rappelle la composition ethnique pluraliste des Loyalistes. Quelque deux mille d'entre eux étaient des Autochtones. Environ trois mille étaient des Noirs, émancipés ou esclaves devenus loyalistes en même temps que leurs maîtres. La plupart d'entre eux, venus des colonies de la côte est, élirent domicile en Nouvelle-Écosse. Plus de la moitié des réfugiés loyalistes, parce qu'ils étaient nés dans les treize colonies, pouvaient donc être considérés comme des Américains. Les loyalistes originaires de la Grande-Bretagne étaient légèrement moins nombreux, et un pourcentage non négligeable d'entre eux venait d'autres pays. Au sein de la population loyaliste, les minorités religieuses étaient surreprésentées. Au Québec, les Britanniques, agissant au nom de la Couronne, achetèrent des terres aux Autochtones et y établirent les émigrés. Dès 1781, des représentants britanniques entreprirent des négociations avec des Autochtones résidants. Il suffit de quelques années pour acquérir comme terres de la Couronne l'essentiel de ce qui constitue aujourd'hui le sud de l'Ontario. En retour des territoires qu'ils cédaient, les Autochtones eurent droit à des terres mises en réserve et à des paiements en nature. Fait intéressant, les Autochtones concernés étaient eux-mêmes des immigrants dans la région : venus du nord, ils avaient en effet pris place sur des terres libérées par l'élimination des Hurons peu après le milieu du XVIIe siècle.

Si les Loyalistes n'avaient pas eux-mêmes de motivations aussi politiques que certains analystes l'ont par la suite laissé croire, il n'en reste pas moins que leur migration précipita des ajustements politiques cruciaux. En effet, les nouveaux arrivants en Nouvelle-Écosse étaient si nombreux et leurs besoins si pressants qu'il fallut, en 1784, créer une nouvelle colonie pour les accueillir. Ce fut le Nouveau-Brunswick. L'Île-du-Prince-Édouard venait tout juste d'être scindée, ses terres divisées entre soixante-sept grands propriétaires terriens, qui se proposaient de les louer à des colons. Cet édifiant exemple de favoritisme au profit de personnes bien en cour confronta la colonie à un problème qui allait la hanter pendant plus de un siècle : comment les locataires pouvaient-ils obtenir de propriétaires absents des titres incontestables sur leurs terres ? Les loyalistes avaient beau ne pas avoir de motivations politiques, ils étaient américains britanniques dans l'âme ; d'instinct, ils avaient la conviction que le gouvernement tirait sa légitimité de sa volonté d'agir dans l'intérêt du peuple. À titre de sujets britanniques, ils avaient également certaines attentes, notamment au chapitre du droit, des privilèges fonciers et des institutions politiques britanniques. Ils entendaient également être dédommagés de leurs pertes par des terres, des provisions, des outils, des semences et des postes dans la fonction publique. Ainsi, bon nombre d'entre eux voyaient d'un mauvais œil les institutions québécoises, en particulier le régime foncier seigneurial et le droit civil français, qui régissaient la propriété et le mariage. Ils ajoutèrent leurs voix au concert de récriminations venues de la minorité mercantile anglophone avide de changement. Moins de dix ans plus tard, les Britanniques furent contraints de réformer en profondeur le gouvernement du Canada pour la troisième fois.

Les Britanniques estimaient avoir eux aussi tiré des leçons de la Révolution américaine : il convenait, se disaient-ils désormais, de doter les colonies d'une constitution et d'une organisation sociale s'apparentant à celles de la mère patrie. Ayant perdu leur premier empire, les Britanniques étaient résolus à ne pas laisser le second leur glisser entre les doigts. L'*Acte constitutionnel* de 1791 institua deux colonies, le Haut-Canada et le Bas-Canada, chacune pourvue d'une administration et d'une Assemblée législative. Le Haut-Canada était assujetti au droit et aux institutions britanniques. Dans le Bas-Canada, l'amalgame du droit pénal anglais, de la *common law* et du droit civil français était reconduit. La tenure seigneuriale s'appliquait désormais à la majeure partie de la province, tandis que le régime de franche tenure régissait les cantons nouvellement établis. On jugea nécessaire la représentation populaire assortie d'un suffrage limité : il fallait bien voter les impôts et, ce faisant, décharger le trésor britannique d'une partie du fardeau de l'empire. Les catholiques et, par voie de conséquence, les Canadiens français pouvaient siéger à cette Assemblée. Il fallait cependant juguler les visées démocratiques inhérentes aux assemblées législatives.

Pour faire contrepoids au pouvoir de l'Assemblée dans les colonies, on ajouta une chambre haute, soit un Conseil législatif (assimilable à la Chambre des lords) représentant les intérêts des propriétaires fonciers. Le gouverneur, pourvu d'amples moyens et d'un conseil consultatif dont il nommait lui-même les membres, exerçait des pouvoirs considérables. Pour préserver la stabilité politique et l'autorité au sein de l'empire, on institua différents ordres d'administrateurs nommés qui, espérait-on, auraient raison du semblant de liberté législative qu'exigeaient l'expression de la volonté populaire et la levée des impôts. On constitua des réserves pour la Couronne et le clergé afin de financer le gouvernement civil et la religion d'État. En dehors du Québec, on prit des mesures pour assurer l'établissement de « la Religion Protestante ». En pratique, l'Église d'Angleterre et, à son heure, l'Église d'Écosse reçurent des terres, des privilèges et le droit de célébrer des mariages. Ainsi, des sectes religieuses, considérées comme des foyers de sédition, seraient circonscrites et l'esprit égalitaire tenu en échec. Le royaume du spirituel et de l'émotion — jamais bien éloigné de la politique — demeurerait aux mains d'« hommes raisonnables ».

Le premier gouverneur du Haut-Canada arriva en 1792 avec l'ambitieux projet de reproduire dans cette société fruste de pionniers « l'esprit et la lettre de la Constitution britannique », y compris l'établissement d'une aristocratie coloniale. Il dut cependant composer avec la réalité imparfaite de la population locale, dont nombre de membres étaient arrivés de l'autre côté de la frontière des États-Unis dans les années 1790.

En marge des officines du pouvoir et des champs de bataille, les gens ordinaires, grâce à leur travail acharné et à l'éducation qu'ils donnèrent à leurs enfants, créèrent de nouvelles réalités qui façonnèrent la destinée du Canada. Le changement social et économique ne s'explique pas par la génération spontanée : il est plutôt le fruit de l'effort humain. Les hommes et les femmes qui vaquaient à leurs occupations quotidiennes, tirant tant bien que mal leur subsistance d'une terre capricieuse, ont créé l'histoire, eux aussi.

La croissance d'une population de pêcheurs résidants à Terre-Neuve obligea la Grande-Bretagne à revoir ses politiques vis-à-vis de l'île. Pendant des années, elle y avait interdit les établissements, sous prétexte que la pêche migratoire servait d'école à la Marine royale. Des règlements contraignaient en effet les organisateurs d'expéditions de pêche des ports du Devon et du Dorset à recruter chaque année un certain nombre de novices comme apprentis. Comme les bateaux de pêche faisaient souvent escale au sud de l'Irlande, où ils se ravitaillaient en provisions et en hommes, une minorité non négligeable de la population de Terre-Neuve devint irlandaise et catholique. Après trois siècles de pêche migratoire, on assista, à la fin du XVIIIe siècle, à l'émergence d'une pêche au sol exploitant les fonds des littoraux du nord de l'île, de la péninsule Avalon et de la côte sud, autrefois dominée par les

Français. Dès 1790, ces « plantations » comptaient pour la moitié des prises annuelles.

La présence de colons établis à demeure transforma l'environnement en profondeur. Les résidants, qui avaient besoin de carburant et de bois pour leurs maisons, leurs quais, leurs bateaux, leurs claies et leurs étendoirs, rasèrent les arbres du rivage des anses où ils vivaient. Ils éliminèrent aussi la population autochtone. Comme les Béothuks, déplacés et désespérés, lançaient régulièrement des raids contre ces établissements isolés, les résidants les refoulèrent vers l'intérieur des terres, où rien ne poussait, et les pourchassèrent si impitoyablement qu'ils les exterminèrent jusqu'au dernier. Au début du XIXe siècle, quelque vingt mille personnes avaient élu résidence à Terre-Neuve : les trois quarts étaient des hommes, et près de la moitié, des catholiques d'origine irlandaise. Avec un peu de retard, la Grande-Bretagne dut admettre que Terre-Neuve n'était plus un grand navire école mouillant dans l'Atlantique nord à l'usage de ses marins. Il fallut donc créer une administration coloniale chargée d'assurer le gouvernement civil. Entretemps, au large des côtes, une pêche migratoire considérable s'était constituée. Chaque année, les Français de Saint-Malo et les Anglais des ports du sud-ouest de la Grande-Bretagne gréaient jusqu'à trois cents et cinq cents navires respectivement pour exploiter les Grands Bancs et les fonds de pêche en haute mer. Terre-Neuve continuait d'approvisionner les marchés européens en poisson. Étant donné l'exclusion des Américains, les îles britanniques des Antilles où poussait la canne à sucre devinrent à leur tour un important débouché pour la morue séchée. C'est de là sans doute que vient la passion des Terre-Neuviens pour le rhum.

Après la Révolution américaine, la traite des fourrures dans le nord-ouest entra dans une ère héroïque, deux grands réseaux commerciaux se faisant la lutte : la Compagnie de la Baie d'Hudson au nord et la Compagnie du Nord-Ouest, entreprise quasi transcontinentale dont le siège social se trouvait à Montréal. Elles se livraient concurrence sur des distances ahurissantes à seule fin d'exploiter le lucratif marché des fourrures. Chaque printemps, des flottilles de grands canots de la Compagnie du Nord-Ouest quittaient Montréal à destination de la rive nord du lac Supérieur, lestés de biens à échanger. Dans un fort situé non loin de la ville de Thunder Bay d'aujourd'hui, les brigades montréalaises retrouvaient leurs associés. Ayant passé l'hiver sur place, ceux-ci étaient de retour des postes de traite établis plus à l'ouest, chargés de la récolte de fourrures de la saison. Les poutres du grand hall répercutaient les chansons à boire et les rires, tandis que des amis ressassaient des souvenirs, pleuraient les disparus et se régalaient du récit à peine exagéré de leurs exploits respectifs. Enveloppés dans la fumée des pipes et les vapeurs du whisky, les marchands de Montréal et leurs associés de l'arrière-pays comparaient leurs informations, planifiaient la campagne de la saison suivante, investissaient dans de nouveaux postes de traite ou de nouvelles explorations, troquaient des biens contre des fourrures, divisaient les profits et les pertes des saisons antérieures.

Voyant les Montréalais faire main basse sur les fourrures à la source, la Compagnie de la Baie d'Hudson s'enfonça à son tour dans les terres, où, le long des rivières, elle aménagea des postes de traite rivaux. Au début du XIXe siècle, tout l'intérieur boisé, du lac Supérieur aux Rocheuses à l'ouest et au Grand lac des Esclaves au nord, était parsemé de centaines de postes de traite concurrents, dont la plupart durèrent moins de quinze ans. Les meilleurs emplacements faisaient l'objet d'affrontements souvent violents, les négociants s'arrachant littéralement les fourrures. Comme l'alcool servait fréquemment de monnaie d'échange, la rivalité eut aussi des effets délétères sur les sociétés autochtones. En 1811, la Compagnie de la Baie d'Hudson établit, sur la rivière Rouge, la colonie de Selkirk, où se réunirent des Écossais des Highlands, des Irlandais, des Allemands et des Suisses. L'établissement, stratégiquement positionné, avait pour but de bloquer les lignes d'approvisionnement des Montréalais. En 1816, il en résulta un massacre, les deux clans se disputant le contrôle de la région.

Les hommes de la Compagnie de la Baie d'Hudson et les Montréalais se faisaient aussi concurrence dans la recherche de nouveaux territoires de traite. Dès les années 1770, la plupart des rivières des Prairies étaient cartographiées. En 1772, Samuel Hearne, employé de la Compagnie de la Baie d'Hudson, traversa la toundra et gagna l'océan Arctique par la rivière Coppermine. Au service de la Compagnie du Nord-Ouest, Alexander Mackenzie s'aventura jusqu'à l'océan Arctique en 1789 et rallia le Pacifique par voie terrestre en 1793. Son collègue Simon Fraser explora les montagnes de la Colombie-Britannique et, en 1808, alla jusqu'au Pacifique par le fleuve qui porte son nom. Vers la même époque, David Thompson étendit l'empire de la Compagnie du Nord-Ouest jusqu'au Pacifique en passant par une région connue sous le nom de Nouvelle-Calédonie et le bassin du fleuve Columbia. Les compagnies faisant la traite des fourrures finançaient ces expéditions pour accroître leur aire d'exploitation et découvrir de nouvelles voies de transport. Ce faisant, ces entreprises, grâce à la mise au jour d'un réseau commercial reliant ces nouvelles régions au reste du Canada, firent connaître la géographie du continent.

L'expansion rapide de la traite des fourrures dans l'Ouest bouleversa la vie des Autochtones des forêts du Nord-Ouest.

Ils s'assemblaient autour des postes de traite, le long des voies de communication, à la recherche de nourriture, de protection et de travail. Dans les secteurs les plus exploités, les maladies et les déplacements entraînèrent une diminution de leur nombre et une augmentation de leur dépendance envers le commerce. Selon certains historiens, la population autochtone totale du Canada se serait chiffrée à environ cent soixante-quinze mille personnes au début du XIXe siècle, soit une chute de plus de trente pour cent en un siècle. À la même époque, quelque mille employés passaient l'hiver dans l'intérieur pour le compte de la Compagnie du Nord-Ouest et environ cinq cents pour celui de la Compagnie de la Baie d'Hudson. Mis à part la poignée de marchands écossais qui, au sommet de la pyramide, dirigeaient l'industrie montréalaise de la fourrure, les négociants et les voyageurs qui comptaient pour la vaste majorité des membres du personnel étaient presque exclusivement des Canadiens français des paroisses du Saint-Laurent. Les hommes de la Compagnie de la Baie d'Hudson étaient majoritairement originaires d'Écosse.

Tout au long de la période de la traite des fourrures, les femmes autochtones créèrent des relations durables avec des négociants européens. Pour les Canadiens français, les femmes autochtones garantissaient des alliances durables entre négociants et tribus, agissaient comme interprètes de leur partenaire et, au poste, apprêtaient les fourrures avant leur expédition. Beaucoup plus que de simples « réconforts », ces femmes firent office de guides, de diplomates et d'ouvrières. Avec le temps, ces liaisons se donnèrent des airs de mariages de fait. En grandissant, les enfants métis issus de la traite des fourrures bénéficiaient donc d'un double patrimoine : à la langue française et aux associations économiques de leur père, ils alliaient la connaissance intime du peuple et de la terre de leur mère.

Les Orcadiens de la Compagnie de la Baie d'Hudson contractaient des unions domestiques similaires. De l'alliance de ces Anglais et de femmes autochtones naquit un peuple de sangs-mêlés anglophones, appelés les « *country born* ». Les membres de ces deux groupes d'enfants issus de la traite des fourrures se marièrent et créèrent autour des postes des collectivités où vivaient des descendants de la deuxième et de la troisième générations. Avec le temps, les uns et les autres se spécialisèrent dans la préparation d'un aliment facile à transporter et à haute valeur énergétique, fait de graisse de bison et de baies, appelé pemmican, en plus de fournir la main-d'œuvre nécessaire au maintien d'un vaste réseau de transport. Ainsi, ces hommes et ces femmes qui exploraient, cartographiaient et exploitaient les ressources peuplèrent l'intérieur du continent.

Au milieu du XVIIIe siècle, des négociants russes venus de l'Alaska attirèrent dans les eaux du Pacifique du Nord-Ouest des contre-expéditions espagnoles venues du Mexique. Avec un peu de retard, soit en 1776, les Britanniques dépêchèrent le capitaine James Cook dans la région afin de faire valoir leurs droits. Ce fut son troisième et dernier voyage d'exploration. Par la suite, le capitaine George Vancouver cartographia la côte de la Colombie-Britannique au cours d'un voyage d'une durée de trois ans amorcé en 1792. En fin de compte, les Espagnols se retirèrent de leur avant-poste de l'île de Vancouver. Chacun de son côté, les marins britanniques et les négociants russes constatèrent que les Chinois prisaient la riche fourrure de la loutre de mer, espèce particulièrement abondante dans la région. D'explorations officielles naquit donc sur la côte du Pacifique un nouveau commerce transocéanique des fourrures. C'est ainsi que les Autochtones de la région furent entraînés dans le tourbillon du commerce mondial. En échange des fourrures et d'autres peaux, ils recevaient non seulement les biens habituels, mais aussi des teintures, des haches en métal, du bois pour la sculpture et du cuivre pour leurs boucliers rituels. Ils réussirent mieux que la plupart des Autochtones à employer les fruits du commerce à l'enrichissement de leur vie culturelle, même s'ils furent nombreux à succomber à des maladies européennes. Par le continent, la côte ouest était aussi rattachée au réseau des colonies britanniques de l'Est. Par voie de terre et en suivant les grands cours d'eau de l'Ouest, les négociants montréalais avaient atteint le Pacifique dès 1793. La côte ouest fut donc liée à la Grande-Bretagne et à ses intérêts au Canada par la voie maritime et terrestre.

Les perturbations du commerce mondial attribuables à la Révolution française et surtout aux guerres napoléoniennes ouvrirent de nouveaux marchés aux produits canadiens en Grande-Bretagne. Cependant, les conséquences politiques de ce conflit continental — les États-Unis s'étaient vus contraints de déclarer la guerre à la Grande-Bretagne — firent indirectement du Canada un des principaux théâtres des hostilités. La puissance britannique et la loyauté coloniale allaient une fois de plus être mises à l'épreuve sur le champ de bataille.

Napoléon interdit la majeure partie de l'Europe au commerce britannique. La Grande-Bretagne riposta en imposant un blocus des ports de mer français, empêchant tous les navires, y compris les bateaux américains, d'atteindre le marché français. Les Britanniques décuplèrent la fureur des Américains en arraisonnant en haute mer des bâtiments américains soupçonnés de transporter des déserteurs. On profitait aussi de la manœuvre pour attirer des marins impressionnables dans la marine britannique. Au bout d'une longue série d'affronts commerciaux subis de la part des Britanniques, les Américains virent dans ces provocations manifestes un motif suffisant pour déclarer la guerre. Dans le Nord-Ouest, la recrudescence des raids visant à freiner la pénétration des États-Unis sur des terres autochtones, commandés par le chef shawnee Tecumseh avec le soutien occulte des Britanniques, donna aux citoyens des États frontaliers un motif de plus de crier vengeance. Les commerçants exaspérés de l'Est et les faucons de la guerre de l'Ouest unirent leurs forces pour faire pencher le Congrès en faveur de la guerre. Frapper le Canada était le moyen le plus commode de porter un rude coup à la Grande-Bretagne, même si, aux États-Unis, on ne tenait pas particulièrement à s'approprier le Canada.

Confrontées à Napoléon, les forces britanniques en avaient plein les bras sur le continent et dans d'autres théâtres de guerre. Pour le moment, il n'y avait pas de renforts à en attendre : le Canada allait devoir se débrouiller tout seul. L'armée américaine régulière dominait largement le faible contingent de soldats britanniques (cinq mille six cents hommes au Canada et quatre mille deux cents en Nouvelle-Écosse). Les miliciens étaient nombreux, mais mal entraînés, peu équipés et, dans certaines régions du Haut-Canada, d'une loyauté douteuse. Une campagne militaire ayant pour but la prise de la ville stratégique de Montréal, pratiquement sans défense, aurait peut-être assuré la victoire aux Américains. Ils choisirent plutôt d'éparpiller leurs forces sur une vaste ligne de front. La guerre donna lieu à une série de batailles terrestres le long de la frontière des Grands Lacs et du Saint-Laurent, à des engagements navals sur les Grands Lacs et sur le lac Champlain de même qu'à un blocus de la côte est des États-Unis par la flotte britannique de Halifax.

En 1812, les Américains lancèrent une triple offensive : à l'ouest, par Detroit, au centre, par la rivière Niagara, et à l'est, par le corridor du lac Champlain. Le commandant du Haut-Canada, Isaac Brock, grâce à ses tactiques agressives, eut raison de l'attaque occidentale et repoussa la tentative d'invasion par le Niagara, même s'il paya son exploit de sa vie. Sur le front de l'Est, les milices canadiennes commandées par un Canadien français, Michel de Salaberry, refoulèrent les envahisseurs qui, venus de Plattsburgh, fonçaient sur Montréal. Les milices canadiennes-anglaises et canadiennes-françaises unirent leurs efforts pour résister à une autre invasion près de Cornwall, le long du Saint-Laurent. Par la suite, les batailles se concentrèrent surtout dans le Haut-Canada. Au cours de l'été 1813, les forces américaines s'emparèrent de York (Toronto), capitale du Haut-Canada, et rencontrèrent peu de résistance dans la péninsule du Niagara. À l'automne, des forces britanniques régulières et des guerriers autochtones repoussèrent les envahisseurs. À l'ouest, les États-Unis vainquirent les Britanniques et leurs alliés autochtones (Tecumseh périt au combat) et occupèrent l'ouest du Haut-Canada jusqu'à la fin de la guerre. Sur les Grands Lacs, les Américains, sous les ordres de l'amiral Perry, s'assurèrent la suprématie navale au terme d'une série de batailles. L'été suivant, à Lundy's Lane, près des chutes du Niagara, les forces britanniques et la milice du Haut-Canada livrèrent aux Américains une bataille rangée dont elles sortirent victorieuses. À peu près au même moment, les Britanniques envahirent brièvement la ville de Washington en guise de représailles à la prise de York, incendiant le Capitole et la résidence présidentielle. L'immeuble, qu'on blanchit à la chaux pour camoufler les dommages causés par la fumée, fut ensuite connu sous le nom de Maison-Blanche.

La guerre prit fin en 1815 par la défaite finale de Napoléon, sans changements importants de la situation de l'Amérique du Nord. Les frontières du Canada demeurèrent identiques. Une fois de plus, les Canadiens avaient rejeté l'occasion de devenir américains. Dans le Haut-Canada, où vivaient un grand nombre de personnes originaires des États-Unis, on avait, dans certains milieux, pris fait et cause pour ce pays. Quelques députés de l'Assemblée législative du Haut-Canada firent défection ; la milice répondit à l'appel des armes avec une extrême réticence et parfois en bravant les autorités. Vers la fin de la guerre, elle finit par se distinguer, notamment au cours de la sanglante bataille de Lundy's Lane. La défense du Haut-Canada reposait principalement sur l'armée britannique régulière. Il importe aussi de souligner l'importance du rôle joué par des guerriers autochtones : leur participation à de nombreux engagements, à la bataille de Queenston Heights, par exemple, fut décisive. Dans le Bas-Canada, les milices canadiennes-françaises se rallièrent aux Britanniques dans l'enthousiasme. L'Église catholique et les vieilles familles seigneuriales considéraient les Américains et leurs amis français, républicains et anticléricaux comme une menace pour le mode de vie canadien-français. Au cours de la guerre de 1812, les milices canadiennes-françaises défendirent leur patrie et les intérêts britanniques avec plus de zèle que les loyalistes du Haut-Canada. Là, les Américains furent tolérés comme occupants — après tout, c'étaient des cousins —, mais on ne les accueillit pas à bras ouverts comme des libérateurs. Lorsqu'ils furent chassés, leur départ ne suscita pas de bien vifs regrets. Dans le Haut-Canada, la guerre fut considérée comme un différend entre amis, mais elle eut malgré tout pour effet de faire ressortir un peu plus le clivage entre peuples apparentés.

Vue de loin et d'un point de vue universitaire détaché, la guerre de 1812 procura d'énormes avantages au Canada. L'accroissement des dépenses militaires britanniques, notamment pour financer la construction de fortifications à Halifax, Québec, Kingston et ailleurs, stimula l'économie canadienne. En vertu d'un décret de la Grande-Bretagne, le commerce entre les ports des colonies et la mère patrie était réservé aux navires de l'empire, ce qui favorisa la croissance de la construction navale et de l'industrie du transport dans les Maritimes. À une époque charnière, les forêts de l'Atlantique constituaient une source précieuse de mâts et de bois d'œuvre pour les navires de la marine britannique. Parallèlement au commerce militaire, la coupe du bois prit également son envol. En raison des livraisons erratiques en provenance de la Baltique, source traditionnelle de bois de la Grande-Bretagne, le bois canadien trouva preneur sur le marché britannique. À l'occasion, des marchands tiraient avantage d'une augmentation vertigineuse du prix du blé en Grande-Bretagne — phénomène imputable à l'instabilité de l'approvisionnement sur le continent et aux guerres tarifaires — en faisant venir à profit du blé du Canada. Ainsi, de façon involontaire, le conflit commercial dont s'accompagnèrent les guerres napoléoniennes procura de lucratifs marchés aux colonies canadiennes.

Les années d'après-guerre furent marquées par une explosion des exportations de produits forestiers canadiens vers la Grande-Bretagne et, pour la première fois, d'un important afflux d'émigrants britanniques vers la colonie. Des constructeurs navals et des bûcherons entreprenants eurent vite fait de dépouiller la côte de la Nouvelle-Écosse de tous les arbres ayant une valeur marchande. Étant donné l'absence de rivières dans la région, la forêt intérieure de la péninsule demeura indemne pendant un certain temps. Le Nouveau-Brunswick, riche en denses forêts de pins et en longues rivières au cours rapide, était en revanche doté, du point de vue de l'industrie embryonnaire du bois, d'une géographie quasi idéale. La rivière Saint-Jean au sud et la rivière Miramichi au nord devinrent les axes principaux du commerce du bois dans les Maritimes. Dès 1810, les recettes tirées de l'exportation du bois du Québec vers la Grande-Bretagne étaient nettement supérieures à celles du commerce des fourrures.

Après la guerre, la vallée du Saint-Laurent, ses affluents et la rivière des Outaouais devinrent le siège d'une industrie prospère et diversifiée des produits du bois. Dans un premier temps, les Britanniques résistèrent à l'importation de ce qu'ils considéraient comme du bois colonial de qualité inférieure. Étant donné les droits de douanes élevés freinant l'entrée du bois étranger, les constructeurs navals, les entrepreneurs et les charpentiers britanniques finirent par surmonter leurs préjugés à l'égard des produits canadiens. Au début du XIXe siècle, le Canada exportait vers la Grande-Bretagne des produits forestiers diversifiés : du bois équarri (des billots de pin rouge et de chêne taillées à la doloire et à l'herminette), des madriers (de grosses pièces de bois rectangulaires), des plateaux, des planches, des douelles et des cendres, par ordre d'importance décroissante. En Grande-Bretagne, le bois équarri était coupé selon les normes de l'industrie britannique. Certains de ces énormes billots coloniaux servirent de poteaux ou de poutres aux grandes usines victoriennes alors en construction. Les madriers, les plateaux et les planches étaient grossièrement taillés dans les scieries canadiennes et finis outre-mer. On utilisait les cendres produites par les forêts incendiées pour la fabrication de savon, d'engrais et de poudre à canon. Au total, les exportations canadiennes passèrent de cent quarante mille mètres cubes en 1810 à plus de cinq cent cinquante mille à la fin des années 1820. Environ les deux tiers de ces exportations venaient du Nouveau-Brunswick. Après un léger fléchissement dans les années 1830, les exportations continuèrent à progresser et dépassèrent le million de mètres cubes à la fin des années 1840. Avec le temps, la proportion de bois scié par rapport au bois simplement équarri augmenta et l'industrie québécoise gagna du terrain par rapport à celle des Maritimes.

Tous les hivers, une petite armée de bûcherons envahissait les forêts du Nouveau-Brunswick et de la vallée du Saint-Laurent. Logés dans des cabanes grossières et soutenus par une diète riche en calories — porc, fèves, pain et pommes de terre —, ces hommes décimèrent la forêt vierge à une vitesse alarmante. Les arbres étaient équarris à la main à l'endroit où ils étaient tombés ou bien — après avoir été tirés par des bœufs ou des chevaux sur des chemins de portage couverts de neige et de glace — à proximité d'une rivière, où les déchets s'accumulaient. Au dégel, le printemps venu, ces énormes billots descendaient les ruisseaux jusqu'aux rivières principales, où ils étaient regroupés en « radeaux ». Des équipes de draveurs chevronnés conduisaient ces énormes trains de bois vers l'aval. Pour franchir les rapides les plus capricieux, ils devaient d'ailleurs parfois les démonter. Chaque été, le Saint-Laurent en aval de Québec devenait une vaste mer de bois. Là, une véritable armada de cargos chargeait le bois et les billots à destination de Liverpool, Bristol, Londres, Glasgow et l'Irlande. Entre 1823 et 1834, par exemple, le nombre de navires à appareiller du port de Québec passa de six cents à plus de mille deux cents par année en raison de cette activité.

Il fallait des équipes comptant environ treize mille hommes pour charger les navires.

La présence dans les colonies d'innombrables ruisseaux et de rivières pouvant servir d'énergie motrice donna naissance à une florissante industrie de la coupe du bois. La production était destinée à l'exportation et au marché intérieur en pleine croissance. Dans les années 1830, à titre d'exemple, quelque cinq cents scieries étaient en activité dans le Haut-Canada ; en 1850, elles étaient plus de mille cinq cents. Jusque dans les années 1840, plus de feuillus, de billots de bois et de cendres faisaient le trajet entre la région des Grands Lacs et Québec par le Saint-Laurent que par le bassin de la rivière des Outaouais. L'industrie forestière devint le principal employeur des colonies ; elle assurait en effet des emplois saisonniers aux jeunes et aux agriculteurs profitant de la saison morte de même qu'un petit nombre d'emplois à temps plein à des ouvriers spécialisés. À Ottawa, l'industrie employait mille cinq cents hommes dans les années 1830, nombre qui passa à huit mille dans les années 1840. Dans le Bas-Canada, la foresterie, la drave, la coupe du bois et la construction navale constituaient une importante source d'emplois pour une population en croissance rapide, d'autant que le secteur agricole connaissait un déclin relatif. Les industries forestières faisaient une grande consommation de vivres, de fourrage, de chevaux, de harnais, de pièces d'équipement, de haches et de vêtements. Ainsi, le commerce du bois destiné aux marchés intérieur et extérieur était désormais l'un des principaux moteurs de l'économie.

L'importance économique de cette industrie forestière en pleine croissance est bien connue des historiens. En revanche, on oublie souvent de relever les coûts environnementaux de cette exploitation effrénée. Après l'abattage, des feux de forêt détruisaient les branchages et les arbres plus petits laissés derrière. La régénérescence naturelle prit des générations ; des essences sensiblement différentes s'implantèrent dans les concessions forestières abandonnées. Après le rasage des arbres, l'hydrologie du territoire se transforma : la pluie et la neige s'écoulaient plus rapidement ; les cours d'eau avoisinants s'envasaient. Les écorces arrachées pendant la drave coulaient au fond des rivières, dont le lit se recouvrait d'une couche de boue anaérobique empoisonnée. Les barrages érigés par les scieries altérèrent le cours des rivières, bouleversèrent l'écosystème local et barrèrent la route aux espèces de poissons migratoires. De nouvelles espèces, les carpes par exemple, proliférèrent dans les eaux plus lentes et plus tièdes. Pour se débarrasser des encombrants amoncellements de brin de scie, les exploitants de scieries se tournaient une fois de plus vers les rivières, ajoutant à la charge biologique inassimilable des cours d'eau. De multiples manières, l'industrie forestière des premiers jours transforma l'environnement.

Au cours de la période consécutive aux guerres napoléoniennes, l'agriculture fut le moteur le plus important de la croissance économique, l'occupation principale de la population et l'une des toutes premières industries exportatrices. Elle aussi, il va sans dire, transforma l'environnement de maintes façons. Une fois défrichées, les terres du Haut-Canada se révélèrent idéales pour la culture du blé. Dans la région, les champs donnaient régulièrement de douze à quinze boisseaux de blé l'acre. La céréale était réduite en farine sur place, dans l'un des moulins qui, par centaines, partageaient les cours d'eau avec les scieries. Conservée dans des barils de fabrication locale, la farine était ensuite acheminée vers les marchés par le bassin fluvial du Saint-Laurent. On expédiait aussi du blé non moulu. Avec le temps, une proportion de plus en plus grande du surplus du Haut-Canada servit à nourrir le Bas-Canada. Par ailleurs, de cinquante à soixante-six pour cent du blé du Haut-Canada était exporté vers la Grande-Bretagne. Après 1827, les tarifs imposés aux grains étrangers en vertu des « *Corn Laws* » (lois sur les céréales) britanniques furent en effet sensiblement réduits. Bien entendu, une bonne partie de la farine produite localement était consommée dans les fermes, les villages, les villes et les camps de bûcherons du Haut-Canada. La population doublant à chaque génération, l'agriculture devait nourrir de plus en plus de bouches sans pour autant cesser de produire des surplus à exporter. Les exportations jouaient un rôle important, certes, mais c'est le marché local en pleine expansion qui générait la plus grande activité agricole. Le climat tempéré convenait à merveille à l'avoine et au foin utilisés pour nourrir les animaux de trait, les vaches, les moutons et les cochons. Au début du XIXe siècle, une multitude de nouveaux colons défrichèrent et incendièrent la forêt, plantèrent et récoltèrent leurs premières moissons, agrandirent peu à peu la superficie de leurs terres cultivées. C'est ainsi que le Haut-Canada devint la plus importante colonie agricole de l'Amérique du Nord britannique.

Le Bas-Canada suivit une trajectoire différente. Entre la guerre de 1812 et les années 1840, la colonie la plus populeuse, qui, à l'origine, produisait et exportait du blé, connut une sorte de crise agricole et démographique. L'agriculture traditionnelle et la croissance économique n'arrivaient pas à suivre le rythme de l'accroissement démographique. En outre, les maladies des cultures dont furent victimes les plus anciens champs de la région de même que l'appauvrissement des sols entraînèrent une diminution de la production de blé. Les agriculteurs délaissèrent donc cette céréale pour se tourner vers l'avoine et le foin servant à nourrir les vaches, les moutons et les cochons destinés aux marchés urbains. La question de savoir si les régions rurales du Bas-Canada ont connu une grave crise de subsistance divise les universitaires. Il est certain que l'ajustement a engendré de grandes difficultés. Dans les années 1830, le Bas-Canada n'avait plus d'excédents à exporter. On dut importer du blé et de la farine du Haut-Canada, se tourner vers l'agriculture de subsistance pour subvenir aux besoins immédiats de sa famille et élever du bétail pour nourrir les villages, les villes et les camps de bûcherons.

Dans les trente années suivant la fin des guerres, l'effet combiné des possibilités offertes par les colonies de l'Amérique du Nord britannique et du marasme économique dans lequel la Grande-Bretagne était plongée entraîna un vaste mouvement migratoire de ce pays vers le Canada. Parmi les conditions en vigueur dans les îles britanniques ayant aiguillonné l'émigration, mentionnons le surpeuplement, l'agitation politique d'après-guerre, la dislocation sociale découlant de la transformation des pratiques agricoles et la restructuration des métiers du secteur manufacturier. Disons, pour employer le langage neutre de l'historien de l'économie, que l'agrandissement des enclos et l'élevage des moutons libérèrent une abondante main-d'œuvre. Ces nouvelles pratiques agricoles se traduisirent par une augmentation du chômage chez les ouvriers du secteur et par une généralisation de la misère, les gens étant chassés de chez eux. Confrontée à la révolution agricole et aux premiers balbutiements de la révolution industrielle, la population britannique se mit en mouvement. L'émergence rapide de villes industrielles engendra misère et pauvreté. Dans de telles circonstances, de nombreux célibataires entreprenants ainsi que des familles ordinaires cherchèrent à se prévaloir de nouvelles occasions. On mit également sur pied divers programmes publics et privés pour prêter assistance aux démunis et prévenir la révolution en détournant le surplus de population vers les colonies, où les intéressés constitueraient pour l'empire un actif plutôt qu'un passif. Le gouvernement britannique s'efforça également de remédier au problème chronique de sécurité dont souffrait l'Amérique du Nord britannique en incitant des soldats démobilisés et d'autres à s'y installer. Laide à l'immigration ne toucha toutefois qu'une toute petite frange de la population ; la plupart des immigrants firent le voyage jusqu'en Amérique du Nord britannique par leurs propres moyens.

De la fin des guerres napoléoniennes jusqu'en 1830, environ vingt-cinq mille émigrés britanniques quittèrent leur patrie chaque année : en règle générale, la moitié d'entre eux se dirigeaient vers les colonies de l'Amérique du Nord britannique et l'autre moitié vers les États-Unis. Durant les années 1830 et 1840, l'exode s'accentua, environ cent mille Britanniques quittant leur île chaque année. Les États-Unis étaient alors légèrement plus populaires que le Canada. Au cours des années 1830, environ le tiers de ces immigrants au Canada étaient originaires d'Angleterre et d'Écosse ; les deux tiers d'entre eux venaient des ports irlandais. Pour la plupart, ils se dirigeaient vers le Haut-Canada, où les terres vacantes abondaient. Le Nouveau-Brunswick et la Nouvelle-Écosse n'attiraient que dix-sept pour cent d'entre eux ; dix-sept pour cent de plus trouvaient du travail surtout dans les régions urbaines du Bas-Canada. Les autres, soit soixante-six pour cent des nouveaux venus, gagnaient le Haut-Canada, même si certains poursuivaient leur route jusqu'aux États-Unis. Quelque cinquante pour cent des immigrants se définissaient comme des ouvriers non spécialisés, un peu moins de quarante pour cent comme des agriculteurs ou des ouvriers agricoles et seulement six pour cent comme des travailleurs spécialisés ou semi-spécialisés.

Les colons apportaient avec eux des semences, des herbes et des animaux. En introduisant des espèces européennes, des carpes aux étourneaux, ils éliminèrent des espèces indigènes, du serpent à sonnettes à la tourte voyageuse. En deux ou trois générations, ils transformèrent la forêt carolinienne de l'Amérique du Nord en une prairie vallonnée et nue. À l'aide de biens importés et indigènes, ils façonnèrent leur propre paysage. En raison de la migration massive de citoyens britanniques vers le Canada, de 1815 aux années 1840, les colonies de l'Amérique du Nord britannique devinrent, sur le plan culturel, plus britanniques que françaises. Il convient cependant de noter que, dans une large mesure, ce « caractère britannique » était en réalité un « caractère irlandais ».

Ce mouvement d'immigration à grande échelle stimula les marchés locaux, engendra des connaissances et des compétences nouvelles et mit au service de la production agricole et forestière une main-d'œuvre supplémentaire. Dans les villes portuaires, l'arrivée de navires bondés d'immigrants entraîna inévitablement des vagues de maladies épidémiques (la variole et le choléra surtout) et d'abjecte pauvreté. Halifax, Québec, Montréal et, dans une moindre mesure, Toronto absorbèrent le gros de cette marée humaine ; il fallut doter les nouveaux arrivants d'un emploi rémunérateur et mettre sur pied des services sociaux rudimentaires pour soulager la misère et contenir la contagion.

Il convient toutefois de souligner que, dans toutes les colonies britanniques, l'accroissement naturel de la population demeurait le principal moteur de la croissance démographique.

Au début du XIXe siècle, le taux de natalité des paroisses rurales catholiques du Bas-Canada et des cantons protestants reculés du Haut-Canada demeura étonnamment élevé — plus de cinquante naissances par mille habitants au Québec, par exemple. L'afflux de nouveaux immigrants et, plus encore, les très nombreuses naissances firent passer la population du Haut-Canada d'environ quarante mille en 1800 à près de cinq cent mille en 1842, soit douze fois plus. Au cours de la même période, la population du Bas-Canada passa d'environ deux cent mille habitants à quelque huit cent mille, c'est-à-dire quatre fois plus. Selon certaines estimations, la population des Maritimes quintupla au cours de la période, passant d'environ quatre-vingt mille en 1800 à un peu plus de quatre cent mille dans les années 1840. Bien que de plus en plus nombreux, les habitants du Haut-Canada trouvaient facilement du travail : il fallait non seulement défricher la terre, labourer, planter et moissonner, mais aussi construire les maisons, les immeubles commerciaux, les routes, les ponts, les quais et les moulins dont a besoin une société nouvelle. Dans le Bas-Canada, en revanche, à partir de 1820, il sembla y avoir trop de candidats pour les emplois disponibles. Dès cette époque, le Québec commença à exporter sa population excédentaire non pas vers l'Ontario, mais bien plutôt vers les villes industrielles du New Hampshire et du Massachusetts. Le Canada devint à la fois une destination pour les immigrants et une source d'émigrants.

Après la guerre de 1812, les colonies de l'Amérique du Nord britannique connurent la paix pendant quelques générations. L'acquisition de la Compagnie du Nord-Ouest par la

Compagnie de la Baie d'Hudson en 1821 eut pour effet de rétablir l'ordre et de consolider le monopole commercial dans la région. Les négociants en fourrures, les agriculteurs, les bûcherons, les marchands et les pêcheurs répondaient de leur mieux à la demande croissante sans craindre les invasions, l'instabilité monétaire ou la confiscation de leurs marchandises en haute mer.

Dans les années 1830, l'Amérique du Nord britannique fut témoin d'une lutte classique en faveur de l'autonomie gouvernementale. En se livrant à leurs activités quotidiennes, les colons se butaient à des obstacles qui, croyaient-ils, entravaient leur liberté. Leurs vives récriminations furent à l'origine de l'instabilité politique qui, dans les années 1830, ébranla tout l'édifice colonial. D'une manière très générale, l'agitation politique que connut alors l'Amérique du Nord britannique avait les mêmes causes que le mécontentement ressenti naguère dans les colonies américaines. Essentiellement, un mouvement de réforme démocratique de plus en plus affirmé, hostile au pouvoir colonial et à la tutelle oligarchique, s'efforça de transformer les institutions politiques afin de les soumettre à la volonté populaire. L'autorité était tolérable, à condition de servir l'intérêt public sans entraîner de coûts excessifs. Dans l'abstrait, les droits et les libertés n'avaient peut-être pas la cote dans l'Amérique du Nord britannique, mais les forces populaires, lorsque les gouvernements se montraient trop gourmands, agissaient de façon tyrannique ou imposaient des conditions trop lourdes à leurs sujets, disposaient comme moyen de riposte d'un riche arsenal rhétorique. Les réformateurs coloniaux s'inspiraient également des progrès réalisés par des mouvements démocratiques et populistes analogues en Grande-Bretagne et aux États-Unis. Dans chacune des colonies, la lutte prit un caractère propre, assorti de divers degrés de misère sociale et économique, de démagogie, d'autoritarisme, d'erreurs, de soutien populaire, de concessions et même de violence. Contre toute attente, l'autorité britannique, au sortir du conflit, se trouva raffermie.

Dans le Haut-Canada, le mécontentement populaire naquit de la mainmise qu'exerçait sur les institutions une élite composée d'hommes étroitement reliés entre eux, que ses détracteurs appelaient le Pacte de famille ou les Tories. Aux yeux de ses critiques, ce petit groupe, qui dominait l'Assemblée législative et le Conseil exécutif (ou le Cabinet), dirigeait *de facto* le Conseil législatif élu et, par le fait même, administrait les affaires de la colonie selon ses propres intérêts. Les griefs avaient surtout trait aux politiques foncières ayant pour effet de priver les colons de vastes parcelles de terre de premier ordre au bénéfice de l'Église anglicane, du gouvernement et des élites mondaines. Les critiques dénonçaient de même le népotisme et le patronage, l'aliénation des citoyens d'origine américaine et les investissements massifs dans les canaux et les travaux publics, jugés peu avantageux pour la population. Le rude traitement réservé aux leaders populaires, Robert Gourlay au début des années 1820 et, plus tard, William Lyon Mackenzie, illustre bien les abus de pouvoir des oligarchies. En effet, Gourlay fut condamné à l'exil, tandis que des fiers-à-bras à la solde des Tories jetèrent les caractères d'imprimerie du journaliste Mackenzie dans les eaux du port de Toronto. Au cours de cette période, les réformistes et les Tories connurent un parcours électoral en dents de scie ; aucun des deux partis n'arriva à exercer une solide mainmise sur l'Assemblée législative. Au nombre des partisans des réformistes, on retrouvait surtout les habitants des régions rurales du nord et de l'ouest de Toronto, en pleine expansion, et des immigrants d'origine américaine. Quant aux élites tories, elles bénéficiaient surtout de l'appui des classes commerçantes urbaines, des immigrants britanniques de fraîche date et, parmi les Irlandais protestants, des Orangistes loyalistes.

Dans le Bas-Canada, le mouvement de réforme revendiquait plus de pouvoir pour la population. Traditionnellement, les gouverneurs britanniques du Bas-Canada choisissaient les membres de leur Conseil exécutif et de leur Conseil législatif parmi les classes de marchands anglophones et les élites seigneuriales qui, avec le temps, s'anglicisaient. Le pouvoir exécutif était donc pour une large part exercé par la minorité anglophone de la province. Très tôt, cependant, la majorité francophone avait pris le contrôle de l'Assemblée législative élue. Un groupe connu familièrement sous le nom de « Parti canadien » résista à la domination de l'exécutif en refusant de voter des crédits pour le gouvernement. Les réformateurs du Bas-Canada se battaient pour obtenir une mainmise populaire sur les institutions gouvernementales afin de faire adopter un programme législatif conservateur des points de vue budgétaire et social. Ils s'opposaient aux projets de canaux et aux travaux publics coûteux — défendus par les classes marchandes — visant à améliorer les transports dans le corridor du fleuve Saint-Laurent. En plus de coûter cher, ces initiatives portaient un rude coup aux producteurs locaux dans la mesure où elles entraînaient une baisse du prix des produits importés du Haut-Canada. Le Parti canadien défendait pour sa part les institutions traditionnelles comme la tenure seigneuriale et la vie rurale contre les percées du mercantilisme, de l'agriculture et de l'urbanisation.

Louis-Joseph Papineau, héritier d'une vieille famille seigneuriale, dirigea la lutte en faveur d'une chambre haute élue qui aurait pour tâche de faire contrepoids à l'élite militaire et marchande solidement installée à la tête de la province.

Papineau et un groupe de partisans de plus en plus nombreux recrutés au sein des professions libérales — des avocats et des notaires surtout — créèrent une impasse politique de fait en refusant de voter les crédits nécessaires au fonctionnement du gouvernement civil. À l'instar de Mackenzie au Haut-Canada, Papineau connaissait bien les mouvements populaires en Grande-Bretagne et aux États-Unis. Les deux hommes maîtrisaient à fond l'art de la rhétorique : doléances bien tournées, requêtes officielles ronflantes, appels théâtraux au gouvernement britannique et manœuvres parlementaires effectuées pour la galerie. La résistance de Papineau trouvait des munitions dans la misère grandissante des populations rurales, attribuable à de mauvaises récoltes, au surpeuplement et au besoin d'aiguillonner l'agriculture vers des produits et des marchés nouveaux. Dans le Bas-Canada, le mécontentement se polarisa donc autour d'un conflit entre Anglais et Français, entre intérêts commerciaux et ruraux, sur fond de marasme économique de plus en plus grave dans les campagnes. Après 1826, la lutte politique ayant pris des dimensions plus ouvertement nationalistes, le Parti canadien devint le Parti patriote. À mesure que le conflit s'envenimait, des nationalistes irlandais et quelques catholiques irlandais désabusés en vinrent à jouer un rôle d'une importance démesurée à la tête du mouvement d'opposition aux Britanniques.

C'est dans les colonies des Maritimes que la tension entre les deux branches du gouvernement de l'Amérique du Nord britannique — le Conseil législatif élu et le Conseil exécutif nommé — était apparue pour la première fois. Dans les années 1760, les colons de la Nouvelle-Écosse avaient exigé la création d'une assemblée élue. À partir des années 1830, Joseph Howe, orateur réputé et journaliste de talent, dirigea le mouvement, qui s'opposait à la clique dirigeante et prônait l'établissement d'un gouvernement populaire. Au Nouveau-Brunswick, un mouvement de réforme revendiquant un meilleur contrôle des revenus des terres de la Couronne prit naissance à peu près à la même époque, même si la population, composée pour une large part de descendants des Loyalistes, soutenait généralement l'administration coloniale. À l'Île-du-Prince-Édouard, les agriculteurs locataires utilisèrent leur Assemblée pour lancer une campagne visant à obliger les propriétaires absents à leur céder en franche tenure les terres qu'ils exploitaient. Comme les propriétaires étaient bien protégés au sein des conseils nommés du gouvernement et surtout au Parlement britannique, ces revendications de longue date restèrent lettre morte. À Terre-Neuve, qui avait obtenu un gouverneur résident en 1817 et une Assemblée élue en 1832, un mouvement de réforme analogue dut concilier des antagonismes qui couvaient entre les protestants et les catholiques, les Anglais et les Irlandais, les marchands et les pêcheurs, la ville de St. John's et les petits ports isolés. En 1842, le conflit s'enlisa au point où la Grande-Bretagne suspendit l'Assemblée législative, qu'elle remplaça par une chambre comprenant des représentants nommés et élus. Ainsi donc, les deux Canada n'étaient pas des cas uniques : au cours des années 1830, des mouvements populaires ayant pour but d'assurer une plus grande autonomie gouvernementale et de circonscrire le pouvoir des gouverneurs et de leurs conseils gagnèrent en importance dans l'Amérique du Nord britannique tout entière. Il n'y a cependant qu'au Bas-Canada et au Haut-Canada que la lutte dégénéra en rébellion armée.

Du point de vue britannique, le programme de réforme aurait obligé le gouverneur à servir deux maîtres : le gouvernement anglais et les assemblées législatives. Habituellement, les autorités britanniques ne se préoccupaient pas beaucoup des affaires du Canada ; quand les événements les y contraignaient, elles voyaient mal comment concilier ces deux parties, en particulier au vu des divergences récentes. Lorsque le ministre des Colonies britanniques, lord John Russell, rejeta définitivement la demande du Bas-Canada visant à obliger le gouvernement à rendre des comptes à l'Assemblée législative, Papineau, en proie à de vifs tourments, se mit à rêver d'insurrection, fortement encouragé en cela par ses collègues irlandais plus nationalistes que lui. Dans le Haut-Canada, au lendemain du rejet de la requête directe adressée à la Grande-Bretagne par Mackenzie, à qui le parti au pouvoir avait volé la victoire électorale, ce dernier, après avoir été à maintes reprises expulsé de l'Assemblée, laissa son esprit enfiévré caresser des projets de protestations extraparlementaires. À l'automne 1837, les leaders des dissidents du Haut-Canada et du Bas-Canada déployèrent des efforts peu convaincants pour concerter leur action. Des hommes en armes commencèrent à s'assembler dans des villages de l'est et du nord-ouest de Montréal. L'insurrection éclata d'abord dans le Bas-Canada, suivie quelques semaines plus tard du soulèvement dans le Haut-Canada. Le 23 novembre, un groupe de patriotes du Bas-Canada tendirent une embuscade à un détachement de soldats britanniques dans la vallée du Richelieu. À ce signal, les rebelles du Haut-Canada, le 4 décembre, marchèrent sur Toronto par le nord.

Lorsque les premiers coups de feu retentirent, les autorités se révélèrent indécises et vulnérables. Le gouverneur du Haut-Canada, par exemple, laissa sa province pratiquement sans défense en prêtant presque tous ses soldats au Bas-Canada lors des premiers mouvements. Cependant, le soulèvement général de la population espéré par les rebelles en réaction à leurs rassemblements et à leurs engagements initiaux ne se matérialisa ni dans un cas ni dans l'autre. La rébellion de 1837 se transforma donc en Révolution américaine à rebours : les autorités triomphèrent et la révolution fut discréditée. Les forces de l'ordre ne mirent guère de temps à se ressaisir. Du reste, les deux leaders, par leur comportement erratique, nuisirent à leur cause.

Lorsque, dans le Bas-Canada, les escarmouches se transformèrent en combats rangés, le 28 novembre et le 4 décembre, les soldats réguliers de l'armée britannique taillèrent impitoyablement les rebelles en pièces. Au cours de la dernière confrontation, quelque deux mille soldats réguliers firent face à une foule indisciplinée de huit cents patriotes, dont la moitié seulement étaient armés. Après le premier engagement, soixante-dix rebelles trouvèrent refuge dans une église, où ils furent abattus ou brûlés vifs. Les Britanniques entreprirent alors d'incendier les bâtiments des environs. La rébellion des patriotes fut grave et sanglante : elle fit en effet des centaines de morts et de blessés, sans parler des nombreux villages détruits et des plus de cinq cents rebelles faits prisonniers.

Dans le Haut-Canada, la rébellion se désintégra rapidement. La marche le long de la rue Yonge entre le 4 et le 7 décembre tourna à la tragicomédie quand les miliciens et les rebelles détalèrent ni plus ni moins après avoir tiré les premiers coups de feu. Quelques jours plus tard, un autre soulèvement mal organisé avorta dans l'ouest de la province. Dans le Haut-Canada, les deux insurrections furent matées non pas par des soldats britanniques réguliers, mais par des miliciens du cru ayant pris le parti du gouvernement. Ceux-ci arrêtèrent plus de sept cents suspects, mais il n'y eut pas de bain de sang, et les dommages matériels furent minimes.

En 1837, les autorités écrasèrent de façon décisive les soulèvements dans les deux Canada, mais les actions militaires, dans certains cas importantes, se poursuivirent pendant quelques années. Papineau et Mackenzie trouvèrent refuge aux États-Unis, d'où ils lançaient des raids occasionnels contre les Canada. Bientôt, le mouvement des patriotes se scinda en factions radicale et traditionnelle. Robert Nelson, à la tête du mouvement le plus extrémiste, appelé les Frères chasseurs, fit, en compagnie d'une petite force, une brève incursion au Canada en février 1838 afin de proclamer l'avènement d'une république populaire indépendante, séculaire et démocratique. Papineau broyait du noir à Albany dans l'attente d'une intervention française ou américaine, tout en continuant de défendre la tenure seigneuriale, l'Église catholique établie et le code civil français. Mackenzie s'établit dans l'île Navy, au milieu du Niagara. De là, ses partisans attaquaient périodiquement le Haut-Canada.

En 1838, les rébellions du Bas-Canada et du Haut-Canada se transformèrent donc en guérillas transfrontalières. Les dissidents des deux camps furent rejoints dans leur entreprise par des Fenians irlandais — résistants irlandais opposés à la domination impériale — qui s'en prenaient à la Grande-Bretagne, par des citoyens des États-Unis sympathiques aux visées révolutionnaires des rebelles et par un petit nombre de miliciens américains qui, à titre privé, se croyaient capables de prendre le Canada au nom de la république. Les incursions frontalières menées dans la région du Niagara, à Windsor à l'ouest et à Prescott sur le Saint-Laurent, causèrent plus de dommages et soulevèrent plus de passion dans le Haut-Canada que les rébellions antérieures ne l'avaient fait. Une fois de plus, les miliciens se rallièrent pour repousser les envahisseurs. Selon la mythologie populaire, la rébellion devint une reprise en miniature de la guerre de 1812 : des miliciens loyaux du Haut-

Canada tuèrent dans l'œuf la tentative d'imposer le républicanisme au moyen d'une invasion. Dans le Bas-Canada, ces raids frontaliers, accompagnés de promesses relatives à l'abolition des droits seigneuriaux et de rumeurs selon lesquelles l'armée américaine appuierait le mouvement, provoquèrent un important soulèvement populaire sur la rive sud du Saint-Laurent, en aval de Montréal, en novembre 1838. Les entrepôts des marchands anglophones et les réserves indiennes de la région étaient les principales cibles de cette insurrection. Le soulèvement, comme celui de l'année précédente, fut brutalement réprimé. Des escarmouches scellèrent la défaite des Patriotes. Des Autochtones cernèrent et capturèrent certains rebelles. À l'arrivée des soldats britanniques, les insurgés, privés des armes promises et du soutien attendu des États-Unis, se dispersèrent dans la nature.

Les Britanniques, résolus à faire des exemples des plus de huit cents rebelles capturés, organisèrent les représailles. En 1838, les soldats britanniques pillèrent et incendièrent aveuglément les fermes des Patriotes. Au terme de procès politiques, quatre-vingt-dix-neuf rebelles furent condamnés à la peine de mort. Douze d'entre eux furent pendus en public, et soixante furent bannis ou déportés en Australie. Quant aux autres, bénéficiant d'une mesure de clémence compensatoire, ils furent remis en liberté. Dans le Haut-Canada, les sanctions furent tout aussi sévères. En dépit d'appels généralisés à la clémence, on pendit deux des leaders de l'insurrection de 1837. Suivant les invasions de 1838, on exécuta neuf leaders pour trahison, et une centaine d'insurgés (des Américains pour la plupart) furent déportés vers les colonies pénitentiaires d'Australie. Mackenzie, Papineau et d'autres leaders, en exil aux États-Unis, ne pouvaient pas rentrer au Canada, sous peine de mort.

Les soldats britanniques et les milices locales repoussèrent aisément les rébellions de 1837 et 1838. Un soulèvement vraiment populaire aurait peut-être triomphé, en particulier dans le Haut-Canada, les soldats britanniques ayant été dépêchés au Bas-Canada. Dans le Haut-Canada, la rébellion ne suscita cependant aucun appui de la part de la population, qui se rangea au contraire du côté du gouvernement. En revanche, elle fit un nombre disproportionné de partisans chez les résidants d'origine américaine. Les immigrants américains représentèrent en effet de trente à quarante pour cent des participants connus aux événements, dans une colonie où seulement six pour cent des habitants étaient nés aux États-Unis. Les milices se mobilisèrent avec enthousiasme, en particulier lorsque la rébellion prit la forme d'une invasion ; au combat, elles se comportèrent admirablement en repoussant les attaquants américains et en infligeant de lourdes pertes à l'ennemi, notamment lors de la bataille de Prescott. Dans le Bas-Canada, les rebelles jouissaient d'une sympathie muette plus grande de la part de la population, mais cette attitude ne se transforma pas en soutien actif. C'est la garnison britannique et non la milice qui étouffa l'insurrection. Les rebelles du Bas-Canada, plus nombreux, opposèrent une résistance armée plus vigoureuse, mais l'insurrection n'alla pas au-delà des environs de Montréal. Là encore, le mouvement n'avait pas de racines profondes. Dans la plupart des engagements, les rebelles se battirent par centaines et non par milliers.

La rébellion de 1837 fut une révolution typiquement canadienne. Mal organisé, le soulèvement ne parvint pas à mobiliser la population ; les forces de la répression, de l'autorité et de la loyauté l'emportèrent. La vaste majorité de la population demeura sourde aux appels des rebelles, convaincue qu'il valait mieux s'en remettre, pour régler les problèmes, aux mécanismes politiques existants. Au Canada, les révolutions échouent sur le terrain, mais elles triomphent dans la mémoire populaire et dans les livres d'histoire.

Avec le temps, la frontière se pacifia. Mackenzie et Papineau se morfondaient dans leur exil américain sans que personne les regrette. Cependant, le problème que posait la gouvernance du Canada, à l'origine de cet embarrassant étalage de violence, demeurait entier. Les Britanniques confièrent donc à l'un de leurs réformateurs les plus brillants, les plus libéraux et les plus gênants, lord Durham, le mandat d'étudier la question. À la faveur d'une affectation éclair de moins de six mois, Durham sauta aux conclusions de manière précipitée, catégorique et mémorable. Le problème du Bas-Canada, selon lui, reposait sur un conflit purement ethnique : « Je m'attendais à trouver un conflit entre un gouvernement et un peuple ; je trouvai deux nations en guerre au sein d'un même État : je trouvai une lutte, non de principes, mais de races. » Quant à ses sympathies, il n'en fit pas mystère. À son avis, les Canadiens français, « peuple sans histoire et sans littérature », pour reprendre sa regrettable expression, étaient irréformables. En outre, ils représentaient un obstacle au progrès et une menace pour la sécurité de la Grande-Bretagne en Amérique du Nord. Au Haut-Canada, il constata l'existence d'un gouvernement défaillant, insensible aux besoins légitimes du peuple. Il condamna l'hégémonie du Pacte familial et la volonté d'imposer à la population une Église qui ne répondait pas à ses besoins. L'agitation politique et la lente croissance économique du Haut-Canada, fit-il observer, faisaient vivement et tristement contraste avec la situation en vigueur dans les États américains voisins. Au Haut-Canada, la mauvaise gestion de l'élite avait, par comparaison, accouché d'une économie stagnante.

Lord Durham en vint à la conclusion que la seule solution au problème du Bas-Canada était l'assimilation de la population francophone à la majorité anglophone. À son avis, les Canadiens français allaient tôt ou tard être submergés. Mieux valait, dans l'ordre et sans délai, mettre un terme aux « vains efforts pour conserver une nationalité canadienne-française au sein de colonies et d'États anglo-saxons ». Durham recommanda l'union des deux Canada au sein d'une seule et même colonie, dont l'Assemblée législative serait d'emblée composée d'une majorité d'anglophones. On unifierait ainsi l'administration du corridor commercial du Saint-Laurent. Il s'agirait *de facto* de la première étape de la fusion de toutes les colonies de l'Amérique du Nord britannique. Quant au gouvernement, Durham préconisa que le gouverneur rende des comptes à l'Assemblée législative à propos de la plupart des questions touchant les affaires intérieures. Ainsi, son rapport avalisait dans une large mesure l'idée de « gouvernement responsable » défendue depuis un certain temps par les réformistes modérés.

Le gouvernement britannique donna suite à la majorité des recommandations de Durham, notamment celles qui avaient trait à la subordination des Canadiens français. L'*Acte d'union* de 1840 eut pour effet de regrouper les deux colonies portant un nouveau nom, le Canada-Ouest et le Canada-Est, à des fins administratives. Comme sa Constitution avait été suspendue, le Bas-Canada entra dans l'Union en vertu d'une autorisation administrative ; le Haut-Canada y adhéra librement. Les deux Canada eurent droit au même nombre de représentants à l'Assemblée législative élue, même si le Canada-Est comptait trente pour cent d'habitants de plus. Au départ, les Canadiens français furent donc sous-représentés.

L'anglais devint la seule langue officielle du gouvernement. Les revenus des deux régions étaient versés dans un trésor commun. La mesure, espérait-on, faciliterait l'imposition et financerait les investissements liés aux infrastructures de transport requises pour assurer la croissance de l'activité commerciale.

Le gouvernement britannique rejeta en revanche l'idée de gouvernement responsable soutenue par Durham. Plutôt que de livrer le gouverneur pieds et poings liés à l'Assemblée législative élue, il décida en effet de réaliser la quadrature du cercle en donnant au gouverneur les moyens de constituer une Assemblée législative à sa convenance. Le gouverneur, qui avait à sa disposition toute une panoplie de carottes et de bâtons, devint premier ministre *de facto*. Pour se tailler une majorité suffisante, le premier gouverneur désigné en vertu de l'*Acte d'union* redéfinit les circonscriptions électorales dans l'intention manifeste de réduire au minimum l'influence des Canadiens français : pour ce faire, il établit les bureaux de scrutin dans des secteurs favorables à son administration et embaucha des fiers-à-bras chargés, de concert avec les troupes britanniques, d'intimider les partisans de l'opposition. Le gouverneur, qui relevait toujours de ses supérieurs de la Grande-Bretagne, avait ainsi le loisir de nommer à son conseil exécutif des alliés capables de rallier une majorité à l'Assemblée législative.

Les leaders politiques canadiens-français de la nouvelle génération résistèrent au programme d'assimilation, mais ils choisirent de le faire de l'intérieur du gouvernement. Ce faisant, ils trouvèrent un terrain d'entente avec les réformistes anglophones mécontents du Canada-Ouest. Sous la houlette de gouverneurs autoritaires, une nouvelle alliance biculturelle d'opposition allait peu à peu prendre forme. Pour l'heure, l'intransigeance, la manipulation et l'intimidation étaient à l'honneur.

Au lendemain de la rébellion, la Grande-Bretagne décida de resserrer les liens économiques qui l'unissaient au Canada. Au fil des ans, l'activité commerciale entre les deux pays avait gagné en importance. Le bois et le blé avaient remplacé les fourrures des premiers jours. Pour faciliter la libre circulation des biens, des marchands de Montréal faisaient depuis longtemps pression en faveur d'une modernisation de la voie maritime du Saint-Laurent. Le fleuve en aval de Montréal exigeait des travaux de draguage, des aides à la navigation et des installations portuaires. En amont, il fallait aménager de coûteux canaux pour accommoder les cargos de grande taille qui remontaient et descendaient le fleuve. Il fallait aussi construire de meilleures routes pour approvisionner les ports des Grands Lacs en blé, en farine et en bois. Pour peu que ces améliorations soient apportées, la voie maritime du Saint-Laurent serait en mesure de disputer le commerce du Midwest américain aux canaux de l'État de New York. Aux termes de l'Union, la Grande-Bretagne approuva le projet de création d'un empire mercantile pour les deux Canada. Les gouverneurs reçurent des subventions britanniques destinées aux canaux, à l'aménagement du fleuve et à d'autres projets de modernisation des transports. En même temps, le gouvernement britannique abaissa les droits de douane applicables au blé canadien. Des deux côtés de l'Atlantique, on espérait que la conjugaison d'un traitement impérial préférentiel et d'importants travaux publics aurait pour effet d'intégrer et de stimuler l'économie du Canada, de régler ses problèmes internes et de raffermir les liens entre la Grande-Bretagne et sa plus importante colonie en Amérique du Nord.

Au début des années 1840, les exportations du Canada vers la Grande-Bretagne atteignirent leur point culminant. Des hommes d'affaires investirent dans des moulins qui produisaient la farine destinée aux marchés britanniques. Dans la région de l'Atlantique, cette décennie marqua l'âge d'or « des navires de bois et des hommes de fer » : en effet, les navires et les équipages coloniaux sillonnaient les routes maritimes du monde entier, lestés de la production de l'Empire britannique. Au début des années 1840, les exportations de bois d'œuvre reprirent au Nouveau-Brunswick. À Terre-Neuve, la production du secteur de la pêche augmenta. Les navires à vapeur, dont bon nombre appartenaient à un entrepreneur de la Nouvelle-Écosse, Samuel Cunard, réduisirent à treize jours la durée de la traversée de l'Atlantique, rapprochant plus encore la région de l'Atlantique du foyer commercial qu'était la Grande-Bretagne. Certes, il restait des problèmes à surmonter, et des nuages s'amoncelaient à l'horizon économique, mais, au début des années 1840, l'Empire britannique représentait, pour ses colonies nord-américaines, un régime économique viable.

En 1840, l'Amérique du Nord britannique était britannique par choix. L'invasion avait été repoussée à maintes reprises, la rébellion rejetée de façon décisive. Aiguillonné par une révolte embarrassante, le gouvernement britannique était sorti de sa torpeur le temps de prendre des mesures qui, croyait-il, allaient lui permettre de rester campé sur ses positions. Au lendemain de la Conquête, un territoire avait été intégré à l'empire — non sans certaines maladresses et de fréquents changements de politique. L'immigration britannique en Amérique du Nord avait également contribué au resserrement des liens culturels entre le Canada et la Grande-Bretagne. Les immigrants irlandais, majoritairement protestants, étaient fortement attachés aux institutions britanniques. Aux yeux de ceux pour qui la puissance politique et militaire croissante des États-Unis représentait une menace, la Grande-Bretagne faisait figure d'ultime protectrice. Dans le cadre de la campagne qu'ils menèrent conjointement pour accéder à l'égalité sociale et à l'autonomie gouvernementale, les politiciens canadiens-français et les réformistes du Haut-Canada se tournèrent vers les institutions britanniques. En 1846, un ex-rebelle patriote alla jusqu'à prédire que « le dernier coup de canon tiré pour le maintien de la puissance anglaise en Amérique le sera par un bras canadien », c'est-à-dire par un Canadien français. Les Autochtones comptaient sur la Couronne pour respecter les traités et les protéger contre la colonisation grandissante. Lorsque le chaos induit par la ruée vers l'or obligea le gouvernement britannique à administrer lui-même le domaine de la Compagnie de la Baie d'Hudson sur la côte ouest, la reine Victoria décida personnellement, comme de juste, de remplacer le nom proposé pour la colonie, soit « Columbia », par « Colombie-Britannique ».

Après la Révolution américaine, une Amérique du Nord britannique, regroupement lâche de colonies dispersées au sein de l'Empire britannique, avait donc pris naissance sur la frontière nord des États-Unis. En dépit d'une invasion et d'une rébellion, ces colonies persistèrent à titre de solution de rechange au républicanisme. Des minorités, française et autochtone, s'efforçaient tant bien que mal de préserver leurs collectivités en faisant appel aux idéaux britanniques. Il ne fait aucun doute qu'ils étaient nombreux à ronger leur frein sous la tutelle de l'impérialisme britannique et que les privilèges étaient inégalement répartis, mais rares étaient les Américains britanniques capables d'imaginer une meilleure avenue.

Entre colonialisme et indépendance

Au début du xxᵉ siècle, quelques colonies britanno-américaines formèrent en se fusionnant un pays désormais reconnaissable comme tel, le Canada, gigantesque territoire peint en rouge sur les cartes et s'étendant, au nord du quarante-neuvième parallèle, de l'Atlantique au Pacifique et jusqu'à l'Arctique. Le dominion du Canada était également appelé à jouer un rôle sur la scène internationale — à titre de partenaire commercial de premier plan, de destination pour les immigrants, de participant à la Première Guerre mondiale et de membre fondateur de la Ligue des nations. Entre les années 1840 et 1930, le Canada allait accéder au statut d'État et devenir la patrie d'un peuple reconnaissable entre tous.

Au xixᵉ siècle, dans les Amériques, l'histoire se déroule en général selon le scénario suivant : une colonie devient indépendante, puis elle accède au rang de nation, habituellement après avoir fait la révolution ou, à tout le moins, livré un combat héroïque. L'histoire canadienne n'a pas suivi cette voie. Les Canadiens ont plutôt opté pour une sorte d'entre-deux, à mi-chemin entre le colonialisme et l'indépendance, préférant accroître leur autonomie dans le cadre d'un empire réformé. De nos jours, c'est ce qu'on appellerait peut-être, non sans une certaine malice, la souveraineté-association. À l'époque, le Canada avait le statut de dominion, situation que ses habitants semblaient bien comprendre, mais que d'autres jugeaient déroutante, voire contradictoire.

Quelques raisons expliquent l'écart par rapport au passage habituel du statut de colonie à celui de nation. Premièrement, on dut construire le Canada à partir d'éléments disparates et éloignés les uns des autres : il n'y avait pas ici de « pays » à découvrir. Deuxièmement, les morceaux, lorsqu'on les réunit, ne se fondirent pas en un tout cohérent, comme dans le creuset d'un alchimiste. Pour de multiples raisons, l'intégration économique et sociale se buta à un régionalisme persistant qui agit à la manière d'une force centrifuge. Ainsi, l'union demeura imparfaite. Quant à l'identité nationale, rappelons que la révolution avait été discréditée et que le républicanisme portait les stigmates de son association à l'invasion et à la conquête. Les Canadiens préféraient une forme d'évolution existentielle vers un but vague, indéfini, menée dans le respect de la tradition constitutionnelle britannique. Ils avaient beau admirer les États-Unis et leur force économique, ils n'en sentirent pas moins le besoin de résister à leur influence culturelle et, sur le plan politique, de se définir par la négative, en tant que non-Américains. Qui plus est, l'histoire des États-Unis regorgeait d'exemples de faux pas à éviter.

Les fondateurs de l'union — ceux que, dans la parlure canadienne, on appelle les Pères de la Confédération — auraient préféré concevoir leur pays comme un royaume puisqu'ils ne le considéraient déjà plus comme une colonie. Les Britanniques jugèrent l'idée prétentieuse et absurde. Les Canadiens se rabattirent donc sur l'appellation de « dominion », qui figurait explicitement dans le texte anglais du psaume 72 (« *He shall have dominion from sea to sea* » ou « Et il régnera depuis une mer jusqu'à l'autre »). Faisant preuve d'une condescendance caractéristique de son pays, le premier ministre britannique jugea la requête risible, mais inoffensive. En revanche, elle plut à la reine Victoria. Le Canada serait donc un dominion. Mais qu'était-ce donc qu'un dominion ? Quelles relations constitutionnelles entretiendrait-il avec la Grande-Bretagne ? Ces questions mirent un certain temps à trouver réponse. Ainsi, des années 1840 aux années 1930, les Canadiens établirent leur dominion ; ils s'employèrent à peupler l'immense territoire aux dimensions bibliques ; ils l'enchâssèrent dans les lois de l'empire ; à la maison, au travail et sur les champs de bataille, ils affirmèrent son caractère propre. Il leur manquait cependant une unité indiscutable et une identité singulière. Le Canada demeurait une expression politique, et les Canadiens, une confédération de personnes aux « identités limitées ».

Le passage du statut de colonies regroupées à celui de dominion débuta non pas par la publication d'un émouvant manifeste de la main de colons aspirant à la liberté, mais bien plutôt par une franche déclaration d'indépendance de la mère patrie par rapport à son empire. Le Canada est né de l'impérialisme à l'envers. Pour des motifs de politique intérieure surtout, la Grande-Bretagne, au milieu des années 1840, délaissa le mercantilisme au profit du libre-échange, changement de cap auquel le libéralisme économique de l'École de Manchester servit de fondement théorique. Certains phénomènes — les grandes manifestations auxquelles participaient des membres des classes industrielles montantes, qui réclamaient de la nourriture à bon marché, sans parler de la misère en Irlande — conférèrent aux mesures un sentiment d'urgence. De plus en plus influencé par le commerce et l'industrie, le Parlement britannique abrogea en 1846 les fameuses « *Corn Laws* » qui, jusque-là, avaient mis l'agriculture britannique à l'abri de la concurrence étrangère et assuré aux producteurs des colonies un certain traitement préférentiel au sein de l'empire. Désormais, la Grande-Bretagne allait acheter ses céréales là où elles étaient le moins chères. On croyait que l'élimination des tarifs entraînerait une diminution du prix des denrées alimentaires (et donc des coûts de la main-d'œuvre) qui rendrait les exportations britanniques encore plus compétitives. Sur le plan politique, l'adoption unilatérale des principes du libre-échange justifierait qu'on réclame ensuite une réduction des droits de douanes dont étaient frappés les exportateurs britanniques. En même temps, la mesure aurait pour effet d'ouvrir et d'élargir les marchés où la Grande-Bretagne jouissait d'un avantage concurrentiel. Forte de l'impérialisme du libre-échange et de sa puissance industrielle inégalée, la Grande-Bretagne serait en mesure de s'attaquer résolument aux marchés mondiaux. L'élimination des lois sur les céréales fut suivie de réductions analogues des tarifs applicables au bois et à des centaines d'autres produits de même que de l'abrogation des lois sur la navigation, qui réservaient le commerce impérial aux cargos de l'empire ou des colonies. Le libre-échange entraîna un certain nombre de conséquences pour l'empire. Les colonies n'étaient plus d'abord et avant tout considérées comme des marchés captifs pour les fabricants ni comme des producteurs bénéficiant d'un traitement préférentiel.

Le libre-échange constitua dans les faits une sorte d'abandon économique de l'empire. Son pendant idéologique, soit la politique de la « petite Angleterre », suivit peu après. Selon la nouvelle conception des choses, les colonies représentaient un lourd passif. Chères à administrer et à défendre, elles exposaient la Grande-Bretagne à d'inutiles complications à l'étranger. De toute façon, gênantes et pleurnichardes, elles étaient destinées à l'indépendance. Il était préférable de se séparer à l'amiable, et le plus tôt serait le mieux. À propos de Terre-Neuve, Benjamin Disraeli résuma crûment la position britannique : « Ces misérables colonies, qui seront toutes indépendantes d'ici quelques années, sont autant de pierres au cou de la mère patrie. »

Dans les années 1840, la Grande-Bretagne connut ainsi une révolution économique aux répercussions politiques considérables. Ce changement stratégique eut une grande incidence sur les colonies de l'Amérique du Nord britannique, dont l'administration, la défense, le commerce et la prospérité avaient jusque-là été tributaires de la Grande-Bretagne. Après l'adoption du libre-échange, la métamorphose fut totale. Puisque la Grande-Bretagne n'avait plus d'intérêts coloniaux à défendre, les tours de passe-passe constitutionnel que supposait la reddition de comptes à l'assemblée législative des colonies par le gouverneur devenaient inutiles. Ainsi exonérée de ses obligations, la Grande-Bretagne avait toutes les raisons du monde d'encourager les colonies à se gouverner elles-mêmes : l'autonomie gouvernementale, espérait-elle, s'accompagnerait de l'autodéfense et de l'autosuffisance budgétaire. Si les denrées en provenance des colonies ne bénéficiaient plus d'un traitement préférentiel en Grande-Bretagne et que cette dernière agissait uniquement en fonction de ses propres intérêts économiques, les colonies devaient pouvoir à leur tour conclure des accords commerciaux à leur guise. Ainsi, il fallait inciter ces entités petites et dispersées à collaborer, voire à s'unir, pour former des regroupements politiques capables de s'imposer sur l'échiquier mondial. Cette révolution de la politique anglaise, occasion en or pour certains politiciens de l'Amérique du Nord britannique, représentait une grave menace selon d'autres.

Heureuse coïncidence, des politiciens des colonies britanniques en Amérique du Nord s'apprêtaient à revendiquer l'autonomie ou plutôt le gouvernement responsable, comme on disait à l'époque, au moment même où la mère patrie envisageait sérieusement cette possibilité. C'est en Nouvelle-Écosse qu'on donna le coup d'envoi, même si l'action des deux Canada allait faire plus de bruit. Aux élections de 1847, Joseph Howe, tribun populaire charismatique, obtint la majorité. Lorsque le ministère des Colonies ordonna au gouverneur de choisir les membres de son conseil ou de son cabinet au sein du groupe majoritaire à l'assemblée, on obtint *de facto* le gouvernement responsable, « sans coup férir et sans casser une seule vitre », comme se plaisait à le déclarer Howe. Le gouverneur avait toujours la possibilité de prendre un texte de loi en délibéré et le Parlement britannique conservait un droit de report théorique, mais, à toutes fins utiles, la Nouvelle-Écosse accéda à l'autonomie gouvernementale en janvier 1848.

Dans les Canada, cependant, on risquait de casser bien plus que des vitres au nom du gouvernement responsable. Au milieu des années 1840, déjà, des réformistes constitutionnels du Canada-Ouest anglophone avaient formé une alliance stratégique avec des politiciens francophones du Canada-Est désireux de récupérer les droits qu'ils avaient perdus aux termes de l'Union. Grâce à leur opposition concertée, ils avaient déjà beaucoup agi. La réforme constitutionnelle s'inscrivit donc dans une perspective biculturelle, marquée au sceau de la collaboration entre anglophones et francophones, fait qui allait avoir une importance capitale pour la suite des événements politiques. Les deux groupes firent ensemble la promotion d'une nouvelle forme de gouvernement et d'un nouveau programme politique. Le parcours était cependant semé d'embûches. Les conservateurs tories, qui bénéficiaient de solides appuis auprès des électeurs, firent obstacle à la réforme comme ils l'avaient fait dans les treize colonies, avant la Révolution. Ce n'est qu'après les élections de 1848 que les forces réformatrices combinées, dirigées par Robert Baldwin et Louis-Hippolyte Lafontaine, obtinrent une forte majorité à l'assemblée. Peu après, le gouverneur, lord Elgin, suivant l'exemple de la Nouvelle-Écosse, leur confia la tâche de former le gouvernement.

Aux yeux de certains, le changement avait été trop rapide. Le nouveau gouvernement, pressé de se mettre au pas de la politique économique britannique, souleva l'hostilité ; Baldwin et Lafontaine n'avaient pas tardé à exploiter les ressources du gouvernement responsable. Le gouverneur fit la lecture du discours du Trône en français. Peu après son accession au pouvoir, le gouvernement adopta une loi assurant le dédommagement des pertes matérielles subies pendant les rébellions de 1837-1838 au Bas-Canada (au Haut-Canada, la question avait déjà été réglée). Les dispositions les plus controversées du texte de loi autorisaient des paiements aux rebelles tout autant qu'aux loyalistes. Aux yeux des anciens décideurs, le monde était désormais sens dessus dessous. On récompensait la trahison ; on trahissait la loyauté. Lorsque, le 25 avril 1849, le gouverneur entérina ce texte de loi incendiaire au lieu de le prendre en délibéré, une foule de Torys en colère manifesta son mécontentement en attaquant sa voiture dans les rues de Montréal. Dans l'émeute qui suivit, la maison de Lafontaine fut détruite, et quelqu'un mit le feu au Parlement.

Dans les deux Canada, les premiers pas vers la démocratie avaient été littéralement réduits en cendres.

À l'Île-du-Prince-Édouard (1851) et au Nouveau-Brunswick (1854), la transition vers le gouvernement responsable se fit de façon plus pacifique. Essentiellement, les gouverneurs l'imposèrent à des assemblées qui, à contrecœur, acceptèrent le fardeau financier de l'administration publique qui l'accompagnait. À Terre-Neuve, des administrateurs britanniques firent l'essai d'une assemblée hybride, composée de représentants nommés et élus, avant de concéder une assemblée entièrement élue en 1855. Là, le gouverneur conserva néanmoins des pouvoirs considérables. Dans l'Ouest, les colonies de l'île de Vancouver et de la Colombie-Britannique, beaucoup plus petites, demeurèrent sous la tutelle de gouverneurs désignés, même si la colonie insulaire eut droit à une assemblée élue dès 1856. Dans la Terre de Rupert, soit la portion occidentale des territoires de l'intérieur, il n'y avait pas de gouvernement du tout, sinon l'administration de la Compagnie de la Baie d'Hudson, que régissait une charte de la Couronne.

La révolution de la politique britannique poussa certains colons désespérés à envisager des mesures jusque-là impensables, motivées en partie par la frustration et en partie par l'absence d'issue. Le libre-échange secoua le monde des marchands, dont les entreprises avaient jusque-là prospéré grâce au mercantilisme britannique. Tous les investissements consentis pour faire de la voie maritime du Saint-Laurent la porte d'accès à la Grande-Bretagne semblaient perdus. Quelques mois après l'incendie du Parlement, des marchands de Toronto et de Montréal, déboussolés par le changement de cap de la Grande-Bretagne, publièrent un manifeste dans lequel ils réclamaient l'annexion du Canada aux États-Unis. Puisque la Grande-Bretagne avait abandonné son rejeton et que les États-Unis refusaient de commercer avec le Canada selon des règles justes, les marchands, aux abois, en vinrent à la conclusion que leur survie économique passait par l'intégration du Canada à son puissant voisin.

Dans les Canada, l'alliance réformiste s'effrita rapidement. L'annexion apocalyptique n'eut pas lieu non plus — les Américains ne tenaient pas du tout à s'embarrasser de nouveaux territoires qui risqueraient de compromettre le délicat équilibre entre les territoires où l'esclavage était permis et ceux où il était interdit. Grâce au réalignement politique des conservateurs du Canada-Est et des conservateurs modérés du Canada-Ouest, on assista plutôt au rétablissement d'une forme d'équilibre parlementaire. Le phénomène s'explique en partie par la montée du libéralisme radical. Dans le Canada-Est, les radicaux canadiens-français (les Rouges) exigeaient des institutions de type républicain. Dans le Canada-Ouest, les libéraux radicaux (les « *Clear Grits* ») revendiquaient eux aussi une démocratie à l'américaine, moins coûteuse et plus directe, sans aller toutefois jusqu'à prôner un gouvernement républicain. Leur cri de ralliement, « *rep by pop* », soit la représentation proportionnelle au sein d'une assemblée gouvernée par le peuple, se fit plus strident. Dans le contexte politique des années 1850, la question devint une véritable pomme de discorde.

En vertu de l'*Acte d'union*, le Canada-Est et le Canada-Ouest détenaient chacun quarante sièges à l'Assemblée. La population du Canada-Ouest se trouvait alors nettement surreprésentée. Au cours des années 1840, cependant, la population de la province anglophone de l'Ouest augmenta à un rythme à peu près trois fois supérieur à celle de l'Est, en raison de l'afflux d'immigrants dans la première et de l'exode des Canadiens français vers la Nouvelle-Angleterre. Au début des années 1850, la population du Canada-Ouest se chiffrait à environ un million d'habitants, soit quelque cent mille de plus que dans le Canada-Est. En une décennie, la situation s'était renversée du tout au tout : du point de vue démographique, le Canada-Ouest était désormais sous-représenté à l'Assemblée par rapport au Canada-Est. L'écart s'accentuait chaque année, en raison du taux de croissance beaucoup plus rapide du Canada-Ouest. Les libéraux radicaux anglophones luttèrent donc pour échapper à ce qu'ils appelaient la « domination française » en préconisant la représentation de chaque province selon sa population. Ce faisant, ils acquirent une influence de plus en plus marquée au sein du Canada-Ouest, au grand désarroi de la majorité francophone du Canada-Est. La proposition, il va sans dire, était frappée d'anathème au Canada français, dont les politiciens, sur la défensive, se sentaient plus à l'aise parmi les conservateurs modérés du Canada-Ouest, moins doctrinaires dans le dossier de la représentation numérique, sans compter qu'ils toléraient mieux les institutions françaises. Les conservateurs des deux régions et des deux cultures établirent ainsi un *modus vivendi* grâce auquel une majorité relativement stable parvint à gouverner pendant une bonne partie des années 1850.

Après les soubresauts de la politique et des marchés qui marquèrent la fin des années 1840, l'économie se raffermit, stimulée par la demande intérieure, par une immigration massive et par la réorientation continentale du commerce. En raison des prix élevés en Grande-Bretagne, des céréales canadiennes continuèrent d'emprunter la voie du Saint-Laurent malgré l'absence de traitement préférentiel. On exportait toujours des produits forestiers — du bois équarri, surtout — vers la Grande-Bretagne, mais le marché des États-Unis accaparait une part de plus en plus grande de cette production, principalement sous forme de bois scié. Pour donner suite à la volonté de ses colonies de bénéficier d'un accès plus grand aux marchés américains, la Grande-Bretagne avait, en 1854, conclu avec les États-Unis un accord de réciprocité prévoyant dans les faits une forme de libre-échange de produits naturels comme le bois, les minéraux, le blé, la farine et certaines denrées agricoles. Les producteurs et les marchands jouissaient ainsi des avantages économiques d'une association avec les États-Unis sans courir les risques politiques connexes. Le libre-échange des produits naturels insuffla une vigueur nouvelle à l'économie, notamment au chapitre du commerce transfrontalier du bois et des céréales. La réciprocité stimula l'économie des colonies de l'Atlantique. Au Nouveau-Brunswick, la construction navale atteignit des sommets ; la Nouvelle-Écosse et Terre-Neuve augmentèrent leurs ventes de produits du poisson aux États-Unis, même si elles durent accepter en contrepartie de partager leurs fonds de pêche avec des Américains. Au cours des années 1850, les exportations totales de l'Amérique du Nord britannique augmentèrent de près du triple. Pendant la même période, les exportations vers les États-Unis quadruplèrent.

À la faveur de cette vague montante d'exportations, l'économie de l'Amérique du Nord britannique amorça une période marquée par le changement structurel. L'économie coloniale dépendait fortement des exportations, certes, mais la vaste majorité de la production était désormais destinée à la consommation intérieure. Ensemble, l'agriculture, la foresterie et la pêche comptaient toujours, au milieu des années 1850, pour environ cinquante pour cent de la production totale, la fabrication, la construction et les services étant responsables du reste. Les moulins, les ateliers et les usines proliférèrent : il fallait approvisionner le marché de plus en plus vorace en biens fabriqués au niveau local. Vers la fin des années 1850, au grand déplaisir des fabricants britanniques, le gouvernement canadien imposa même des tarifs plus élevés aux biens manufacturés à l'extérieur pour assurer une certaine protection à ce secteur grandissant. Tout au long de cette décennie, les chemins de fer, avec le soutien des gouvernements, accélérèrent la croissance et le développement. La construction ferroviaire stimula l'investissement. En modifiant la durée et la fréquence des déplacements, les nouveaux chemins de fer contribuèrent à l'intégration et à l'expansion des marchés. L'industrialisation modifia le système des partis politiques, comme l'illustre la déclaration sans détour d'un homme d'État de l'époque : « Ma politique se résume dans les chemins de fer. » Les hommes des sociétés ferroviaires, à la recherche de chartes, de subsides, de prêts d'urgence, de garanties d'emprunt et de dispositions législatives protectrices, courtisaient assidûment les politiciens, qui faisaient pleuvoir leurs largesses. La moralité politique n'en est pas nécessairement sortie grandie.

La croissance démographique rapide s'explique d'abord et avant tout par un taux de natalité toujours élevé, soit quarante-cinq naissances par mille habitants. Un afflux d'immigrants britanniques, venus principalement d'Irlande — à la suite de récoltes de pommes de terre désastreuses —, stimula encore la croissance en plus d'ajouter un nouvel élément ethnique incendiaire au tissu social de la colonie. En 1847, plus de cent mille « Irlandais de la famine », la plupart catholiques, débarquèrent. Dans les années 1850, les Canada accueillirent quelque trois cent cinquante mille immigrants, soit environ douze pour cent de leur population totale. Par le chemin de fer clandestin, de plus en plus d'esclaves fugitifs des États-Unis venaient chercher la liberté au Nord, où ils trouvaient pour l'essentiel la ségrégation et le confinement. Selon certaines estimations, deux cent mille personnes auraient aussi quitté le Canada, à destination des États-Unis surtout, d'où un apport net d'immigrants d'environ cent cinquante mille pour la décennie. L'immigration fit augmenter la demande de biens et de services en plus de gonfler les rangs des travailleurs nécessaires à la construction et à l'exploitation des chemins de fer de même qu'au bon fonctionnement des maisons de vente au détail et des industries manufacturières des villes en plein essor.

Le mot « établissement », fréquemment utilisé pour décrire le peuplement des colonies, occulte la fluidité et la mobilité remarquables d'une population en mouvement constant. Avec le temps, les gens qui parcouraient les villes, les villages et la rase campagne en quête de meilleures conditions de vie finirent par surpasser en nombre ceux qui y avaient pris racine. Les nouveaux immigrants irlandais, pour la plupart pauvres, catholiques et non qualifiés, transformèrent le caractère de la population, en particulier dans les villes. Les bateaux-cercueils de la famine qui faisaient le trajet entre l'Irlande et l'Amérique du Nord britannique débarquaient dans les villes portuaires de tristes contingents d'immigrants malades et affamés. Résolus et impénitents, les représentants de cette minorité défavorisée mais bruyante durent lutter pour se tailler une place dans le marché de l'emploi, les logements, les lieux de divertissement et même sur les bancs d'église. Les catholiques français résistèrent effectivement à l'envahissement de leurs lieux de culte. Lors des élections, des grèves et des réjouissances publiques, les Irlandais faisaient sentir leur présence. À l'occasion de la Saint-Patrick, les Orangistes (protestants) disputaient aux

Irlandais catholiques (les forces « vertes ») les rues des villes coloniales britanniques. Le plus souvent, il en résultait du grabuge. L'industrialisation et l'immigration introduisirent donc de nouveaux ferments de discorde religieuse et ethnique dans des sociétés coloniales déjà grouillantes d'animosité.

Au début des années 1860, la plupart des colonies de l'Amérique du Nord britannique avaient déjà accédé à l'autonomie gouvernementale. La majorité d'entre elles bénéficiait également d'une croissance économique autonome et entretenait de solides liens commerciaux avec les États-Unis. Contre toute attente, cependant, aucune d'entre elles ne manifestait d'intérêt pour l'indépendance. Bien au contraire. La brève apostasie annexionniste de 1849 exceptée, elles demeuraient résolument britanniques dans leurs vues et leurs allégeances. Loyaux, les Canadiens s'en remirent gaiement à la reine Victoria pour choisir la capitale permanente de leur colonie, même si sa décision les laissa pantois. Ottawa, en effet, était une petite ville forestière isolée dont la réputation laissait à désirer. Au-delà de liens économiques évidents, les Canadiens s'accrochaient à la Grande-Bretagne et à son aura impériale. Ils suivaient de très près les tendances politiques et culturelles britanniques. Les politiciens ambitieux de la colonie rêvaient d'être sacrés chevaliers et de faire carrière dans le service impérial. Dans leurs journaux, les colons participaient par procuration aux guerres britanniques ; ils décorèrent leurs places de « souvenirs » de la guerre de Crimée, comme s'ils y avaient été mêlés. Les Canadiens français s'attachèrent eux aussi à la Constitution britannique, qui leur permettait de conserver leur langue, leur religion et leur différence culturelle au milieu d'une majorité désormais anglaise. Lafontaine, l'ancien rebelle, accepta volontiers d'être sacré chevalier. En fait, ce sont les représentants de la Grande-Bretagne qui durent inciter les gouvernements coloniaux réticents à définir leur avenir politique à long terme. Les Américains britanniques, quant à eux, se satisfaisaient pleinement du statu quo. Leur attachement à la Grande-Bretagne, soit dit en passant, s'expliquait en partie par la protection offerte par l'empire. Et quand les États-Unis s'enlisèrent dans une guerre civile sanglante, au cours de laquelle les Britanniques et les Américains britanniques sympathisèrent d'instinct avec le Sud, la sécurité cessa d'être un enjeu purement théorique.

Dans l'ombre menaçante de la guerre, un mouvement favorable à l'union politique des colonies de l'Amérique du Nord britannique vit le jour. Trois raisons principales militaient en faveur de l'amalgame, au sein d'un État territorial plus vaste, des petites colonies éparpillées : l'idée persistante et répandue selon laquelle il serait avantageux d'unir les États britanniques d'Amérique du Nord, comme les États américains l'avaient été ; les encouragements du ministère britannique des Colonies, qui préconisait la création d'entités politiques plus viables et autosuffisantes ; enfin, les inquiétudes parfaitement compréhensibles que suscitait la défense du territoire, au vu des tensions grandissantes entre la Grande-Bretagne et le nord des États-Unis. La Confédération s'imposa donc à titre d'objectif à long terme ; le gouvernement britannique y était favorable, et devant la menace américaine, les politiciens devaient réfléchir à leur défense commune. En 1864, la crise politique qui secoua le Canada les obligea à passer de vagues expressions d'inquiétude à l'action concrète. La réforme constitutionnelle fut désormais à l'avant-plan des préoccupations politiques.

Depuis les années 1840, des orateurs à l'esprit visionnaire faisaient miroiter la perspective d'une union des provinces britanniques capable de rivaliser de grandeur avec les États-Unis. Cependant, aucun mouvement ni parti politique n'avait fait d'un tel objectif sa priorité absolue. Il s'agissait pour l'essentiel d'une « bonne idée » évoquée dans les discours de fin de banquet. Ex-journaliste nationaliste, orateur et politicien irlandais au tempérament fougueux, Thomas D'Arcy McGee devint le plus célèbre des apôtres de l'union de l'Amérique du Nord britannique. Faisant appel à la rhétorique enflammée de l'époque où il militait pour la Jeune Irlande, McGee, dans ses discours et dans ses articles, entrevoyait l'avènement au Canada d'une nouvelle nationalité, fidèle à la Grande-Bretagne, unie au sein d'un système fédéral harmonieux, plus tolérante à l'égard des catholiques et des minorités, capable de faire contrepoids aux États-Unis.

À la fin des années 1850, l'idée suscita un bref emballement dans les Canada, sans toutefois qu'on y donne suite. Qui plus est, des mesures pratiques visant à améliorer les communications entre les colonies prirent du plomb dans l'aile. Grâce à une ligne internationale reliant Montréal à Portland, dans le Maine, le Canada avait établi son premier lien ferroviaire avec la côte de l'Atlantique. Au début des années 1860, un projet de lien entre le Canada et les Maritimes se dessina, mais il avorta lorsque les politiciens prirent conscience des coûts. Ainsi échoua, au milieu d'un concert de récriminations, une initiative destinée à rapprocher les colonies. Dans les Maritimes, on douta de la sincérité des Canadiens.

En Nouvelle-Écosse, au Nouveau-Brunswick et à l'Île-du-Prince-Édouard, des voix réclamant la fusion des trois colonies se faisaient parfois entendre. Cependant, la satisfaction à l'endroit du statu quo et des querelles chauvines en apparence insurmontables empêchaient la prise de toute mesure concrète. L'enthousiasme suscité par l'union des Maritimes se limitait probablement aux trois gouverneurs qui, à titre d'étrangers et de militaires, ressentaient avec plus d'urgence que les autres la nécessité de mettre leurs ressources en commun. Le ministère britannique des Colonies, soucieux de réduire au minimum ses obligations, notamment dans le domaine de la défense, avait donné à ses gouverneurs le mandat d'encourager de telles initiatives. Le jeune et ambitieux gouverneur du Nouveau-Brunswick fit avidement la promotion de l'idée. Sans grand enthousiasme, les trois dirigeants des trois provinces, aiguillonnés par leurs gouverneurs respectifs, acceptèrent de se rencontrer à Charlottetown au cours de l'été 1864 afin d'étudier les possibilités.

La perspective d'une guerre imminente entre la Grande-Bretagne et les États-Unis obligea les colonies à se poser des questions depuis longtemps différées. En cas de guerre, comment les colonies de l'Amérique du Nord britannique se défendraient-elles ? Jusqu'où iraient-elles pour assurer leur propre défense ? Questions contrariantes aux réponses coûteuses. Depuis un certain temps, les Britanniques avaient pour politique d'obliger les colonies à faire davantage pour leur propre défense. Les autorités militaires britanniques en vinrent à la conclusion que la majeure partie de l'Amérique du Nord britannique ne pourrait être défendue contre une attaque concertée de la part des Américains, dont l'armée permanente, gigantesque, avait fait ses preuves sur les champs de bataille. En revanche, les fortifications de Québec, de Montréal et de Halifax protégeraient les sites stratégiques dans l'attente de renforts. Dans le domaine militaire, les colons comptaient en général sur la Grande-Bretagne pour faire le gros du travail. Conscients de la futilité de l'autodéfense, peut-être, ils n'étaient disposés à faire que le strict minimum. En raison des tensions découlant de la guerre civile, les politiciens des colonies se montrèrent réceptifs à l'idée d'assumer une part plus grande des coûts en échange de la protection de la Grande-Bretagne. Les Britanniques virent dans la défense le moyen d'inciter les colonies à collaborer davantage dans d'autres domaines.

À la suite d'événements survenus en haute mer, la Grande-Bretagne et les États-Unis étaient à deux doigts de la guerre. La conduite de la marine nordiste enflamma l'opinion publique britannique. En effet, des marins américains arraisonnèrent un navire britannique en eaux neutres et capturèrent deux agents confédérés. Jusqu'au dénouement de cet incident par la voie diplomatique, on frôla la guerre. Puis ce fut au tour des États-Unis de s'irriter du comportement de la Grande-Bretagne. Le soutien accordé par celle-ci aux Confédérés faisait craindre d'importantes représailles d'après-guerre de la part des Nordistes. La Grande-Bretagne autorisa le gréement de deux raiders dans ses ports. Avant d'être détruits, ces bâtiments semèrent la pagaille dans les lignes de communication nordistes. À l'automne 1864, des guérilleros confédérés partis du Canada attaquèrent la localité frontalière de St. Albans au Vermont. Après avoir pillé les banques, incendié la ville et, de façon générale, terrorisé la population, ils rentrèrent au Canada, où un magistrat sympathisant, prétextant un détail juridique, refusa de les traduire en justice. Après la guerre, le président de la Confédération, Jefferson Davis, vécut un exil douillet à Montréal.

Comme les relations entre la Grande-Bretagne et les États-Unis se détérioraient, les autorités britanniques déplacèrent des troupes pour assurer la défense des colonies. Confrontés à des dangers venus de l'étranger et à des manœuvres défensives, les citoyens, inquiets, se prémunirent contre leur ennemi commun éventuel. Peu après la débâcle de St. Albans, les États-Unis, sombre présage, annulèrent l'accord de réciprocité et signifièrent leur volonté de mettre un terme à la démilitarisation des Grands Lacs. Les habitants de l'Amérique du Nord britannique comprirent qu'ils allaient non seulement devoir se passer d'un accès préférentiel aux marchés américains, mais en plus faire face à un voisin en colère, triomphant, armé jusqu'aux dents et profondément blessé.

Sur ce fond de menace, la politique interne des Canada devint impossible à administrer. Depuis quelque temps, il était difficile de former un gouvernement stable. Dans une assemblée divisée à parts égales entre les deux Canada, quatre partis politiques principaux représentant les courants dominants au sein de chacune des régions s'efforçaient, avec de moins en moins de succès, de constituer un gouvernement de coalition viable. Dans le Canada-Est, les Conservateurs français (Bleus) dirigés par Georges Cartier obtenaient généralement la majorité, tandis que les appuis des Libéraux français (Rouges) étaient nettement moins nombreux. Dans le Canada-Ouest, les représentants de la majorité libérale de plus en plus importante dirigée par George Brown, ardent partisan de la représentation proportionnelle, surpassaient habituellement en nombre ceux du parti centriste des Conservateurs modérés dirigés par John A. Macdonald. En règle générale, les Bleus du Canada-Est et les Conservateurs du Canada-Ouest collaboraient. Cependant, la popularité croissante des Libéraux dans le Canada-Ouest affaiblit cette coalition en réduisant la présence des Conservateurs. L'alliance des Rouges du Canada-Est et des Libéraux du Canada-Ouest était aux prises avec l'obstacle idéologique lié à la représentation proportionnelle ainsi qu'avec la faiblesse électorale des Rouges.

Des élections à répétition accouchèrent en gros de la même assemblée : chaque fois, il y avait assez d'indécis et d'indépendants pour déstabiliser les coalitions au pouvoir. La frustration montant, on se persuada qu'il fallait, pour dénouer l'impasse, procéder à une réforme structurelle. L'union des Américains britanniques est donc en partie née du désespoir. De plus, les Libéraux du Canada-Ouest s'indignaient profondément de voir les Canadiens français surreprésentés dicter des politiques contraires aux vœux de la population du Canada-Ouest, plus nombreuse mais sous-représentée. La décision récente d'établir un conseil scolaire catholique séparé dans la province majoritairement protestante fut l'ultime signal de la domination des Français.

Paradoxalement, le mouvement vers une union plus étroite des colonies de l'Amérique du Nord britannique est né en partie de la volonté des deux Canada d'aller chacun son chemin. En 1864, après de nombreuses élections aux résultats non concluants et la chute désormais routinière de plusieurs gouvernements éphémères, des rivaux épuisés acceptèrent en dernier recours de former une coalition faite des Libéraux du Canada-Ouest, des Bleus du Canada-Est et de Conservateurs anglophones des deux régions. Dans un premier temps, cette grande coalition, que dirigeaient Cartier, Brown et Macdonald, s'engagea à résoudre la question constitutionnelle en envisageant la création d'une fédération de toutes les colonies de l'Amérique du Nord britannique et, en cas d'échec, celle d'un système fédéral pour les deux Canada seulement. En deuxième lieu, la coalition accepta la représentation proportionnelle comme principe d'établissement du nouveau Parlement fédéral. Troisièmement, elle promit de faire l'acquisition des territoires de la Compagnie de la Baie d'Hudson dans le Nord-Ouest. Au cours de l'été 1864, elle mit au point un projet de fédération, qu'elle présenta aux délégués participant à la rencontre sur l'union des Maritimes de Charlottetown, tenue à la fin du mois d'août 1864. Voyant l'accueil enthousiaste réservé au projet par les habitants des Maritimes, on enchâssa ces principes généraux dans soixante-douze résolutions détaillées qui furent débattues et approuvées à l'occasion d'une conférence tenue à Québec en octobre de la même année.

La plupart des délégués réunis à la conférence de Québec, qu'ils viennent des Maritimes ou du Canada, auraient préféré à une confédération une union législative comme celle de la Grande-Bretagne. Ils craignaient que le fédéralisme ne soit voué à l'échec en raison de la présence de deux ordres de gouvernement et de la division des compétences. Un tel régime se révélerait instable, craignaient-ils aussi, comme en témoignaient les affres de la guerre civile dans la plus grande fédération du monde. L'union législative, aussi désirable fût-elle, était cependant impensable. Le Québec francophone n'accepterait jamais d'être écrasé par une majorité anglophone accrue. Par ailleurs, d'autres facteurs exigeaient deux ordres de gouvernement. En tant que fédération, le Canada devrait être fortement centralisé : encore une fois, la désintégration des États-Unis sous la pression d'États jaloux de leurs droits servait d'exemple à éviter. Aux termes des Résolutions de Québec, le gouvernement fédéral aurait le pouvoir d'agir au nom des principes de la paix, de l'ordre et du bon gouvernement ; il exercerait des pouvoirs déterminés portant sur toutes les affaires importantes connues de l'État et aussi des pouvoirs résiduels l'autorisant à agir relativement à des questions indéterminées. On corrigeait ainsi une lacune criante de la Constitution des États-Unis. Les compétences des gouvernements inférieurs se limiteraient strictement aux questions locales : on permettait ainsi au Québec de préserver sa culture, aux habitants du Haut-Canada d'exercer leur autonomie au niveau local et à ceux des Maritimes d'administrer les affaires de leurs municipalités non constituées en personnes morales.

Au sein de la chambre basse du Parlement fédéral, la représentation serait proportionnelle. Cependant, une chambre haute, dont les membres seraient nommés et non élus, aurait pour tâche de représenter les intérêts régionaux. Ici encore, on renonça au principe américain, jugé défaillant, de la représentation égale pour chacune des colonies au profit d'une représentation égale pour chacune des régions. Le Canada-Ouest, le Canada-Est et les Maritimes avaient chacun droit à vingt sièges. Dans la conception des nouvelles institutions fédérales, les délégués durent faire preuve de beaucoup de doigté. Comme le fit remarquer un fonctionnaire perspicace du ministère des Colonies: « La grande difficulté vient du fait qu'il faut unir les cinq provinces selon des modalités qui assurent la prédominance des lois centrales et fédérales, de façon à regrouper l'ensemble des parties au sein d'une seule entité politique, et en même temps donner aux Canadiens français l'assurance que cette domination ne servira pas à noyer leur religion et leurs habitudes. »

Dans un examen, un étudiant en histoire a un jour affirmé que la Constitution était l'œuvre de comptables. En fait, il n'y avait pas un seul comptable parmi les Pères de la Confédération. Intuitivement, l'étudiant en question avait toutefois compris que les principes généraux du projet reposaient sur des fondements financiers complexes et extrêmement astucieux. Peut-être sa réponse exprimait-elle de façon tacite la conviction selon laquelle la Confédération tenait davantage d'un marché commercial passé entre membres d'une élite que d'un accord populaire. Sur le plan financier, le gouvernement fédéral se voyait attribuer les principales sources de revenus, c'est-à-dire toutes les formes d'impôt et de droits de douanes. Parce qu'elles cédaient ces lucratives sources de revenus et acceptaient de se contenter des prélèvements directs et des recettes des terres de la Couronne, les provinces recevraient chaque année, de la part du gouvernement fédéral, un subside de quatre-vingt cents par habitant. Ce dernier assumait la totalité des dettes coloniales. À l'aube de l'union, le degré d'endettement public des colonies variait considérablement. Certaines, les deux Canada, par exemple, avaient investi massivement dans les chemins de fer ; d'autres, comme l'Île-du-Prince-Édouard, ne devaient pratiquement rien. Pour tenir compte des différents niveaux d'endettement, les auteurs du projet canadien imputeraient aux gouvernements concernés des intérêts sur les sommes dépassant le seuil d'endettement par habitant fixé et paieraient des intérêts aux autres. Il s'agissait d'un incitatif à peine voilé à l'intention des colonies de l'Atlantique. En outre, l'entente prévoyait la construction immédiate du chemin de fer intercolonial qui, pour asseoir l'union, servirait de voie de commerce et de communication sûre.

Les délégués, qui avaient à peine commencé à se connaître, étaient absorbés par les difficultés de la rédaction. Levant les yeux de la page, certains commencèrent à prendre conscience du potentiel transcontinental du pays qu'ils s'affairaient à bâtir. Au terme de leurs rencontres, ils entreprirent une tournée des Maritimes et des Canada, et l'idée de la Confédération gagna en popularité au sein de la population. À la faveur d'une humeur comparable à celle qui suit un bon repas et à coups de discours enflammés, les possibilités offertes par une union plus large suscitèrent un engouement bien réel. En revanche, la Confédération ne fut jamais une croisade populaire. Le Canada n'a pas été créé par un peuple blessé, puis soudé par la révolution. Les Canadiens n'étaient pas non plus unis par des liens anciens relatifs à la terre, à la langue, au mythe, à des antagonismes communs ni à l'histoire. La plupart des Américains britanniques abordèrent la Confédération comme un accord politique qu'il fallait interpréter sous l'angle bien pragmatique de l'intérêt de leur région ou de leur classe sociale. Dans certains milieux, la proposition fut, non sans raison, accueillie par une bonne dose de scepticisme, voire par de l'hostilité, en particulier au Québec, où les promesses d'autonomie plus grande se butèrent à la résistance des nationalistes, qui craignaient la domination du fédéral. Sans compter qu'il fallait vaincre l'inertie inhérente à un statu quo plus ou moins satisfaisant. Comme souvent dans les mariages de raison, la passion brillait par son absence.

On comprend sans mal que, pour les colonies plus petites, la question de la représentation au sein de la chambre basse et de la chambre haute ait constitué l'un des aspects les plus controversés de l'entente, même si, aux derniers jours et au lendemain de la Guerre civile, nul ne pouvait défendre le principe de la représentation égale pour chacune des provinces. Le minuscule subside de quatre-vingts cents par habitant fut tourné en dérision dans certains milieux des Maritimes, et les comptables hostiles à la Confédération déclarèrent inadéquates les modalités financières. Les marchands de Terre-Neuve redoutaient que les tarifs douaniers canadiens, s'ils s'appliquaient au nouveau pays, ne les acculent à la faillite. Terre-Neuve recula donc. L'Île-du-Prince-Édouard rejeta une proposition qui ne lui assurait pas une représentation proportionnelle à son importance et contournait l'irritante question de la tenure des terres. Au Nouveau-Brunswick, un gouvernement opposé à la Confédération pour une multitude de raisons d'ordre local sortit vainqueur des élections générales.

Finalement, le redoutable Joseph Howe fit paraître une série d'articles moqueurs, les « *Botheration Letters* », qui, du point de vue des Néo-Écossais, signifiaient implicitement l'arrêt de mort du projet.

En dépit de ces revers de fortune, la Confédération de quatre colonies — le Canada-Ouest, le Canada-Est, la Nouvelle-Écosse et le Nouveau-Brunswick — entra en vigueur en 1867. Comment le mouvement arriva-t-il à ses fins malgré une telle opposition ? D'abord, un certain nombre de solutions de rechange disparurent tout simplement. Le refus des États-Unis de revenir sur leur décision d'abroger l'accord de réciprocité coupa l'herbe sous le pied de certains opposants. Du coup, le statu quo devenait moins désirable. Le gouvernement britannique, fortement favorable aux nouvelles propositions, avait enjoint à ses gouverneurs de soutenir le mouvement par tous les moyens possibles. La voix de l'autorité et d'autres incitatifs eurent raison des réticences de certains détracteurs. Résolus, les politiciens canadiens menèrent adroitement le processus de ratification. Après de longs débats, les législateurs entérinèrent le projet à quatre-vingt-onze voix contre trente-trois. Le débat fit ressortir les inquiétudes considérables du Canada français au sujet du degré d'autonomie dont il bénéficierait en vertu d'une telle Constitution centralisée ; néanmoins, une majorité considérable de députés francophones se prononça en faveur de la ratification.

Les intérêts liés aux chemins de fer, auxquels le projet ne manquerait pas de profiter, firent appel à leurs pouvoirs de persuasion considérables. Au besoin, l'argent du Canada servait à acheter des élections dans les Maritimes. L'adversité raffermit la résolution des partisans de la Confédération. Au lieu d'abandonner, ils redoublèrent d'efforts. Des nationalistes irlandais établis aux États-Unis profitèrent de ce moment de faiblesse de la part des Britanniques pour lancer une série de raids violents contre le Canada[3]. Même si ces initiatives ne bénéficiaient pas du soutien officiel des États-Unis et que les agresseurs furent repoussés au prix d'efforts considérables, les tourments associés aux raids fenians incitèrent les Canadiens à se camper collectivement en position défensive. C'est dans cette atmosphère chargée que Charles Tupper de la Nouvelle-Écosse et Leonard Tilley du Nouveau-Brunswick (réélu à la faveur d'interventions « musclées » de la part du gouverneur) parvinrent adroitement à faire adopter le projet de Confédération par leurs assemblées irritables. En 1867, les quatre colonies acceptèrent de joindre la Confédération, et il fut entendu que d'autres colonies pourraient plus tard leur emboîter le pas. À la suite de quelques ajustements de dernière minute effectués à la Conférence de Londres, l'*Acte de l'Amérique du Nord britannique* fut adopté par la Chambre des communes et la Chambre des lords de la Grande-Bretagne et reçut la sanction royale. Le 1er juillet 1867, on alluma des feux de joie sur les collines, les cloches retentirent et de verbeux éditoriaux annoncèrent la naissance du dominion du Canada, sous la gouverne de son tout premier premier ministre, Sir John A. Macdonald, récemment élevé à la dignité de chevalier.

Grâce à une aide non négligeable de la Grande-Bretagne, le nouveau pays ne tarda pas à réaliser ses ambitions territoriales.

3. À sa sortie du Musée national d'Irlande à Dublin, un visiteur pourrait légitimement penser que les premiers coups de feu de la Révolution irlandaise ont été tirés au Canada, en 1866, à l'occasion de la « victoire » des forces feniane sur les Britanniques à la bataille de Ridgeway, dans la péninsule du Niagara.

En 1870, en effet, le gouvernement britannique céda au nouveau dominion les Territoires du Nord-Ouest, qui appartenaient autrefois à la Compagnie de la Baie d'Hudson. L'année suivante, la colonie de la côte ouest, la Colombie-Britannique, confrontée aux lendemains qui déchantent de la ruée vers l'or, se laissa convaincre de joindre l'union en échange de la promesse du parachèvement d'un chemin de fer intercontinental dans les dix ans. Après avoir frôlé la faillite à cause d'un projet de construction ferroviaire mal avisé, l'Île-du-Prince-Édouard, en 1873, finit par signifier son adhésion, non sans s'être laissée prier pour obtenir des conditions particulières. Enfin, en 1880, la Grande-Bretagne céda au Canada toutes ses îles de l'Arctique. En un peu plus d'une décennie, les frontières du Canada avaient pris de l'ampleur et s'étendaient désormais sur un gigantesque territoire allant de l'Atlantique au Pacifique, du quarante-neuvième parallèle au pôle Nord. Seule Terre-Neuve, à l'abri des préoccupations continentales, tournée sur elle-même et relativement satisfaite de son sort à titre de colonie de l'Empire britannique, demeura à l'extérieur du dominion.

En même temps, des tensions se firent sentir au sein de la nouvelle entité politique, et on prit conscience de la fragilité et de l'incertitude de la Confédération. L'insatisfaction à l'endroit de ses modalités persistait. Le premier gouvernement de la Nouvelle-Écosse avait expressément pour mandat de faire abroger la Confédération. Cette agitation affaiblit le dominion. Les gouvernements provinciaux, aux prises avec d'onéreuses obligations, s'irritaient des nouveaux accords financiers et faisaient pression sur le gouvernement central pour obtenir des conditions plus favorables. Les conflits sociaux engendrèrent une violence qui priva la Confédération d'un de ses esprits les plus vifs : dans les rues d'Ottawa, la Confrérie des Fenians assassina le plus ardent défenseur de la nouvelle nationalité canadienne, Thomas D'Arcy McGee, à cause de ses percutantes dénonciations du nationalisme irlandais.

C'est toutefois de l'Ouest que vint la principale contestation de la Confédération. Londres, en cédant subitement la Compagnie de la Baie d'Hudson au Canada, sans consultation préalable auprès des intéressés, déclencha dans l'Ouest une révolte ouverte qui éclata à l'automne 1869. Les années précédant la cession avaient été difficiles. De plus en plus souvent, la chasse aux bisons, dont dépendait la survie des Métis, était mauvaise. Les expéditions de chasse paramilitaires, dont les participants étaient obligés d'aller de plus en plus loin, obtenaient des résultats de moins en moins satisfaisants. La disparition progressive de la chasse aux bisons, phénomène aggravé par la transformation des conditions de la traite des fourrures, altéra en profondeur la vie des Métis. Un jeune leader métis charismatique, Louis Riel, mobilisa les siens, inquiets comme lui de l'incertitude entourant les titres de propriété de leurs terres ancestrales. Sous ses ordres, une majorité des habitants angoissés de la colonie de la rivière Rouge se prépara à résister à l'annexion par le Canada. Les Autochtones de la région, qui avaient des préoccupations et des intérêts différents, n'adhérèrent pas au mouvement. Un gouvernement provisoire dirigé par Riel définit les conditions auxquelles le territoire pourrait être intégré au dominion, notamment la sécurité des titres fonciers, l'octroi du statut de province, enfin la reconnaissance de la langue française et des écoles catholiques séparées. Le gouvernement fédéral n'eut d'autre choix que de négocier avec les insurgés. Après avoir obtenu gain de cause par les armes, la province du Manitoba s'associa donc à l'union à ses propres conditions ou peu s'en faut. La résistance exaspéra le petit groupe de colons canadiens plutôt antipathiques qui vivaient dans la région. À leur tour, ils tentèrent sans succès de renverser le gouvernement provisoire. Riel ordonna l'exécution de l'un des contre-révolutionnaires les plus tapageurs, geste intempestif qui lui valut une inculpation pour meurtre et enflamma l'opinion publique de l'est du Canada. À l'arrivée de soldats britanniques venus rétablir l'ordre dans la colonie en 1870, il dut fuir aux États-Unis.

Si l'expansion du Canada était contestée dans l'Ouest et qu'elle n'était pas tout à fait acceptée dans les colonies originelles, les premières années du jeune pays se révélèrent décevantes à d'autres égards. Tout au long des années 1870, l'émigration vers les États-Unis fut supérieure à l'immigration au Canada. Les contemporains se plaignaient du ralentissement de l'économie, verdict que confirment des estimations macroéconomiques venues plus tard, même si on était loin de la « dépression » parfois évoquée. Le PIB réel plafonna, tandis que le revenu par habitant diminua tout au long de la décennie, avant de se rétablir vers la fin. À l'occasion des pourparlers organisés au début des années 1870 pour régler les questions résiduelles découlant de la Guerre civile, le gouvernement de la Grande-Bretagne, toujours chargé des affaires du Canada, n'arriva pas à convaincre les États-Unis de renouveler l'accord de réciprocité. Dans sa hâte de conclure une entente, la Grande-Bretagne sacrifia de plus certains autres intérêts vitaux pour le Canada. Avec un empressement que certains jugèrent honteux, le gouvernement britannique, pressé d'échapper au bras de fer nord-américain, retira son armée du Canada en 1871 ; il ne conserva que des bases navales sur les deux côtes. Le Canada était officiellement sans défense.

Dans les circonstances, ce dernier avait en outre contracté des engagements au-dessus de ses moyens dans le dossier du chemin de fer.

On apprit que les entités auxquelles avait été accordé le contrat initial pour la construction du chemin de fer du Pacifique avaient contribué à la caisse électorale du parti au pouvoir à l'occasion d'élections chaudement disputées. Cette découverte sensationnelle emporta le gouvernement du premier ministre conservateur, John A. Macdonald, souvent en état d'ébriété. Le nouveau gouvernement libéral imposa un strict régime minceur aux finances du pays et au projet de chemin de fer, qu'il décida d'étaler sur un laps de temps plus long, étape par étape, comme s'il s'agissait d'un ouvrage public. La révision unilatérale des modalités de l'entente conclue avec la Colombie-Britannique entraîna une riposte véhémente de la part de la province affligée, qui porta sa cause jusqu'en Grande-Bretagne. Le ressentiment s'intensifia. Le nouveau gouvernement libéral ne réussit pas plus que son prédécesseur conservateur à obtenir des États-Unis qu'ils rétablissent la réciprocité. Les États nordistes, sortis vainqueurs de la Guerre civile, préféraient imposer des tarifs élevés pour favoriser leur propre industrialisation. En matière de politique économique, la solution privilégiée par le Canada, soit le libre-échange, demeurait donc hors de portée. Entre-temps, l'économie battait de l'aile et les provinces se lamentaient. Il ne fait aucun doute qu'un sentiment d'appartenance nationale avait commencé à éclore au sein de certaines classes de la population. Une poignée de poètes, de journalistes et d'historiens formèrent un mouvement, baptisé « *Canada First* », afin de favoriser l'éveil de cet esprit national. En même temps, les signes de mécontentement régional qui apparaissaient de temps en temps montraient bien que l'union tenait davantage du marché commercial que de l'affaire de cœur.

Dans l'opposition, John A. Macdonald, malgré sa chute disgracieuse, retrouva une bonne part de sa popularité. Selon la légende, qui n'est peut-être pas sans fondement, le pays préférait Macdonald saoul à ses opposants sobres — surtout après les années de disette imposées par des Libéraux écossais graves et pingres. Les Conservateurs de Macdonald mirent par ailleurs au point une attrayante plate-forme de développement économique qui leur valut un regain de popularité. Ils promirent d'accélérer la construction du chemin de fer transcontinental, d'encourager l'immigration, d'ouvrir les terres des Prairies à la colonisation et d'instituer un programme nationaliste d'industrialisation fondé sur le remplacement des importations. De retour au pouvoir après les élections générales de 1878, les Conservateurs, pour encourager les industries naissantes, se hâtèrent d'introduire un tarif douanier dans le cadre de ce qu'ils appelèrent la Politique nationale. Macdonald et son ministre des Finances invitèrent les manufacturiers à venir leur dire en toute confidence — entre les quatre murs d'un luxueux hôtel — ce qu'ils souhaitaient obtenir, et ils établirent le budget de l'année suivante en conséquence. Grâce à ce programme, le parti obtint le soutien financier du monde des affaires et l'appui électoral de la classe ouvrière montante. Il bénéficiait aussi de nombreux partisans au Québec français. Après l'échec des deux précédents régimes économiques — le mercantilisme fondé sur le traitement impérial préférentiel et le libre-échange continental des produits naturels en vertu de l'accord de réciprocité —, le Canada s'engagea sur la voie de l'industrialisation favorisée par des tarifs douaniers et sur celle de l'expansion de l'Ouest dans le cadre de la Politique nationale de Macdonald.

La colonisation de l'Ouest obligea le gouvernement à relever des défis singuliers. Grâce aux bons offices du gouvernement de la Grande-Bretagne, le Canada avait acquis les Territoires du Nord-Ouest de la Compagnie de la Baie d'Hudson en 1870. Les terres n'avaient toutefois pas été acquises en franche tenure. Contrairement à la croyance populaire, l'Ouest n'était pas désert. Quelque cinquante mille Autochtones et Métis vivaient de ses ressources. Suivant les modalités de la cession au Canada, on devait respecter, pour légitimer la colonisation, la politique de négociation des traités définie dans la *Proclamation royale*, vieille de plus de cent ans. Afin d'éviter la guerre ouverte entre colons et Autochtones qui avait marqué l'expansion des États-Unis vers l'Ouest, des agents du gouvernement du Canada entreprirent en 1871 de négocier une série de traités avec les tribus de l'Ouest. Dès 1877, les traités numérotés de 1 à 7 avaient éteint les droits ancestraux dans la majeure partie des Prairies. De 1899 à 1921, le Nord et les Territoires du Nord-Ouest furent cédés aux termes de quatre autres traités. Les modalités des ententes étaient en gros les mêmes, bien que certains indices montrent que les Autochtones avaient échangé des informations et, dans le cadre des négociations ultérieures, appris l'art du donnant-donnant. Ils acceptèrent de céder leurs terres en contrepartie de réserves territoriales exclusives, de paiements initiaux en espèces et de rentes permanentes. Dans certains traités plus tardifs, on trouvait des dispositions relatives aux fournitures agricoles, à l'assistance en cas de famine, aux droits de chasse sur les terres de la Couronne et à des services médicaux rudimentaires.

Pourquoi les Autochtones étaient-ils disposés à signer de telles ententes ? Voyant les bisons et d'autres ressources alimentaires disparaître sous leurs yeux, ils se rendaient compte de l'impossibilité de préserver leur mode de vie traditionnel. À chaque saison, les colons, les négociants et les missionnaires étaient plus nombreux. D'une façon ou d'une autre, les Autochtones devaient s'adapter à leur culture et à leur environnement changeants. Pour protéger les leurs contre l'afflux d'arpenteurs-géomètres, de colons et de vendeurs de whisky, les chefs s'efforcèrent de négocier les accommodements les plus favorables possible. En traitant avec les nouveaux arrivants plutôt qu'en les affrontant, ils tenaient aussi à éviter le bain de sang dont avaient été victimes leurs frères du Sud. L'Ouest canadien fit l'objet non pas d'une conquête, mais bien d'un troc.

Au moment de négocier les traités, les visées divergentes des deux groupes en présence donnèrent lieu à des malentendus qui eurent la vie dure. Les Autochtones luttaient tant bien que mal pour assurer leur survie, en proie à un grave bouleversement culturel. Peut-être ne comprenaient-ils pas l'étendue des droits auxquels ils renonçaient ; peut-être aussi faisaient-ils une interprétation toute différente des traités. Quoi qu'il en soit, ils voyaient dans ces derniers une assise permanente sur laquelle se fonderaient les négociations ultérieures. Marqués par les préjugés de la société qu'ils représentaient, les fonctionnaires du gouvernement du Canada croyaient non seulement que le mode de vie des Autochtones était en voie de disparition, mais aussi que ces derniers étaient voués à l'extinction. Dans ce cas, la meilleure solution consistait à les assimiler le plus rapidement possible grâce à deux influences jumelles : la Bible et la charrue. Il fallait qu'ils renoncent à leur existence nomade, s'enracinent dans leurs réserves et se mettent à cultiver la terre.

Dans les faits, l'*Acte des Sauvages* de 1876 (ancêtre de la *Loi sur les Indiens*) faisait des Autochtones des pupilles de l'État. En vertu des traités et des règlements, les Autochtones étaient confinés dans des réserves. En collaboration avec des conseils de bande élus, des surintendants nommés par le gouvernement prirent en charge tous les aspects de la vie des Autochtones. Les règlements interdisaient certaines cérémonies jugées dérangeantes, par exemple la danse du soleil dans les Prairies et le potlatch sur la côte ouest. Pour promouvoir le développement agricole dans les réserves, le gouvernement fournit des semences, des outils et du bétail en quantités limitées, en plus d'assurer une formation rudimentaire. Dans ce cadre, les services offerts par les missions chrétiennes — santé, bien-être, éducation et spiritualité — jouèrent un rôle de premier plan. Des écoles « industrielles » exploitées par les églises avaient pour but de « désindianiser » les enfants en les soustrayant à l'influence néfaste des leurs, en remplaçant les langues autochtones par l'anglais, en enseignant les arts ménagers aux filles et les métiers manuels aux garçons. Ainsi déracinés, les jeunes Autochtones acquerraient en théorie les habitudes « civilisées » et les compétences économiques jugées nécessaires à leur intégration au marché du travail. Les Autochtones considéraient les traités comme essentiels à leur survie. En revanche, les fonctionnaires voyaient dans les traités et dans la *Loi sur les Indiens* un instrument d'acculturation et d'assimilation. À leurs yeux, les Autochtones devaient devenir des citoyens canadiens et non constituer un peuple à part.

Pour assurer le respect de la loi et de l'ordre dans les territoires de l'Ouest nouvellement acquis, le Canada créa un corps policier armé inspiré de la Police royale irlandaise. À l'été 1873, les hommes de la Police à cheval du Nord-Ouest — des volontaires venus du Canada central — entreprirent la

« longue marche » qui devait les conduire dans les Prairies. Le voyage éprouvant fit de nombreuses victimes parmi les cavaliers — pour la plupart inexpérimentés — et leurs montures. Après s'être perdus à plusieurs reprises dans la plaine déserte, les policiers arrivèrent à leur destination, Fort Whoop-Up — établissement où ils avaient reçu l'ordre de mettre un terme à la contrebande d'alcool —, en nombre réduit, affaiblis par le climat et par les rigueurs du voyage, épuisés et déboussolés. Heureusement, aucun des rudes trafiquants de whisky américains n'était resté sur place pour leur bloquer la voie. En fait, ils furent contraints de demander des vivres et de l'aide à ceux-là mêmes qu'ils étaient venus policer. Après cette entrée assez peu glorieuse dans les Prairies, les membres de la police montée gagnèrent le respect et l'amitié des Autochtones, des Métis et des colons en raison de leur tact, de leur équité et du dévouement dont ils faisaient preuve face à l'adversité. Ces hommes supprimèrent la contrebande d'alcool, qui causait régulièrement des confrontations meurtrières dans les collectivités autochtones, barrèrent la route aux commerçants de fourrures sans scrupules venus du Sud et firent obstacle à l'anarchie qui caractérisait l'ouest des États-Unis. C'est en 1876 qu'ils subirent leur épreuve la plus dure : cette année-là, en effet, des milliers de guerriers sioux commandés par Sitting Bull, après avoir trouvé la défaite aux mains du général Custer à la bataille de Little Big Horn, vinrent se réfugier dans les Prairies canadiennes. Il fallut protéger les immigrants sioux contre les Autochtones canadiens, indignés par leur présence, et les chasseurs de primes américains qui traversaient la frontière dans l'espoir de les capturer. Pour dénouer l'impasse, les policiers encouragèrent gentiment Sitting Bull et les siens à rentrer chez eux — ce qu'ils finirent par faire.

Les membres de la police montée acquirent une réputation de probité qu'ils conservent encore aujourd'hui. En fait, ces policiers à la détermination farouche, reconnaissables entre tous à leur uniforme rouge et à leur habileté au tir — image magnifiée et diffusée dans le monde par le cinéma américain — font désormais figure de symbole du Canada tout entier. Leur tunique rouge soignée, empruntée à l'armée britannique, comme bon nombre de leurs traditions, avait pour but d'impressionner les Autochtones et de leur inspirer confiance. Les premiers hommes de la police montée portaient la casquette sans visière au poste et la casquette réglementaire en biseau sur le terrain. Par temps chaud et pour les grandes occasions, ils arboraient le casque colonial blanc. Ils constatèrent toutefois que les couvre-chefs réglementaires convenaient mal au climat de l'Ouest. Dans les années 1890, ils adoptèrent officieusement, pour se protéger du soleil et des intempéries, le feutre à larges bords à l'américaine. Le « *Boss of the Plains* » des Stetson Brothers devint le chapeau privilégié par la plupart d'entre eux. Au début du XXe siècle, on a fait de ce couvre-chef populaire l'un des éléments de l'uniforme officiel. Ironiquement, le chapeau distinctif des membres de la police montée du Canada est venu des États-Unis.

Peu à peu, le Canada commença à exercer sa souveraineté théorique dans l'Ouest. Au-delà des fondements juridiques, il fallait nommer le territoire et apprendre à le connaître. À cette fin, le gouvernement dépêcha dans la région une petite armée d'arpenteurs-géomètres et de scientifiques. Des fonctionnaires du Bureau des terres fédérales surimposèrent la géométrie de la civilisation occidentale aux contours vallonnés des Prairies, qu'ils divisèrent en cantons comprenant trente-six sections carrées. Chacune des sections, d'une superficie de six cent quarante acres (deux cent cinquante-six hectares), était elle-même divisée en quatre sous-sections. En s'avançant vers l'ouest, armés de leurs tachéomètres et de leurs chaînes, les arpenteurs devinrent eux-mêmes d'ardents promoteurs du potentiel agricole des vastes plaines. La politique d'aménagement du territoire du dominion épousait de près celle que les États-Unis avaient appliquée auparavant. Les sections portant un nombre pair étaient mises à la disposition des « *homesteaders* » ou colons qui, après trois années d'occupation, avaient la possibilité d'acquérir un quart de section de cent soixante acres moyennant une somme dérisoire. On mit de côté quarante-cinq pour cent des terres arpentées pour les colons, quarante-quatre pour cent pour le soutien des chemins de fer, cinq pour cent pour le remboursement de la Compagnie de la Baie d'Hudson et six pour cent pour la construction d'écoles. De concert avec les arpenteurs, des géologues sillonnèrent les Prairies et les chaînons frontaux des Rocheuses à la recherche de ressources exploitables, en particulier des gisements de charbon et de minéraux. Des botanistes enthousiastes, arrivés au cours d'une période de précipitations abondantes, déclarèrent qu'il s'agissait d'un véritable jardin d'Eden. Des analyses scientifiques, menées au cours d'une période d'expansion où les conditions de croissance étaient exceptionnellement favorables, évacuèrent les craintes selon lesquelles de grands pans du territoire de l'Ouest risquaient d'être désertiques et donnèrent raison à ceux qui croyaient que l'agriculture prospérerait au-delà des zones fertiles connues, voire jusque dans la région subarctique ! Les volumineux catalogues scientifiques faisant l'inventaire des ressources sont à l'origine des exagérations entourant le potentiel économique de l'Ouest.

L'enthousiasme des scientifiques et des arpenteurs servit bien les intérêts du dominion et du chemin de fer qu'il fallait construire pour intégrer et peupler son vaste domaine. En 1880, le gouvernement confia à un consortium montréalais, lourdement endetté auprès de ses partenaires londoniens et américains, le mandat de construire le Chemin de fer du Canadien Pacifique (CFCP). Pour soutenir la création d'un réseau ferroviaire nettement en avance sur la demande commerciale réelle, le gouvernement fournit des incitatifs financiers extrêmement généreux. Ainsi, il céda au consortium les portions de voies non terminées qu'il détenait en Colombie-Britannique et dans le nord de l'Ontario, d'une valeur de trente et un millions de dollars, en plus de lui allouer une subvention de vingt-cinq millions de dollars et plus de dix millions d'hectares de terres de premier choix des Prairies, en sections alternatives, situées dans un rayon d'environ trente-neuf kilomètres de part et d'autre de la voie principale. Il lui octroya aussi un monopole d'une durée de vingt ans sur la circulation ferroviaire, le droit d'importer de l'équipement et des matériaux de construction en franchise de douanes de même qu'une exonération d'impôt permanente pour ses terres et ses bâtiments. Encouragé par les scientifiques et les arpenteurs, le consortium choisit un itinéraire qui traversait les Prairies par le sud, occupant ainsi le territoire stratégique proche de la frontière. La voie ferrée remonta ensuite la rivière Bow, s'enfonça dans la vallée du fleuve Columbia après avoir franchi le col Kicking Horse, puis emprunta les territoires de la rivière Thompson et du fleuve Fraser à l'ouest. On choisit un terminus voisin de la ville de Vancouver d'aujourd'hui. Aux termes de l'accord en vertu duquel la Colombie-Britannique avait adhéré à l'union, Victoria devait toutefois être l'ultime terminus. C'est ainsi que le chemin de fer transcontinental poursuivit sa route sur l'île de Vancouver, de l'autre côté du détroit de Géorgie, de Nanaimo jusqu'à Victoria.

Faire passer la voie ferroviaire par des territoires recouverts de roche précambrienne, par les marais sans fond du nord de l'Ontario et par de hauts cols de montagnes coûta plus cher que ne l'avaient prévu les promoteurs. L'acquisition de lignes dans l'est du Canada et d'autres projets accessoires accaparèrent une partie des revenus. La construction coûta cher aussi en vies humaines et en membres amputés du côté des ouvriers, en particulier les terrassiers importés de Chine qui, à coups de dynamite, enjambaient les canyons et creusaient des tunnels dans les sommets de l'Ouest. Selon des entrepreneurs de la Colombie-Britannique, des accidents entraînèrent la mort de trois ouvriers chinois par mille de voie ferrée. Inévitablement, l'argent manqua avant que le projet ne soit mené à terme. En 1883, une crise financière obligea un gouvernement conservateur extrêmement réticent à consentir un prêt de 22,5 millions de dollars. Après encore deux années de dépassement de coûts dans les portions montagneuses du trajet, le chemin de fer courait tout droit à la faillite. Face à d'urgentes demandes d'aide supplémentaire, le gouvernement demeura inflexible. Un déraillement massif était à prévoir lorsque le projet reçut un coup de pouce inattendu. Une insurrection armée menée par quelques Métis et Autochtones montra toute l'importance d'un chemin de fer transcontinental pour le transport des troupes. On était dès lors fondé à consentir des prêts supplémentaires pour accélérer son parachèvement.

Les bisons se faisant de plus en plus rares, bon nombre de Métis anglophones et francophones de la colonie de la rivière Rouge avaient migré vers le nord-ouest des Prairies. Regroupés dans des établissements le long des rivières Saskatchewan nord et sud, ils craignaient que les arpenteurs ne fassent fi de leurs titres et que les colons ne s'emparent de leurs terres. Le gouvernement fit la sourde oreille à leurs inquiétudes. Frustrés, ils invitèrent Louis Riel à rentrer pour bien montrer au gouvernement fédéral le bien-fondé de leurs doléances. Les Autochtones de la région se trouvaient eux aussi dans une situation désespérée. À la suite de la signature du Traité n° 6, ils s'étaient rendu compte qu'ils s'adaptaient mal au mode de vie agricole. Les terres des réserves ne se prêtaient pas particulièrement bien à cette activité, et on leur interdisait l'accès à leurs terres de prédilection. Lorsque les sources d'aliments traditionnels se tarirent et que les récoltes se révélèrent insuffisantes, le gouvernement refusa de plus de respecter les dispositions du traité concernant l'assistance en cas de famine. Pour des motifs différents, la colère grondait chez les Métis et les Autochtones.

Devant la fin de non-recevoir d'Ottawa, Riel réédita le même scénario que quinze ans plus tôt. Au printemps 1885, il forma un gouvernement provisoire ; ses partisans prirent les armes et ils mirent en déroute un petit détachement de la Police à cheval du Nord-Ouest venu mater les insurgés. Des guerriers autochtones attaquèrent ensuite un établissement isolé et firent neuf victimes civiles. Cette fois-là, cependant, la riposte vint beaucoup plus rapidement qu'en 1869 ; désormais, la légitimité du gouvernement du Canada ne faisait plus aucun doute. Exploitant le réseau ferroviaire inachevé, le gouvernement fédéral dépêcha dans l'Ouest une armée composée de trois mille hommes. De concert avec des membres de la police montée et des colons regroupés en milice, ils menèrent une campagne de répression concertée. En proie à l'extase religieuse et convaincu qu'il était un prophète destiné à fonder un État catholique réformé dans l'Ouest, Riel ne fut d'aucune utilité tactique. Ses partisans, cependant, se révélèrent de valeureux combattants, au même titre que les guerriers autochtones. Unissant leurs forces, les combattants rebelles, à grand renfort d'embuscades, tinrent d'abord tête à l'armée canadienne. Avec le temps, cependant, cette dernière, qui l'emportait en nombre, eut raison des lignes de défense métisses. Riel se rendit à la mi-mai ; ses principaux lieutenants s'enfuirent aux États-Unis.

Les combats firent quelque cent cinquante victimes dans les deux camps, mais le bilan aurait pu être beaucoup plus lourd. Seule une infime minorité des Autochtones de la région avait pris part au soulèvement. La rébellion de 1885, bien que relativement limitée et vite étouffée, n'en eut pas moins de graves conséquences pour les principaux intéressés, sans parler de la politique canadienne. Au lendemain de l'insurrection, le gouvernement traita les Autochtones plus durement que les Métis. Des centaines d'entre eux furent arrêtés et jugés, quarante-quatre furent déclarés coupables et huit furent exécutés à l'occasion de la plus importante pendaison publique de l'histoire du Canada. L'ampleur de la répression donne une idée du spectaculaire renversement de pouvoir survenu sur le front pionnier. Les Autochtones ne représentaient plus une grave menace militaire. Quant aux Métis, dépossédés, ils n'exerceraient plus jamais d'influence à titre de collectivité autonome du Nord-Ouest. Le gouvernement visa surtout leur chef, Louis Riel, qui fut accusé de haute trahison. En dépit de son comportement erratique et de son délire religieux — qui lui valut d'être excommunié par l'Église catholique —, il fut déclaré sain d'esprit. Les médecins du tribunal le déclarèrent apte à subir son procès et, après avoir été reconnu coupable par un jury composé de six Anglo-Canadiens, il fut pendu.

L'exécution de Louis Riel, le 16 novembre 1885, eut des conséquences politiques bien plus grandes que la rébellion elle-même. Sa mort par pendaison fit de lui un martyr pour les Métis et, par extension, pour les Canadiens français. Avec le temps, les forces contre lesquelles Riel s'était élevé se l'approprièrent en tant que figure de la résistance, érigée en symbole de l'aliénation de l'Ouest et du mécontentement à l'égard de la Confédération. L'exécution de Riel déclencha aussitôt une vive colère au Québec français. Les Canadiens français n'avaient pas soutenu le mouvement de rébellion. Cependant, ils virent dans la pendaison de Riel un geste politique punitif, exigé par le Canada anglais pour venger le meurtre commis par Riel en 1869. À leurs yeux, on venait de porter un coup de plus à la culture française au Canada. En signe de protestation, quelques ministres canadiens-français démissionnèrent. Au Québec, le gouvernement protonationaliste dirigé par Honoré Mercier qui prit le pouvoir à la faveur des élections provinciales suivantes déclara sa ferme intention de mieux défendre les droits des Canadiens français au sein de la Confédération.

La décennie suivante fut marquée par d'intenses querelles au sujet des droits des provinces, de la religion, des écoles paroissiales et de la langue. Des fissures apparurent dans la cuirasse de la fédération à l'un des endroits où on croyait l'adhésion la plus solide. L'Ontario, en effet, prit la tête d'un mouvement de résistance au pouvoir centralisé du gouvernement fédéral, visant en particulier l'exercice de son droit de désavouer des lois provinciales. La Confédération, soutenaient les provinces, reposait sur un accord entre les colonies ; celles-ci devaient par conséquent avoir un poids égal dans l'administration du pays. À Ottawa, une telle argumentation était accueillie plutôt froidement : les tribunaux, cependant, en particulier le Comité judiciaire du Conseil privé d'Angleterre, cour d'appel de dernière instance, eurent tendance à donner raison aux provinces, d'où un élargissement de leurs pouvoirs.

Par ailleurs, le catholicisme ultramontain et le protestantisme extrémiste déchiraient le pays. Au Québec, la hiérarchie cléricale était dans les faits plus conservatrice et catholique que le pape ; certains extrémistes s'imaginaient même qu'il était de leur devoir de sauver la « France sans Dieu ». L'expression « Toronto, la Belfast du Canada » est inexacte en ce sens seulement qu'elle laisse entendre que les Irlandais firent preuve de plus de vigilance dans leur défense contre ce qu'ils percevaient comme l'agression des catholiques et qu'ils se méfièrent davantage des ingérences papales dans la politique gouvernementale. Lorsque, au Québec, les biens des jésuites furent restitués sans controverse, l'Ontario protestante poussa les hauts cris. Le Nouveau-Brunswick abolit ses écoles catholiques, et les catholiques de toutes parts réclamèrent du gouvernement fédéral qu'il désavoue la loi. Le Manitoba supprima certaines des institutions qui avaient été mises en place pour protéger les Métis au lendemain de l'insurrection de 1869. En 1890, la même province — qui avait entre-temps accueilli de nombreux immigrants anglophones — retira au français le statut de langue officielle à l'Assemblée législative. Elle créa aussi un réseau d'écoles publiques séculières, mesure qui priva de fonds les écoles françaises et catholiques. Le Québec somma le gouvernement fédéral d'adopter une loi réparatrice rétablissant les droits des francophones. Les partisans de la tempérance et de la prohibition faisaient pression auprès des politiciens pour qu'ils freinent la consommation d'alcool, première étape essentielle au salut social.

La religion consolait, donnait un sens à la vie, inspirait, réconfortait et renforçait l'esprit communautaire. Les clochers — pièces de maçonnerie d'allure gothique ou romane — et les cloches retentissantes proclamaient les forces confessionnelles qui régnaient sur les villes, les villages et les campagnes. La religion, cependant, divisait les Canadiens. Elle érigeait des barrières invisibles mais pratiquement infranchissables entre catholiques et protestants, tous ligués contre les petites collectivités juives et mennonites alors en pleine croissance. Elle était une source de cohésion sociale, un puissant moteur institutionnel, mais aussi une cause de méfiance, d'intolérance et de dissension. En cela, seule la race lui damait le pion.

Ces querelles se déroulaient sur fond de rendement économique décevant. L'économie, qui avait connu une forte croissance en raison des investissements dans les chemins de fer, plafonna après 1885 et déclina même au début des années 1890. L'exode vers la Nouvelle-Angleterre et le Midwest américain se poursuivait. Pendant trois décennies d'affilée, soit de 1871 à 1901, l'émigration excéda l'immigration, les Canadiens français et anglais s'expatriant en grand nombre vers les villes industrielles du nord des États-Unis. On avait construit le réseau ferroviaire, mais les colons manquaient à l'appel. Les agriculteurs comme les citadins digéraient mal les tarifs élevés qui entraînaient des hausses de prix. La croissance du Canada accusait du retard par rapport à celle des États-Unis. Comparativement à celle d'autres sociétés de pionniers comme l'Australie et l'Argentine, elle faisait piètre figure. Par nature corrosives, les controverses religieuses et linguistiques se transposèrent inévitablement dans l'arène politique et ébranlèrent le Parti conservateur au pouvoir. Après la mort de son vieux et rusé chef, John A. Macdonald, en 1891, il perdit peu à peu son emprise et s'effondra sous la gouverne d'une succession de premiers ministres ternes. Après trente années, la Confédération, secouée par une accumulation de griefs et de querelles sectaires, semblait en voie de se disloquer.

Puis un phénomène assez remarquable se produisit. Le Canada fut pris dans un tourbillon de changements économiques, politiques et sociaux sans précédent. Au cours de la génération suivante, un nouveau pays sortit de la défroque de l'ancien. Les panneaux du Masque de transformation s'ouvrirent, révélant au monde un nouveau Canada. Quoique spectaculaires, les transformations n'éliminèrent pas les problèmes tenaces; en fait, elles ne firent qu'ajouter de nouvelles couches de tensions sociales et politiques complexes qui, à certains moments, ravivèrent les vieux antagonismes et, à d'autres, les transcendèrent. En même temps, la croissance extraordinaire du Canada et son émergence soudaine à titre d'État de premier plan sur la scène mondiale lui insufflèrent de nouvelles forces d'intégration et servirent à contenir l'extrême volatilité sociale. Armés de nouveaux pouvoirs et confiants en eux-mêmes, les Canadiens étaient en droit d'imaginer pour leur pays un avenir radieux — sentiment que résumait élégamment une prédiction du nouveau premier ministre libéral: « Tout comme le XIXe siècle a été le siècle des États-Unis, le XXe siècle sera celui du Canada. » Insatisfaite de cette déclaration politique typiquement ampoulée, la mémoire collective a retenu la formule lapidaire suivante: « Le XXe siècle appartient au Canada. »

Après 1896, l'économie « décolla ». Les causes de ce miracle économique retinrent quelques générations d'historiens de l'économie, qui obtinrent des résultats intrigants, ingénieux et, en fin de compte, éminemment discutables. Le phénomène s'explique-t-il par une hausse des prix induite par une augmentation des réserves d'or, notamment en provenance du Klondike ? Les exportations ont-elles fait un bond ? L'investissement en fut-il responsable ? La politique gouvernementale ? Le climat ? Tout ce qu'on peut affirmer avec certitude, c'est que la convergence de nombreux facteurs créa une sorte de « cercle vertueux » d'interactions et de renforcements, survoltant une économie jusque-là poussive. Pendant plus de dix ans, le Canada bénéficia de l'un des plus hauts taux de croissance économique jamais enregistrés dans le monde industrialisé. Après 1900, le Canada crût à un rythme deux fois plus rapide que les États-Unis. La spirale de croissance fut si soudaine et si intense que certains économistes l'ont comparée à un cyclone. Le Canada ressentit simultanément les effets de la première révolution industrielle (textiles, fer et acier) et ceux de la deuxième révolution industrielle (électrochimie) — le tout accéléré par l'expansion rapide d'un secteur agricole très productif —, de la montée de nouvelles industries primaires et, enfin, d'une vague d'investissements venus en grande partie de l'étranger. L'augmentation progressive du revenu réel par habitant stimula la demande de biens et de services. Les débouchés offerts dans tous les secteurs attirèrent des milliers d'immigrants.

Soudain, le Canada était devenu un pays fortement industrialisé. En Nouvelle-Écosse, le charbon et le minerai de fer donnèrent naissance à une industrie sidérurgique considérable. Une bonne partie de l'acier ainsi produit servit à la construction de bateaux, de wagons et de rails de chemin de fer. Dans le Canada central, l'industrie sidérurgique, alimentée par du charbon et du minerai de fer en provenance des États-Unis, s'implanta le long de la voie maritime des Grands Lacs. Au Québec et dans les villes industrielles en pleine croissance de l'Ontario, les fabriques de textiles, de vêtements et de chaussures proliférèrent. De Montréal à Windsor, un corridor industriel — machineries agricoles, matériel de transport, fournitures électriques, aliments et boissons, caoutchouc, pétrole, sans oublier la production d'automobiles, alors au stade embryonnaire — vit peu à peu le jour. Dans de nombreux cas, il s'agissait de filiales de sociétés américaines qui établissaient des usines de l'autre côté du mur tarifaire pour accéder au marché canadien et parfois au marché impérial britannique. Grâce aux nombreux sites propices à la création de centrales hydroélectriques que comptait le Canada, on vit émerger une industrie de pointe, laquelle allait alimenter non seulement les villes, mais aussi les nouvelles industries électrochimiques, dont l'affinage du carbure, de l'aluminium et du nickel. L'Ontario en particulier tira profit de cette nouvelle industrialisation ; pour stimuler son développement et faire tourner les rouages de l'industrie au meilleur coût possible, elle se dota d'un réseau électrique public. Dans les vastes forêts du Nord, où abondaient les bassins hydrographiques propices à la production d'électricité et au transport, une industrie mondiale des pâtes et papiers apparut. Les Nord-Américains avaient en effet un appétit de plus en plus insatiable de papier, en particulier de papier journal. Des mines disséminées aux quatre coins du pays, on extrayait les richesses naturelles de la terre : or, argent, cuivre, nickel, zinc et charbon. Sur la côte ouest, l'industrie forestière grignotait petit à petit les denses forêts pluviales. Sa production était destinée aux marchés des États-Unis et des Prairies, où la construction battait son plein. Les eaux côtières du Pacifique grouillaient de saumons ; une bonne partie de la production était mise en conserve et exportée. Au Canada, la pénétration du réseau téléphonique fut aussi rapide que dans n'importe quel pays du monde.

La croissance fulgurante de l'économie canadienne s'explique en partie par un boom extraordinaire de l'investissement. À cette époque, on réinvestissait plus de vingt pour cent du PIB dans la formation de capital, comparativement au taux d'environ huit pour cent observés aux États-Unis et en Grande-Bretagne. Non seulement le Canada misait-il sur sa propre épargne, mais en plus ses possibilités attiraient des investissements étrangers considérables. Selon les économistes, l'« étranger » (dont la Grande-Bretagne dans une proportion de quatre-vingt-cinq pour cent) comptait pour plus de quarante pour cent de la formation intérieure brute de capital. Le Canada devint une destination de prédilection des investissements britanniques et, dans une moindre mesure, américains. Pour recueillir l'épargne de la population et octroyer à bon escient le crédit agricole et commercial, le Canada bénéficiait évidemment d'un réseau étendu de succursales bancaires. Il était également doté d'une industrie des assurances dynamique, de sociétés de fiducie énergiques, de prêteurs immobiliers et hypothécaires ainsi que d'autres intermédiaires financiers en mesure de transformer l'épargne en investissements productifs dans les secteurs du logement, de l'agriculture, du commerce de gros et de détail, des usines, de l'équipement, des travaux provinciaux et municipaux, des centrales hydroélectriques, des lignes de transmission et des chemins de fer. Le secteur tertiaire lui-même, notamment les services financiers, devint l'un des piliers les plus dynamiques de l'économie. En raison de désaccords politiques, on construisit non pas un mais bien deux nouveaux chemins de fer intercontinentaux. Sillonnant le pays, ces réseaux et les voies secondaires s'y rattachant furent la manifestation la plus visible de cette formation du capital et peut-être, à la réflexion, l'exemple le plus excessif. À l'époque, on croyait avoir désespérément besoin des chemins de fer pour assurer la circulation du blé vers l'est et celle des biens et des personnes vers l'ouest.

Dans un laps de temps remarquablement court, les « *homesteaders* » recouvrirent le quadrillage des terres des Prairies de l'Ouest d'exploitations agricoles centrées sur la culture du blé. En raison de la chute du prix du transport, de la faiblesse des taux d'intérêt, de l'avènement des techniques de culture sèche, de la mise au point de variétés de semence améliorées et de la mobilité de la main-d'œuvre, on arrivait à récolter du blé en énormes quantités et à expédier la production vers de lointains marchés. Formant une vague humaine presque continue, plus de un million d'agriculteurs accompagnés de leur famille envahirent les Prairies. En 1901, on dénombrait cinquante-cinq mille fermes ; dix ans plus tard, elles étaient plus de deux cent mille. Plus de soixante-dix pour cent de toutes les terres concédées dans l'histoire des Prairies furent occupées entre 1901 et 1911. Le gouvernement fédéral créa deux nouvelles provinces, l'Alberta et la Saskatchewan, pour faire place à tous ces nouveaux arrivants. Dans l'intérêt national, il conserva cependant la propriété des terres de la Couronne et des ressources naturelles.

Les herbes indigènes des Prairies s'effacèrent devant un océan de céréales ondulantes, composé à soixante pour cent de blé et à quarante pour cent d'orge, s'étendant à perte de vue. Chaque année, des armées d'ouvriers agricoles migraient vers l'Ouest, où, aux commandes des moissonneuses et des batteuses les plus modernes, ils récoltaient l'abondante manne. Bientôt, des torrents de blé et de farine transitèrent par le réseau des élévateurs, des meuneries, des chemins de fer, des canaux et des navires à vapeur et gagnèrent les marchés nord-américains et européens. Les exportations nettes de blé passèrent de dix millions de boisseaux en 1896 à plus de cent quarante-cinq millions en 1914.

La rapidité fulgurante avec laquelle la culture du blé se propagea dans les Prairies sidéra les contemporains et impressionna les historiens de l'économie au point où, par la suite, une bonne part du développement économique du Canada fut d'une façon ou d'une autre attribuée au « boom du blé ». Selon cette interprétation « vivrière » de l'histoire canadienne, l'augmentation des exportations de blé attira des travailleurs et des capitaux étrangers. En aval, l'effet d'entraînement profita aux industries de la transformation et du transport ; en amont, les secteurs de la fabrication et des services prirent de l'expansion pour répondre aux besoins des agriculteurs. Grâce aux chemins de fer et aux tarifs douaniers, le Canada tira des avantages de cette recrudescence de l'activité commerciale. Tout cela demeure vrai en bonne partie, mais l'explication est moins probante qu'on l'avait d'abord cru. Après quelques générations de révisionnisme soutenu, les historiens de l'économie ont revu à la baisse, sans le nier tout à fait, le rôle du blé comme moteur de l'économie canadienne. Dans ce demi-jour historiographique, le blé conserve malgré tout une part non négligeable de sa séduction en tant qu'explication d'un phénomène complexe. Au-delà de leur influence mesurable, les vastes champs dorés de l'Ouest ont été à l'origine d'un vent d'optimisme sans fin au sujet de l'avenir économique du dominion.

« Le dernier front pionnier de l'Ouest », ainsi qu'on avait baptisé les Prairies, attira un nombre sans précédent d'immigrants.

Vers la fin des années 1890, le Canada accueillait quelque cinquante mille immigrants par année. Ce nombre passa à plus de deux cent cinquante mille en 1906 pour atteindre plus de quatre cent mille en 1912, record inégalé depuis. Au cours de la décennie de recensement suivant 1901, la population du Canada connut une croissance de trente-quatre pour cent, dont près de la moitié s'explique par l'immigration. La proportion du nombre d'habitants nés à l'étranger passa d'environ treize pour cent en 1901 à vingt-deux pour cent en 1911. Au début, la plupart des nouveaux arrivants venaient de la Grande-Bretagne ou des États-Unis. On décourageait l'immigration des Noirs américains, même si un petit nombre d'entre eux ne se laissa pas dissuader. Rares étaient les immigrants originaires de pays francophones. Pour l'essentiel, cette vague humaine renforça le caractère anglais du pays.

Au fil du temps, cependant, les pays d'origine des migrants se diversifièrent. Au cours des années de pointe, plus de quarante pour cent des immigrants venaient de pays européens, surtout l'Allemagne, la Scandinavie, l'Ukraine, l'Empire austro-hongrois, la Hollande, l'Italie, la Russie, la Pologne, la Finlande et la Belgique. Venus d'outre-Pacifique, c'est-à-dire du Japon, de la Chine et du sous-continent indien, de petits contingents d'immigrants fortement réglementés — et, dans de nombreux cas, profondément honnis — s'établirent, principalement en Colombie-Britannique. L'immigration bouleversa donc la composition linguistique et ethnique du Canada : une population non anglophone considérable et fortement hétérogène vint se greffer à la mosaïque culturelle britannique et française. Des membres de minorités ethniques, religieuses et raciales occupèrent de vastes sections des Prairies et des pâtés de maisons entiers dans les villes. Dans les Prairies toujours, des îlots d'Ukrainiens, de juifs, de mennonites, d'huttérites, de doukhobors, d'Islandais et de Slaves ponctuèrent le territoire de petites collectivités autosuffisantes. En 1911, près de la moitié des habitants de la région étaient nés ailleurs qu'au Canada. La plupart des immigrants furent sans doute alléchés par la perspective des terres gratuites offertes dans l'Ouest, mais bon nombre d'entre eux, par choix ou non, restèrent dans les grandes et petites villes du Québec et de l'Ontario, où ils trouvèrent du travail dans les secteurs en pleine expansion de l'industrie, du commerce et de la construction. Par rapport aux Canadiens de naissance, les Canadiens nés à l'étranger avaient tendance à s'établir en milieu urbain en nombre disproportionné. En moins de dix ans, les villes en croissance rapide du Canada accueillirent donc une importante minorité culturelle.

Une transformation ethnique de cette ampleur, effectuée dans un laps de temps aussi court, entraîna forcément des tensions. Dans les principaux centres d'accueil des immigrants — Montréal, Toronto, Hamilton, Winnipeg et Vancouver —, la pauvreté, les préjugés et l'insécurité alimentaire refoulaient de nombreux nouveaux arrivants vers des ghettos ethniques et raciaux polyglottes, où les loyers étaient peu élevés. Vues de l'extérieur, ces anti-collectivités formaient un mélange explosif fait de misère, de désintégration sociale et de vice, voire de sédition. Certains Canadiens s'efforcèrent d'accélérer le processus d'assimilation ; d'autres résistèrent avec acharnement au changement social. Des organismes de bienfaisance catholiques venaient en aide à certains nouveaux arrivants. Au Canada anglais, un mouvement de renouveau religieux apparu au sein de quelques confessions et appelé « *Social Gospel* » — qui considérait la réforme sociale comme le premier pas vers la rédemption — dirigea la campagne de bien-être visant à intégrer ces « étrangers en nos murs » (d'après *Strangers Within*

Our Gates, ouvrage de James Shaver Woodsworth) à des centres d'accueil ou à d'autres activités de bienfaisance. À l'autre extrémité du spectre, des organisations racistes et nativistes harcelaient les nouveaux arrivants, en particulier les membres des minorités visibles. À Vancouver, la population s'en prit aux communautés chinoise et japonaise ; la haine raciale obligea un navire transportant des immigrants venus des Indes orientales à rebrousser chemin. Des colons noirs des États-Unis, venus trouver refuge au nord, firent face à des formes de ségrégation à la mode sudiste. Partout, les juifs et les Européens de l'Est se butaient à de la discrimination dans l'emploi et le logement. Même les Britanniques, à cause de leur arrogance, suscitaient le ressentiment. L'hostilité força les nouveaux arrivants à se serrer les coudes ; souvent, ils se regroupaient selon leurs affiliations religieuses pour constituer des sociétés d'entraide, de secours mutuel et de placement. Faisant preuve d'une détermination et d'un courage remarquables, les immigrants se taillèrent tant bien que mal une place dans le marché de l'emploi, créèrent de petites entreprises et, au prix d'efforts et de sacrifices considérables, firent du Canada leur pays. Comme toujours au Canada, la migration était une route à double sens : au nombre record d'immigrants reçus répondirent des cohortes sans précédent d'émigrants à destination des États-Unis et d'immigrants de fraîche date rentrant chez eux.

Les avantages de l'industrialisation rapide ne furent pas partagés également entre les régions et les classes sociales. Les Maritimes, par exemple, ne suivirent pas le mouvement, les industries s'établissant ou se concentrant dans le corridor industriel du Canada central. Le changement structurel de l'économie favorisa certaines professions et signifia la fin de certaines autres. Au moment même où l'agriculture était en plein essor dans l'Ouest, la pauvreté en milieu rural s'aggravait dans l'Est, les agriculteurs en situation précaire étant dépossédés de leur terre. Beaucoup se laissèrent attirer par le clinquant des villes et la promesse de salaires plus élevés. Les femmes avaient toujours fait partie intégrante du processus de production rurale, même si, à la fin du XIXe siècle, la mécanisation avait peut-être entraîné un certain fléchissement de leur participation. Bientôt, les femmes célibataires âgées de dix-huit à vingt-quatre ans comptèrent pour environ quinze pour cent des salariés. Elles s'engageaient comme domestiques dans les riches maisons bourgeoises et travaillaient dans les usines, les bureaux, les écoles et les hôpitaux, notamment dans les villes de filature et les quartiers ouvriers.

L'économie croissait, mais les salaires n'augmentaient pas nécessairement pour autant. Les ouvriers devaient se battre pour le moindre sou d'augmentation et la moindre heure de congé tout autant que pour la sécurité d'emploi. Et lorsque les prix montaient, les salaires tardaient souvent à suivre. Renonçant au syndicalisme industriel à l'européenne, au militantisme politique et à l'idéologie socialiste, les mouvements ouvriers les plus vigoureux s'inspirèrent du syndicalisme d'affaires américain pour obtenir des hausses de salaire et de meilleures conditions de travail dans certains secteurs. Curieusement, la fédération nationale des syndicats du Canada, le Congrès des métiers et du travail, se composait principalement de syndicats « internationaux » affiliés à des syndicats américains. Le mouvement ouvrier canadien s'inspira donc des ressources et des compétences en gestion de son pendant américain. Le militantisme syndical bourgeonna, en particulier dans les villes minières, forestières et ferroviaires des régions, mais aussi dans les villes industrielles de l'Est. Dans les secteurs des mines, de la fabrication et du transport surtout, on dénombrait de cent à deux cents grèves par année, au gré des fluctuations du cycle économique. Aux yeux de nombreux observateurs, des confrontations violentes laissaient entrevoir un risque immédiat de guerre des classes généralisée. À trente occasions, on dut faire appel à l'armée pour rétablir la paix et l'ordre, habituellement aux conditions des employeurs. Le gouvernement réagit en créant un ministère du Travail et en introduisant un mécanisme de médiation à participation obligatoire pour réglementer des relations de travail volatiles. En dépit de la ségrégation résidentielle fondée sur les revenus et la classe sociale observée dans de nombreuses villes du Canada, le pluralisme ethnique, linguistique et religieux militait contre la formation d'une conscience et d'une solidarité ouvrières durables à l'européenne.

Au cours des dernières années, les historiens et d'autres analystes se sont surtout employés à documenter, à expliquer et même à célébrer les nombreuses disparités liées à la langue, à l'origine ethnique, à la région, à la race, au sexe et à la classe sociale divisant les Canadiens. Un peuple, cependant, est toujours plus que la somme de ses différences. Les historiens ont moins bien mis en lumière le réseau de facteurs identitaires complexes qui soudent des compatriotes les uns aux autres, en dépit de leurs divisions. Petit à petit, cependant, des institutions, des associations, la consommation, des espoirs communs et l'activité communautaire unirent les Canadiens, parfois à leur insu, au sein de collectivités plus vastes, aux niveaux régional et national. Les églises, les associations de bénévoles, les fraternités, les clubs masculins et féminins, les ligues sportives, les écoles, les sociétés missionnaires, les régiments de milice, les associations laïques, les réseaux commerciaux, les catalogues de vente par correspondance, les sociétés professionnelles, les banques à succursales, les horaires de train, les vacances, les parents restés dans l'Est ou dans l'Ouest, les marques de commerce, les fédérations syndicales, les carrières des enfants et surtout les journaux : autant de facteurs qui furent à l'origine de collectivités imaginaires allant bien au-delà des affiliations personnelles, familiales et locales ou des classes sociales. Les Canadiens n'étaient pas nécessairement tous liés entre eux de la même manière ni au même degré. La toile de l'intégration fut tissée principalement par la classe moyenne montante, composée d'employés de bureau, de marchands, de professionnels et d'ouvriers spécialisés. Souvent, des hiérarchies régionales, religieuses ou culturelles distinctes se rejoignaient au sommet. Les Canada français et anglais étaient unis par le haut plutôt qu'à tous les niveaux de l'ordre social. Des élites bien installées à la pointe de pyramides sociales différentes préservaient l'harmonie entre divers groupes. C'est sans doute ce modèle et non l'intégration sociale complète qui illustre le mieux la complexité de la mosaïque canadienne en devenir. De toutes les institutions jetant des ponts d'un bout à l'autre du pays, les plus visibles étaient peut-être les partis politiques.

Habilement dirigé par Wilfrid Laurier, le Parti libéral créa une vaste coalition centriste qui gouverna le Canada pendant une génération et jeta les bases du parti qui allait détenir le pouvoir tout au long du XXe siècle, à l'exception d'une trentaine d'années. Au Québec, Laurier rallia des progressistes libéraux et des Bleus ayant peu à peu renoncé à leur ancienne allégeance au Parti conservateur. À l'extérieur du Québec, le Parti libéral obtint de solides appuis auprès des agriculteurs en se prononçant en faveur d'une réduction des tarifs douaniers. Les immigrants de fraîche date récompensèrent le parti au pouvoir en lui accordant leur faveur. Courtois et éloquent dans les deux langues, Laurier, qui avait la stature d'un véritable homme d'État, jouissait d'une grande popularité personnelle tant au Canada anglais qu'au Canada français. Forts de tels appuis, les Libéraux obtinrent une impressionnante majorité à quatre élections générales consécutives (1896, 1900, 1904 et 1908). Au pouvoir, Laurier négocia un compromis qui apaisa les tensions religieuses et linguistiques liées à la question des écoles au Manitoba. L'entêtement du gouvernement de cette province à faire de l'anglais la seule langue d'enseignement avait déclenché une crise au sein de la fédération, des catholiques et des groupes de francophones exigeant du gouvernement fédéral qu'il désavoue la loi en question. Laurier, bénéficiant d'une aide considérable de la part de la papauté, parvint à conclure une entente en vertu de laquelle la province autorisait les écoles françaises et catholiques à des conditions que les récalcitrants du Québec acceptèrent à contrecœur.

La dynamique politique d'immigration des Libéraux de même que le programme des chemins de fer contribuèrent considérablement au boom économique. On institua un mécanisme de médiation relativement efficace en cas de conflit de travail. Le Parti libéral, il va sans dire, bénéficia du climat général de prospérité et d'expansion. Une tentative maladroite d'imposer des écoles séparées dans les provinces de la Saskatchewan et de l'Alberta, qui n'en voulaient pas, entraîna quelques défections. Pendant plus de dix ans, cependant, les Libéraux réussirent à arbitrer les vives tensions sociales, religieuses et linguistiques auxquelles le pays était en proie. Laurier lui-même incarnait l'idéal biculturel de ce qu'il appelait la « fusion des races », laquelle, transcendant les différences particulières, formait une nationalité pancanadienne plus large respectueuse des deux cultures.

Le défi le plus ardu auquel était confronté le gouvernement, c'était l'empire. Dans un monde de plus en plus dangereux et compétitif, la Grande-Bretagne fut contrainte de réévaluer le sien. Suivant la nouvelle mentalité, les colonies se révélaient utiles comme marchés pour les produits industriels, mais plus encore comme instruments susceptibles d'accroître la puissance de la Grande-Bretagne dans le contexte des relations internationales. Si l'empire parvenait à se donner une politique de défense commune coordonnée par les Britanniques, l'influence de la Grande-Bretagne sur ses rivaux européens, la France et l'Allemagne, serait considérablement accrue. En dépit de son assurance politique et de son pouvoir économique grandissants, le Canada était toujours une colonie. Le gouvernement britannique désignait un gouverneur général (habituellement un aristocrate britannique de second rang) ; la Grande-Bretagne se chargeait des relations internationales du Canada ; un officier britannique commandait la milice canadienne ; le Canada avait beau avoir une Cour suprême, le Comité judiciaire du Conseil privé, organe de la Chambre des lords de Londres, constituait le tribunal d'appel de dernière instance.

Quelques intellectuels canadiens militaient en faveur de l'indépendance, mais la présence menaçante du géant voisin avait tendance à modérer les ardeurs des partisans de l'autonomie complète. Curieusement, l'émergence nationale du Canada, au début du XXe siècle, eut pour effet de renforcer l'attachement de nombreux Canadiens à l'empire. Puisqu'elle était déjà le « grenier de l'empire », cette puissance nordique en pleine ascension succéderait forcément à la frileuse

Grande-Bretagne sur le trône de l'empereur. Pour bon nombre de Canadiens, en particulier ceux qui avaient des origines britanniques, l'empire, pour un pays en émergence, était le meilleur moyen de s'imposer sur la scène internationale. Le Canada exercerait plus d'influence dans le cadre d'un empire s'étendant à toute la Terre que tout seul dans son coin. Les Canadiens devinrent impérialistes par procuration ; cet empire, c'était aussi le leur, et ils entendaient en hériter. L'impérialisme, dont l'essor se fit surtout sentir au Canada anglais, devint une forme de nationalisme canadien, une doctrine militante et prospective d'affirmation et de participation. Les Canadiens français, en revanche, avaient tendance à voir les choses d'un autre œil. Pour eux, l'impérialisme était synonyme de guerre. En cas de conflit, les jeunes Canadiens français seraient enrôlés de force dans l'armée britannique et iraient combattre au nom de la Grande-Bretagne dans des contrées lointaines où le Canada n'avait aucun intérêt direct. Au Québec, les nationalistes revendiquaient une autonomie plus grande par rapport au Canada, sans aller jusqu'à réclamer l'indépendance. Il fallait, affirmaient-ils, faire passer les intérêts du Canada en premier et, dans ce contexte, protéger la langue et la culture françaises au sein des institutions canadiennes. Entre les deux, une majorité silencieuse, pour ne pas dire muette, semblait caresser un vague désir d'indépendance un tantinet plus grande au sein de l'empire, pourvu que les engagements ne soient pas trop coûteux.

En 1899, la guerre des Boers posa ces questions aux politiciens de façon urgente et incontournable. De façon générale, le Canada français s'identifiait aux Boers engagés dans la lutte ; le Canada anglais approuva l'invasion organisée par les Britanniques en guise de riposte. En coulisse, le gouverneur général et le général britannique aux commandes de la milice canadienne complotèrent pour obtenir du Canada qu'il participe pleinement à la guerre. La conspiration faillit faire tomber le gouvernement. Coincé entre les impérialistes canadiens-anglais et les nationalistes de sa province d'origine, Laurier opta pour un compromis absurde : équiper des volontaires canadiens et les transporter en Afrique du Sud, où ils tomberaient sous le commandement de la Grande-Bretagne, chargée de les soutenir sur le terrain. Comble de ridicule, le gouvernement déclara solennellement que la mesure ne devrait pas servir de précédent. Plus de sept mille volontaires canadiens servirent en Afrique du Sud et environ deux cent cinquante d'entre eux moururent au combat. Fait peu surprenant, la crise entraîna la désignation d'un nouveau gouverneur général et, au moment opportun, celle d'un commandant canadien relevant uniquement du ministre de la Défense. À l'occasion des conférences impériales, les Britanniques insistaient sur l'adoption d'une politique de défense mieux intégrée — ce à quoi Laurier opposait un refus poli mais ferme.

La crise navale de 1908 rouvrit les vieilles blessures impériales. L'énergique programme de construction de bâtiments de guerre mené par l'Allemagne menaçait la sacro-sainte doctrine britannique axée sur la domination des mers. Pour se doter des nouveaux navires de premier plan dont elle avait besoin pour demeurer dans la course aux armements, la Grande-Bretagne, à la recherche d'aide, se tourna vers son empire. De nombreux impérialistes soutenaient que le Canada devait à tout le moins ajouter un ou deux dreadnoughts à l'arsenal britannique, comme le faisaient les autres colonies. À la réflexion, les Libéraux en vinrent à la conclusion que le Canada devait constituer sa propre marine, laquelle, en cas d'urgence, serait mise à la disposition de la Grande-Bretagne. Pour leur part, les nationalistes québécois ne voyaient pas du tout la nécessité

d'une telle démarche, qui risquait d'attirer le Canada dans des guerres impérialistes en haute mer. La décision de créer une marine « de pacotille » ne donna satisfaction à personne. Elle aliéna les nationalistes et offensa les impérialistes : en tant que force d'autodéfense, elle n'était d'aucune utilité pratique. En temps de paix, les Canadiens n'arrivaient pas à se faire une idée claire de leurs besoins en matière de défense ou refusaient de s'y résoudre. Dans leur continent béni, où ils se targuaient de posséder la plus longue frontière non défendue du monde, ils ne voyaient pas à quoi pouvait bien servir la défense. La guerre, c'était une affaire européenne. Exception faite des impérialistes enflammés, les Canadiens étaient pour la plupart d'avis qu'il fallait laisser les Européens se débrouiller tout seuls. Sur le plan de la défense, moins que le minimum suffisait. On reconnaît là un thème récurrent de l'histoire du Canada.

Tandis que le navire libéral menaçait de s'échouer sur les récifs de l'empire, le renouvellement de l'accord de réciprocité avec les États-Unis offrit une planche de salut. Les agriculteurs qui écoulaient leur production sur les marchés mondiaux n'appréciaient guère de payer l'équipement, les biens et les services plus cher en raison des tarifs douaniers. L'accord de réciprocité de 1911, qui laissait entrevoir l'éventualité du libre-échange des produits naturels et des biens transformés, récompensa leur foi. En même temps, cependant, il eut de graves répercussions sur les secteurs des chemins de fer, des banques, de la fabrication et du commerce, qui avaient mis au point de vastes réseaux d'échange est-ouest à l'abri d'un confortable mur tarifaire. Aux élections générales déclenchées pour faire entériner le traité, ils désertèrent en masse le Parti libéral et mirent leur poids politique considérable au service de l'opposition conservatrice. La défaite du

gouvernement fit comprendre aux agriculteurs désabusés que les partis politiques étaient à la solde d'intérêts particuliers. Pour obtenir des lois répondant à leurs besoins, ils devaient agir collectivement et peut-être changer le régime politique lui-même. Le nouveau gouvernement de Robert Borden s'appuyait sur les ultra-impérialistes et les Conservateurs favorables au maintien de tarifs douaniers élevés du Canada anglais, mais aussi sur les nationalistes anti-impérialistes du Québec — alliance pour le moins instable. Comme il fallait s'y attendre, le gouvernement ne ratifia pas l'accord de réciprocité. Étonnamment, cependant, il ne réussit pas à faire approuver par le Parlement une contribution de trente-cinq millions de dollars destinée à la marine britannique, car le Sénat était dominé par les Libéraux. À l'approche d'Armageddon, le Canada avait à son actif un gouvernement boiteux, une armée de trois mille hommes et une marine constituée de deux destroyers britanniques désuets.

La déclaration de guerre faite à l'Allemagne et à l'Empire austro-hongrois par la Grande-Bretagne, le 4 septembre 1914, s'appliquait automatiquement au Canada. En vacances, le premier ministre apprit par les journaux que son pays était en guerre. Les Canadiens répondirent en masse à l'appel des armes, comme si leur propre pays avait été attaqué. Le succès initial des efforts de recrutement du Corps expéditionnaire canadien s'explique en bonne partie par le taux de chômage élevé, l'appel de l'aventure et le grand nombre de jeunes immigrants britanniques de fraîche date que comptait le Canada. Cependant, des représentants de toutes les régions

et de toutes les classes sociales du pays firent preuve de patriotisme en se portant volontaires. Le Canada français se précipita à la défense de la Grande-Bretagne et de la France. Des volontaires noirs, japonais et autochtones exigèrent d'aller au front aux côtés de leurs compatriotes canadiens. Nombreux étaient ceux qui espéraient que le brio militaire dont ils feraient preuve en sol étranger se traduirait en respect chez eux, une fois la guerre terminée. Tout au long des combats, le Canada déploya outre-mer une force de cinq cent mille hommes et femmes, cent mille autres servant au pays. Puisque la production de munitions et d'aliments destinés à l'Europe assurait le plein-emploi, il est remarquable de constater qu'un tiers de la main-d'œuvre disponible s'est enrôlé. Plus de deux mille infirmières traversèrent l'Atlantique pour aller soigner les malades et les blessés. Les artistes jouèrent eux aussi un rôle. En effet, un programme novateur leur permit de créer un émouvant compte rendu permanent de la participation canadienne. Ainsi, les Canadiens répondirent instinctivement et massivement à l'appel du devoir — du moins au cours des trois premières années.

De leur arrivée en Flandres au printemps 1915 jusqu'aux derniers jours de l'avancée finale le long du canal du Nord à l'automne 1918, les soldats canadiens se battirent plus on moins sans arrêt. À Ypres, pour leur baptême du feu, ils tinrent le front en dépit d'une féroce attaque au gaz des Allemands. Pendant la bataille de la Somme, en 1916, les troupes d'assaut canadiennes se taillèrent une redoutable réputation. C'est toutefois à la bataille de la crête de Vimy, en 1917, que les Canadiens se distinguèrent le plus. Malgré un féroce barrage d'artillerie, ils s'emparèrent d'une hauteur stratégique que d'autres forces avaient été incapables de prendre. Les aviateurs canadiens, au terme de duels avec des as pilotes de la trempe du Baron rouge, passaient pour des chasseurs habiles et implacables. Au sol, dans les tranchées et dans la boue, les fantassins canadiens se signalèrent par leur courage, leur endurance, la discipline dont ils faisaient preuve pendant les assauts et leur inflexibilité face aux officiers trop zélés. Les combats incessants firent de nombreuses victimes, en particulier au cours de missions offensives.

Ils ont beau ne pas dire toute la vérité, les chiffres donnent froid dans le dos. Près de soixante mille Canadiens périrent dans les combats. À leur retour, des milliers d'autres étaient estropiés, physiquement ou psychologiquement. Le premier jour de la bataille de Beaumont-Hamel, sur la Somme, la moitié des membres du Régiment royal de Terre-Neuve furent tués ou subirent des blessures. Au pays, toutes les localités, voire toutes les rues, enregistrèrent des pertes. Le Monument aux Morts — toujours fleuri, un siècle plus tard — du minuscule village où j'écris ces lignes fait simplement et solennellement état du départ à la guerre de quarante-deux jeunes gens, dont treize ne sont jamais revenus. En raison de sa population peu nombreuse, le Canada ne pouvait soutenir un tel carnage pendant bien longtemps. Sans compter que les jeunes du pays, confrontés aux longues listes de tués et de blessés qui remplissaient chaque matin les pages des journaux de même qu'aux anciens combattants traumatisés et transformés à jamais par les bombardements, avaient perdu le goût de se battre. Qui plus est, les agriculteurs canadiens et leurs fils firent leur devoir patriotique en produisant les récoltes exceptionnelles qui nourrirent l'Europe, déchirée par la guerre. Dans les usines de munitions des villes, hommes et femmes faisaient des heures supplémentaires pour fabriquer les obus dont on avait un urgent besoin sur le front. En 1917, tandis que les généraux réclamaient des renforts et que le flot des volontaires se tarissait, sans dénouement du conflit en vue, le gouvernement du Canada imposa la conscription, c'est-à-dire l'enrôlement de tous les travailleurs non essentiels. Cette mesure désespérée déchira le pays de part en part.

Pour optimiser l'effort de guerre, l'État s'arrogea des responsabilités, des ressources et des pouvoirs économiques et sociaux qui auraient été inconcevables en temps de paix. Il organisa le transport des céréales des Prairies jusqu'aux marchés européens. Des contrôleurs du gouvernement se chargèrent de la production et de l'allocation stratégique des produits de base, du transport, du carburant et de l'électricité. Pour leur éviter la faillite, on nationalisa les deux chemins de fer transcontinentaux, qui battaient déjà de l'aile avant la guerre, et on les fusionna au chemin de fer gouvernemental existant pour former le réseau public des Chemins de fer nationaux du Canada. Un organisme public, la Commission impériale des munitions, dirigeait la production de matériel de guerre. Le financement de l'effort de guerre multiplia la dette nationale par dix. Après avoir conscrit les travailleurs, le gouvernement confisqua les capitaux en exigeant, tant que durerait le conflit, un impôt sur le revenu des particuliers et sur les profits des entreprises. De ce point de vue, la guerre n'a jamais pris fin.

La guerre totale exigea des efforts de chacun. Elle porta l'idéalisme aux nues, ennoblit le sacrifice et donna des airs de noblesse à des gestes empreints de cynisme. Tous les gouvernements provinciaux — à l'heureuse exception de celui du Québec — interdirent les ventes d'alcool : les céréales devaient servir à produire des aliments, pas des boissons enivrantes, et les hommes devaient faire la guerre au lieu de boire. En 1917, à la suite de l'introduction répandue, sans être universelle, du droit de vote des femmes dans les provinces — dans la foulée du mouvement amorcé par le Manitoba en

1916 —, les mères de soldats obtinrent le droit de vote. Si ces femmes et, plus tard, tous les sujets britanniques de sexe féminin se sont vu accorder ce privilège, c'est parce qu'on s'attendait, non sans raison, à ce que les mères de soldats votent en faveur de la conscription des fils des autres. Elles ne s'en privèrent d'ailleurs pas. La prohibition, le vote des femmes et une pléthore d'autres réformes sociales peu populaires avant la guerre avancèrent pendant celle-ci sous prétexte qu'il fallait créer un pays digne de héros.

Tout ne se fit pas dans l'harmonie. Des scandales entourant des cas d'inconduite ministérielle, de favoritisme dans l'attribution des contrats et d'affairisme guerrier, sans oublier la fourniture d'armes défectueuses aux soldats, ébranlèrent périodiquement le gouvernement. À la suite d'accidents, la guerre se rapprocha singulièrement. En décembre 1917, dans le port de Halifax, une collision entre deux bateaux, dont l'un était chargé de munitions, provoqua la plus importante explosion artificielle avant Hiroshima. La déflagration, la vague de fond et la pluie de feu qui s'ensuivit oblitérèrent tout le nord de la ville. Bilan de l'accident : douze mille immeubles détruits, mille six cents morts, neuf mille blessés et des milliers de sans-abri.

D'un bout à l'autre du pays, la pénurie de main-d'œuvre transforma la politique canadienne. À lui seul, le gouvernement conservateur ne pouvait pas poursuivre l'effort de guerre jusqu'au bout. Le premier ministre Borden proposa alors à Laurier de former un gouvernement national. Ce dernier refusa : la conscription, à son avis, allait inévitablement opposer les Anglais aux Français. Il avait vu juste. Borden réussit malgré tout à grappiller des appuis suffisants auprès d'autres députés libéraux et, en 1917, à former un gouvernement de coalition. À l'occasion d'élections générales, on demanda aux

Canadiens d'appuyer un effort de guerre total. Cette mesure politique d'exception n'était pas dénuée d'un certain idéalisme. Les élections n'en eurent pas moins pour effet de diviser le pays en deux, les résultats suivant presque à la perfection la ligne de faille de la langue. Le gouvernement de coalition était dans les faits un gouvernement anglais, la majorité imposant sa volonté à la minorité. Au Québec, le nombre de volontaires était en chute libre, à cause de l'incompétence des recruteurs et d'une lassitude bien compréhensible, certes, mais aussi des mesures ouvertement anti-françaises prises dans d'autres provinces. La conscription fut la goutte d'eau qui fit déborder le vase.

En 1917, le Canada, après avoir participé massivement à l'effort de guerre et encaissé de lourdes pertes, chercha à exercer plus d'influence sur la conduite des opérations. Dans un premier temps, la Grande-Bretagne s'y opposa. Borden et les premiers ministres de certains autres dominions soutinrent que la Grande-Bretagne, en échange d'une aide supplémentaire, devait leur accorder plus de responsabilités. Ayant désespérément besoin de soutien, le nouveau gouvernement britannique de Lloyd George finit par obtempérer en créant un cabinet de guerre composé de ministres britanniques influents et des premiers ministres des dominions. Aux derniers stades de la guerre, cette instance joua un rôle décisif au titre du choix des stratégies et de la mobilisation des ressources. L'ambition des impérialistes canadiens, c'est-à-dire occuper un poste de commande au cœur de l'action, semblait s'être réalisée, mais à un terrible prix. Le Canada exigea et obtint d'être représenté à la conférence d'après-guerre organisée à Paris. Les grandes puissances virent d'un mauvais œil ce qu'elles interprétaient comme une tentative par les Britanniques de saturer la conférence d'États fantoches, mais elles durent admettre que les dominions avaient mérité leur place, bien plus que certaines principautés européennes d'opérette pourtant invitées d'office. La principale contribution de Borden fut de représenter le Canada à un comité chargé de tracer la frontière entre la Grèce et l'Albanie. Les nations sont faites de pareilles broutilles. Le Canada apposa sa signature sur le traité de paix, sous celle de la Grande-Bretagne cependant.

La Grande Guerre rehaussa la stature du Canada à l'étranger, mais, au pays, elle réduisit en lambeaux le tissu social. À leur insu, les soldats de retour qui revenaient au pays étaient porteurs de la terrible grippe espagnole. L'épidémie fit presque autant de victimes au Canada que la guerre n'en avait fait outre-mer. La maladie propagea aussi la peur et l'incertitude à une époque de grande agitation sociale. La fin de la guerre en Europe marqua le début de la rébellion dans les villes minières du pays. L'inflation engendrée par la guerre avait entraîné une hausse des prix, et les salaires ne suivaient pas. Durant les derniers jours de la guerre, le mouvement syndical connut un essor considérable, les travailleurs s'organisant dans l'espoir de recouvrer leur niveau de vie d'antan et peut-être même d'enregistrer quelques gains. Au cours de l'année la plus tumultueuse, soit 1919, plus de quatre cent cinquante grèves éclatèrent un peu partout au pays. La recrudescence de l'activité syndicale conventionnelle coïncida avec des événements nationaux et internationaux qui colorèrent les divers incidents d'une teinte rouge vif : la Révolution russe et, au pays, l'avènement du mouvement radical *One Big Union*, qui préconisait le déclenchement d'une grève générale.

Au printemps 1919, des syndicats sympathisants se joignirent à une grève entamée par des métallurgistes de Winnipeg. Sans beaucoup réfléchir, on déclencha dans cette ville la grève générale. Lorsque le comité de grève donna l'impression de s'arroger la responsabilité des services essentiels pour des motifs d'ordre humanitaire, les autorités inquiètes virent se profiler l'ombre de la Révolution rouge. À Winnipeg, on assista à l'amorce de ce qui ressemblait dangereusement à une guerre de classes ouverte, où les anciens combattants jouèrent le rôle ambigu de trouble-fête. Par mesure de solidarité, les syndiqués d'autres villes emboîtèrent le pas au mouvement, faisant planer le spectre d'une grève générale dans d'autres villes. Face à la menace d'une révolution, l'État, dont l'autorité légitime avait été mise en doute, riposta sans délai par de cinglantes mesures répressives. L'armée en réserve, la Gendarmerie royale du Canada et des comités de citoyens affrontèrent les grévistes dans les rues. Les leaders du mouvement furent arrêtés et accusés de sédition. En vertu de dispositions du *Code criminel* révisées à la va-vite, on expulsa les « agitateurs étrangers ». On infiltra le mouvement syndical. En moins de un an, le militantisme syndical extrême avait été maté, en partie par la répression, en partie par la profonde récession d'après-guerre et par la nécessité d'intégrer trois cent mille anciens combattants au marché du travail. La grève générale fit reculer le mouvement syndical d'une génération.

Dans les chemins de rang et les concessions reculées, les agriculteurs canadiens avaient semé la tempête en plus du blé. Cependant, ils canalisèrent leur révolte dans les urnes ; à ce titre, ils représentaient une force bien plus redoutable. Ils en voulaient terriblement au gouvernement d'avoir conscrit leurs fils alors que les récoltes record nécessaires à l'approvisionnement de l'Europe affamée exigeaient toute la main-d'œuvre disponible. En tant que producteurs indépendants, ils devaient également vendre leurs récoltes dans un marché où les prix fluctuaient au gré de l'offre et la demande, alors qu'au pays, à cause du régime de protection douanière, ils étaient toujours contraints d'acheter de l'équipement et des produits à prix élevé. Les entités dont ils dépendaient pour livrer leur production aux marchés — les exploitants de silos-élévateurs, les chemins de fer, les sociétés céréalières et les banques — étaient autant d'oligopoles exigeant des droits exorbitants. Inutile de se tourner vers les partis politiques traditionnels pour remédier à la situation puisqu'ils étaient tous à la merci de la haute finance. Dans les fermes, les temps étaient durs, et les griefs, nombreux. L'exode vers la ville se poursuivait de plus belle ; au sein de la population rurale déclinante, la confiance s'érodait.

En fait, les ruraux ne constituaient plus la majorité, et leur influence s'étiolait. Pour la toute première fois, le recensement de 1921 fit effectivement état d'un plus grand nombre de Canadiens vivant en milieu urbain qu'en milieu rural. Les agriculteurs se lancèrent néanmoins dans l'arène politique, forts non seulement d'un vaste programme ayant pour but de régler des problèmes régionaux précis, mais aussi d'une série de projets de réformes structurelles visant à purger le système politique, à desserrer l'étau de la discipline de parti et à obliger les députés à rendre des comptes à leurs électeurs. Les partis agricoles ou, si on préfère, les agrariens exercèrent d'abord leur pouvoir au niveau provincial, en Ontario, en Alberta et au Manitoba. Aux élections générales de 1921, les Progressistes, ainsi qu'ils se faisaient appeler, obtinrent plus de soixante sièges, assez pour former l'opposition officielle.

Les Conservateurs au pouvoir devinrent la cible de tous les antagonismes refoulés de l'après-guerre. Le Québec, qui ne pardonnerait jamais le crime de la conscription, vota massivement en faveur des Libéraux, au même titre que la majeure partie des Maritimes. Le Parti libéral, dont la base était au Québec, fit élire plus de députés que les autres partis, mais pas assez pour former un gouvernement majoritaire. Sous la direction de leur nouveau chef, William Lyon Mackenzie King, les Libéraux constituèrent malgré tout un gouvernement à la faveur d'une alliance mal définie et plutôt tumultueuse avec un certain nombre de Progressistes. Fin renard, Mackenzie King, petit-fils du vénérable rebelle, fort d'un doctorat de Harvard, d'une grande expérience politique et d'une formation en relations industrielles, « emprunta » au programme des agriculteurs juste assez d'éléments pour obtenir leur appui provisoire. Il les emberlificota au moyen de manœuvres parlementaires controuvées et, au moment où un scandale menaçait son parti, parvint à jeter un écran de fumée en transformant l'affaire en conflit constitutionnel légaliste ; drapé dans sa dignité blessée, il se posa alors en parangon de vertu. Les Progressistes contribuèrent à leur propre perte en s'entredéchirant sur la question de savoir s'il valait mieux se battre pour un changement structurel de fond ou simplement satisfaire leurs objectifs à court terme. Au milieu d'expressions de mécontentement variant au gré des régions et des classes sociales, les provinces des Maritimes firent pression pour que le gouvernement fédéral stimule leur développement économique léthargique en haussant les tarifs douaniers et en abaissant les droits de transport. Malgré tous ses travers, King, prudemment mais sans imagination, domina la scène politique et parvint à se maintenir au pouvoir tout au long de la décennie — exception faite de l'épisode comique où, en 1926, une opposition hyper-zélée forma brièvement le gouvernement.

Durant les années 1920, une bonne part de l'idéalisme de fin de guerre se dissipa. Les femmes obtinrent le droit de vote, mais la Nouvelle Jérusalem des mœurs assainies tarda à apparaître. Sur le plan électoral, le comportement des femmes différait assez peu de celui des hommes. Même si des féministes s'étaient rendues célèbres en obtenant des tribunaux qu'ils reconnaissent que le mot « personne » incluait aussi les femmes, très peu de Canadiennes furent élues aux assemblées législatives des provinces ou à la Chambre des communes. La prohibition n'avait pas non plus accouché de la nouvelle ère morale promise. En fait, elle sembla même avoir l'effet corrupteur contraire. La fabrication et l'exportation d'alcool n'étaient pas interdites. La contrebande, remède à la soif de whisky des Américains, procura à des hommes dotés d'une embarcation rapide et d'une conscience légère de nombreux et lucratifs débouchés grâce auxquels ils pouvaient, à la faveur de la nuit, donner libre cours à leur goût de l'aventure et du plein air. Comme, au Canada, il était possible d'obtenir de l'alcool moyennant une ordonnance médicale, les médecins et les pharmaciens se transformèrent dans les faits en trafiquants. À leur retour, les soldats, dont l'alcool était devenu la planche de salut, exigèrent leur ration quotidienne. Petit à petit, la réglementation provinciale se substitua à la prohibition et les tavernes succédèrent aux bars à titre de débits de boissons moins fortes et de lieux de rencontre pour les hommes.

Après 1922 et surtout après 1925, une spectaculaire reprise économique renforça le sentiment que les choses étaient redevenues « comme avant ». En 1928, on exporta vers l'Europe plus de céréales qu'avant la guerre, ce qui eut pour effet d'apaiser l'ire des agriculteurs. Sur le plan des ressources, l'industrie des pâtes et papiers supplanta celle du blé à titre de première source d'exportations. Plusieurs facteurs contribuèrent à l'essor industriel, dont les mines, des investissements massifs dans les usines hydroélectriques, l'investissement direct des sociétés américaines dans leurs filiales et la montée de l'industrie automobile au Canada central. La croissance, cependant, était inégale. Une fois de plus, les provinces des Maritimes furent exclues du mouvement d'expansion du secteur manufacturier. Dans la région de l'Atlantique, le revenu par habitant demeurait nettement inférieur à la moyenne nationale.

Tout au long des années 1920, le sort électoral des différents partis tourna exclusivement autour d'enjeux de politique intérieure. C'est néanmoins dans le domaine de la politique extérieure, dont personne ne semblait se préoccuper, que le Canada marqua un grand coup. L'une des leçons tirées de la guerre, c'était que le Canada, en raison de sa taille et de sa puissance, était désormais en mesure d'exercer une influence beaucoup plus grande qu'auparavant au sein de l'empire et de la communauté internationale. À leur retour de Londres et de Paris, les Conservateurs canadiens étaient généralement disposés à répondre « Présents ! » à l'appel de la Grande-Bretagne. Ce n'est toutefois pas l'enseignement que retinrent les gouvernements libéraux subséquents, dont la base militante se trouvait au Québec, ni la vaste majorité des Canadiens anglais. Les Canadiens étaient plutôt convaincus de vivre dans « une maison à l'épreuve du feu », pour reprendre l'expression mémorable quoique erronée d'un ministre canadien-français, d'être très éloignés des enjeux qui, en Europe, mettaient le feu aux poudres. Ils ne voyaient donc pas la nécessité de souscrire une assurance incendie tous azimuts ni de forger des alliances compromettantes.

À propos des conflits sévissant dans d'autres régions du monde, le Canada ne se sentait désormais plus lié par la politique de la Grande-Bretagne. Au moment opportun, il déciderait de lui-même du bien-fondé d'une éventuelle intervention. Bien que membre de la Ligue des nations, le Canada déploya des efforts considérables pour vider de sa substance l'Article X, qui portait sur la sécurité collective, au motif qu'il engageait d'avance le Canada à participer à des guerres étrangères qui ne le concernaient pas directement. Au cours d'une série de conférences impériales, le Canada défendit mordicus l'idée d'une politique étrangère autonome. Il constitua son propre ministère des Affaires étrangères, conclut un traité sur les pêches avec les États-Unis sans le truchement de la Grande-Bretagne et finit par se doter de ses propres ambassades à l'étranger — à commencer, comme de juste, par Washington. Lorsque la Grande-Bretagne voulut élaborer une politique étrangère impériale commune, le Canada refusa obstinément. Mackenzie King, premier ministre célibataire, tatillon et prématurément vieilli, poussa le refus un cran plus loin en insistant pour que le Canada ne soit même pas consulté dans le domaine des affaires étrangères, par crainte que le fait de se prononcer n'oblige tacitement le pays à donner suite à ses avis.

Par rapport à la Grande-Bretagne, le Canada revendiquait l'égalité, mais pas, paradoxalement, l'indépendance. À l'occasion de la Conférence impériale de 1926, la délégation sud-africaine rédigea une définition du statut des dominions qui, dans les faits, constituait une quasi-déclaration d'indépendance. Mackenzie King, cependant, exigea que le mot « indépendance » soit biffé pour que l'accent soit plutôt mis sur la notion d'« allégeance ». Dans la Déclaration Balfour, ainsi qu'on la connaît aujourd'hui, le statut de dominion était défini dans une longue phrase que, à une certaine époque, tous les écoliers du Canada connaissaient par cœur : « des communautés autonomes à l'intérieur de l'Empire britannique, ayant statut d'égalité, et n'étant d'aucune manière subordonnées l'une à une autre sur quelque aspect que ce soit de leurs affaires intérieures ou extérieures, bien qu'elles soient unies par une allégeance commune à la Couronne et librement associées en tant que membres du Commonwealth britannique des nations. » Le *Statut de Westminster* de 1931 fut l'expression juridique de la déclaration. Les dominions n'étaient pas peu fiers de cet exploit, manifestation d'autonomie ayant fait l'objet d'une négociation civilisée et non d'une révolution. Résultat ? La pérennité de liens d'allégeance par l'entremise d'un souverain commun. Malgré tout, d'autres pays s'étonnèrent au plus haut point de cet arrangement. La Grande-Bretagne nommait toujours le gouverneur général du Canada et dotait le pays de son tribunal d'appel de dernière instance. De plus, le document clé de la Constitution canadienne était une loi britannique qui ne pouvait donc être modifiée que par une loi du Parlement britannique. Sur ces plans fondamentaux, le Canada demeurait, du point de vue juridique, dépendant.

En 1931, Mackenzie King n'était pas au pouvoir pour savourer ce triomphe d'imbroglio constitutionnel à la hauteur de son personnage. Aux élections générales de 1930, les Libéraux avaient en effet encaissé une défaite décisive aux mains des Conservateurs, qui reprirent le pouvoir sous la houlette de

R. B. Bennett, rondelet avocat spécialisé en droit des sociétés qui fit la joie des caricaturistes. Il y avait d'ailleurs tout intérêt à les perdre, ces élections. En effet, le Canada fut alors frappé de plein fouet par l'effondrement de l'économie mondiale. S'il tenait mordicus à limiter sa dépendance politique à l'égard de la Grande-Bretagne, la Grande Dépression révéla l'ampleur de sa nouvelle dépendance économique envers les États-Unis.

Dans ce pays, une contraction monétaire draconienne visant à modérer un marché boursier en progression fulgurante déclencha un enchaînement d'événements catastrophiques. En raison de l'étalon-or qui liait les régimes monétaires les uns aux autres au moyen de taux de change fixes, la mesure américaine se répercuta sur les principales économies du monde, toujours aux prises avec la dette et les coûts liés à la reconstruction d'après-guerre. Pour maintenir la devise, on dut hausser les taux d'intérêt et freiner les importations. Dans tous les secteurs, l'investissement s'affaissa ; le prix des produits de base chuta ; le nombre de chômeurs augmenta ; la consommation diminua. Dans un monde tout en vases communicants, cette spirale descendante, une fois lancée, se nourrit d'elle-même. Ce sont les États-Unis et le Canada qui enregistrèrent les contractions les plus marquées et les plus profondes de leur revenu national ; dégringolant, la production industrielle atteignait désormais à peine cinquante pour cent de ses niveaux antérieurs. Au Canada, pays lourdement dépendant de l'importation de capitaux et des ventes à l'étranger de quelques denrées, la chute des exportations de papier journal, de blé, de farine et de métaux se fit sentir dans tous les secteurs de l'économie. Les usines fermaient leurs portes ou fonctionnaient à régime réduit. Seule lumière au bout du tunnel, les mines d'or, qui connurent un essor fulgurant. Les barons de l'or se pavanaient avec l'arrogance de borgnes au pays des aveugles.

Les années 1930 méritent pleinement leur surnom d'« années sales ». Les agriculteurs et les cols bleus subirent le gros de la récession. Environ trente-trois pour cent des Canadiens perdirent leur emploi. Les producteurs, incapables de vendre leur blé, perdirent leurs exploitations aux mains des banques. Une sécheresse sans précédent aggrava la misère en milieu rural ; les fermes des Prairies volèrent littéralement en éclats sous l'assaut de tempêtes de poussière suffocantes. Les régions les plus durement touchées du pays se trouvaient dans l'Ouest, là où les agriculteurs avaient entrepris de cultiver des terres marginales, sans parler des petites villes industrielles dont la mine ou la scierie unique avait fermé. Au plus sombre de la crise, la survie de quinze pour cent de la population, soit un million et demi de personnes, dépendait du secours direct. Ce fut une onde de choc économique comme le monde en général et le Canada en particulier n'en avaient jamais connue et, espère-t-on, n'en connaîtront plus.

Sous une pluie de coups durs sans précédent, le gouvernement Bennett chancela. Dans un premier temps, il fut carrément prit de court. Quel rôle le gouvernement devait-il jouer dans une telle situation ? C'était un territoire inconnu, où les anciennes convictions étaient de peu de secours. Le gouvernement conservateur accrut ses dépenses dans les domaines de l'aide sociale et des travaux publics ; soucieux de respecter le principe de la responsabilité budgétaire, il mit cependant la pédale douce lorsque les coûts liés au secours direct s'envolèrent. Les différents ordres de gouvernement abordèrent la récession lourdement endettés — le gouvernement fédéral en raison de la guerre et des chemins de fer, les gouvernements provinciaux à cause des routes, des hôpitaux, des écoles, des centrales hydroélectriques et ainsi de suite. Dans les années 1920, une bonne part de l'expansion du Canada avait été financée à crédit. Les paiements fixes pesaient énormément aux secteurs public et privé. Sur le front monétaire, le Canada eut les mains liées jusqu'à ce que la Grande-Bretagne renonce à l'étalon-or, ce qui lui permit de faire de même. Lorsque les États-Unis haussèrent leurs tarifs douaniers à des niveaux jamais vus, les Conservateurs tentèrent de favoriser la reprise en négociant des accords commerciaux préférentiels avec le Commonwealth. Le gouvernement finit par s'attaquer à quelques problèmes sous-jacents en créant la Banque du Canada, qu'il chargea d'administrer la politique monétaire, ainsi qu'une commission des céréales, responsable de la coordination des exportations de blé, et un programme de rétablissement agricole ayant pour mandat de soulager la misère dans les régions les plus durement éprouvées par la sécheresse.

Tout autant que par la raison ou la compassion, la politique gouvernementale était dictée par la peur. Le nombre d'immigrants déportés parce qu'ils représentaient désormais un fardeau pour la société augmenta en flèche. On aménagea des camps de secours dans des régions isolées pour occuper les jeunes chômeurs célibataires. La répression politique fleurit. La police arrêta les leaders du Parti communiste sous prétexte que leurs manifestations visaient à renverser le gouvernement. Reconnus coupables, ils furent incarcérés à l'établissement pénitentiaire de Kingston. Vers la fin de son mandat, Bennett, ayant apparemment fait l'objet d'une conversion idéologique, proposa sa version du *New Deal* de Roosevelt. Le « *New Deal* » façon Bennett prévoyait plusieurs mesures : création de régimes d'assurance-maladie et d'assurance-chômage au moyen d'une intervention étatique de taille, réglementation de l'emploi, des salaires et des prix, reconduction du programme d'aide aux agriculteurs. Ce changement de cap soudain sembla se faire sans grande conviction ; fait plus troublant encore, il était contraire à la Constitution, dans la mesure où le fédéral empiétait sur des compétences provinciales exclusives. En 1935, les électeurs congédièrent les Conservateurs, et Mackenzie King, survivant par excellence de la politique canadienne, prit les rênes du gouvernement pour la troisième fois.

En plus de mettre au jour la dépendance du Canada envers les marchés extérieurs, la crise révéla des disparités criantes qui déstabilisaient la fédération. Les régions du Canada n'avaient pas toutes profité de la prospérité généralisée des années 1920 ; de la même façon, la crise frappa plus durement l'Ouest, centré sur la production primaire. Que l'économie de ce vaste pays se porte bien ou non, le revenu par habitant variait considérablement d'un coin à l'autre du pays. En tout temps, certaines régions, l'Ontario, en particulier, semblaient tirer leur épingle du jeu. Non seulement la croissance était-elle inégale et les avantages mal répartis, mais en plus la capacité fiscale et la responsabilité des gouvernements donnaient des signes de déséquilibre. La santé, l'éducation, le bien-être social, le transport, la propriété foncière et les droits civils, compétences mineures à l'époque de la Confédération, étaient devenus les éléments les plus importants de la politique publique, ceux qui, en somme, engendraient les dépenses les plus élevées. Les interprétations de l'*Acte de l'Amérique du Nord britannique* par les tribunaux avaient en outre contribué au renforcement des pouvoirs des provinces au détriment du gouvernement fédéral.

La Dépression montra éloquemment que les responsabilités les plus coûteuses revenaient aux provinces, alors que c'est le gouvernement fédéral qui disposait des principales sources de revenus. Dans l'Ouest, certaines provinces étaient au seuil de l'insolvabilité. La colonie de Terre-Neuve fit effectivement faillite et dut abandonner son gouvernement responsable à une commission financière britannique.

Dans les années 1930, les premiers ministres des provinces s'imposèrent à titre de personnages politiques de premier plan. Il leur arrivait en outre de raffermir leur pouvoir au niveau local en lançant des attaques contre le gouvernement fédéral. En Colombie-Britannique et en Ontario, les premiers ministres se donnèrent des airs populistes tout en appliquant des politiques plutôt conventionnelles. Au Québec, un gouvernement socialement conservateur se drapa dans la rhétorique nationaliste. Des circonstances désespérées justifiaient de nouvelles manières de penser. En Alberta, un mouvement de renouveau politique et religieux répandit la bonne nouvelle du Crédit social et se hissa au pouvoir en promettant de stimuler l'économie grâce au versement d'un dividende social à chaque citoyen. Des militants communistes de la Ligue d'unité ouvrière constituaient des syndicats industriels plutôt que des syndicats de métier. À droite, des mouvements fascistes intimidaient les minorités, surtout à Montréal. Dans les Prairies et en Ontario, le Ku Klux Klan renaquit de ses cendres. Au niveau fédéral, un minuscule parti représentant les petites entreprises profita brièvement de l'animosité qu'inspiraient les grandes sociétés du secteur de la vente au détail. En 1933, des regroupements d'agriculteurs, des représentants syndicaux et quelques intellectuels fondèrent un parti socialiste, la Fédération du Commonwealth coopératif, voué à l'élimination du capitalisme par des moyens démocratiques et à son remplacement par une économie coopérative régie par l'État. La peur et la souffrance attisèrent les soupçons, décuplèrent la haine raciale et, dans certains milieux, déclenchèrent des remises en question fondamentales du régime politique.

Encore faut-il préciser que, en général, les nouvelles idées politiques ne soulevaient pas les foules. Devant l'incertitude sociale et économique, la vaste majorité des Canadiens préférait les valeurs sûres. L'approche paternaliste, méfiante et archi-prudente de Mackenzie King correspondait bien mieux à leur tempérament que les approches plus radicales ou idéologiques. Ce dernier fut heureux de voir les tribunaux conclure que les dispositions du *New Deal* canadien outrepassaient les compétences du gouvernement fédéral. À propos de la question des provinces, il décida de maintenir le statu quo ; autrement dit, il créa une vaste commission royale chargée de faire le point sur le fédéralisme. Fidèles à eux-mêmes, les Libéraux tentèrent — non sans un certain succès — de négocier un accord de libre-échange avec les États-Unis. Leur méfiance à l'endroit du gouvernement interventionniste à l'européenne les empêcha toutefois d'apporter des innovations stratégiques d'envergure. Heureusement, l'économie, lentement et par à-coups, commença à se redresser. En 1939, le revenu national et l'emploi étaient presque de retour à leur niveau de 1929.

Malgré la reprise économique, le monde s'enfonçait lentement dans la tourmente. Tout au long des années 1930, les gouvernements, tant libéraux que conservateurs, se donnèrent comme priorité les questions relatives à l'unité nationale. Le Canada devait impérativement refuser de s'associer d'emblée à toute politique susceptible d'exiger un recours à la force, que ce soit au sein du Commonwealth ou de la Ligue des nations. Ayant refusé de soutenir les sanctions contre le Japon au lendemain de l'invasion de la Mandchourie, en 1931, le Canada eut droit à un mot de remerciement de la part de l'ambassadeur du Japon à Ottawa. Le représentant du Canada à la Ligue des nations se prononça en faveur de l'imposition de sanctions à l'Italie à la suite de l'invasion de l'Éthiopie en 1935, mais le gouvernement répudia son initiative. Tremblant à l'idée de ce qui se tramait en Europe, la population se sentait impuissante. En fait, il n'y avait pas de plus fervents partisans de l'apaisement que les Canadiens. En 1937, Mackenzie King, après avoir consulté les esprits, entreprit une illusoire mission de paix en Allemagne. À l'instar de tant d'autres, il fut complètement subjugué par Hitler ; dans son journal intime, au lendemain d'une audience, il compara le leader allemand à Jeanne d'Arc. À sa manière détournée habituelle, King avait toutefois confié à Hitler un secret qu'il n'osait pas dire tout haut au Canada et qu'il se contentait de murmurer tout bas à l'oreille du premier ministre britannique. Si une autre puissance européenne attaquait la Grande-Bretagne, le Canada, dit-il, n'aurait d'autre choix que de voler à son secours. Prudent à l'excès, le Canada avait soigneusement évité de contracter quelque engagement international que ce soit, de peur que la conscription ne déchire à nouveau le pays de part en part.

Avec le recul, il serait tentant de décrire les années 1930 comme une décennie creuse et marquée par la malhonnêteté d'où ne ressort aucune nation en particulier, encore moins le Canada, tout à ses obsessions : l'autonomie, l'isolationnisme et l'unité nationale. Il faut toutefois tempérer cette tendance moralisatrice bien naturelle et se demander ce que des politiques plus héroïques auraient permis d'accomplir, sans oublier que le Canada s'est illustré par la suite, dès que le devoir dicté par la morale est apparu clairement.

À la fin des années 1930, le dominion du Canada s'était peuplé d'un océan à l'autre et imposé à titre de grande puissance économique. La guerre et la dépression avaient ébranlé ses institutions économiques et politiques, mais le pays avait aussi fait preuve d'une grande résilience. Cependant, les disparités régionales et les conflits fédéraux-provinciaux avaient considérablement effiloché le tissu social. Avec le temps, le Canada s'était peu à peu éloigné de la Grande-Bretagne et rapproché des États-Unis, à la fois comme source d'investissements et partenaire commercial. Paralysé par des contraintes intérieures, le Canada entendait demeurer en marge des affaires internationales. Confronté à de telles questions, le gouvernement décidait au cas par cas. L'isolationnisme béat et le racisme l'emportaient sur les obligations humanitaires. Pendant les années 1938 et 1939, les fonctionnaires canadiens de l'immigration en poste en Europe ont d'office rejeté les demandes du statut de réfugié présentées par des juifs ; en mai 1939, le Canada a refoulé un bateau rempli de réfugiés juifs désespérés (au même titre que la plupart des pays de l'hémisphère, dont les États-Unis).

Au lendemain de la Première Guerre mondiale, le pays, dans l'imaginaire collectif de ses habitants, était passé du statut de possession britannique à celui de dominion autonome et conscient de sa valeur. Nul ne peut dire à quel moment la métamorphose s'est opérée — il s'est agi d'un changement d'attitude plus que d'un événement en particulier —, mais, s'il fallait fixer une date précise, le 22 mai 1919 devrait faire l'affaire. Ce jour-là, en effet, la Chambre des communes du Canada a demandé au roi de cesser de décerner des distinctions royales à des Canadiens. Les principaux politiciens canadiens du XIXe siècle et du début du vingtième, y compris Sir John A. Macdonald, Sir Wilfrid Laurier et Sir Robert Borden, se considéraient comme des sujets britanniques. À ce titre, ils avaient accepté volontiers d'être sacrés chevaliers. Fait significatif, Mackenzie King, premier ministre du XXe siècle ayant servi le plus longtemps, refusa. Que son successeur, R. B. Bennett, qui n'a été en poste que le temps d'un mandat, se soit retiré en Angleterre pour jouir de son titre de vicomte est généralement interprété comme la preuve du décalage entre l'homme et son peuple. De tous les États du Commonwealth, seul le Canada, fidèle à sa nature autonomiste et de plus en plus populiste, a ainsi refusé les distinctions britanniques.

À maints égards, le Canada avait affirmé son autonomie par rapport à la Grande-Bretagne, en évitant toutefois soigneusement de déclarer son indépendance. Mackenzie King comprenait que la famille royale, en dépit de son image quelque peu ternie, était le lien avec les Britanniques auquel les Canadiens tenaient par-dessus tout. Pour préserver cet attachement porteur d'une immense force politique, on devait conserver, à titre de vestige, une forme de dépendance juridique. Le Canada joua même un rôle mineur au moment de l'abdication du roi Édouard. En effet, le premier ministre britannique dut dire au monarque déconfit non seulement que ses projets matrimoniaux se butaient à des obstacles constitutionnels insurmontables, mais aussi que ses dominions, à commencer par le Canada, refuseraient d'accepter une divorcée américaine comme souveraine[4].

4. Fait ironique, l'un des rares monuments érigés à la gloire du monarque déchu se trouve à Toronto : en effet, un hôtel de luxe portant son nom a ouvert ses portes au milieu des années 1930.

Au cours de l'été 1939, Mackenzie King, qui n'était pas à un paradoxe près, couronna sa longue, son interminable campagne visant à soustraire le Canada à l'influence britannique en exhibant les nouveaux souverains au cours d'une tournée pancanadienne. Le premier ministre avait réglé toute la visite au quart de tour ; il tenait, pour reprendre les mots de son biographe, à ce que les moindres dispositions soient conformes au statut autonome du Canada et que rien ne laisse sous-entendre une quelconque infériorité coloniale. Le roi Georges VI, timide, bégayant et fumant comme une cheminée, et son inflexible épouse débarquèrent pour raffermir l'unité impériale en pleine crise internationale. À chacune de leurs escales, d'un océan à l'autre, on leur réserva un accueil triomphal. Tel un terrier, Mackenzie les suivit à la trace. Pour profiter de la gloire de Leurs Majestés, certes, mais aussi pour bien montrer que le premier ministre du Canada avait seul le pouvoir de présenter le roi et la reine aux Canadiens. Ces derniers ne goûtaient pleinement les plaisirs doucereux et pervers du statut de dominion que sous forme d'hommage au couple royal.

Société distincte

IMAGINONS qu'un personnage du genre Rip Van Winkle se soit endormi pendant la visite royale de 1939 pour se réveiller en plein Canada contemporain, vers l'an 2000. Il aurait eu l'impression de s'être trompé de pays, et on le lui aurait pardonné volontiers. Ce Canada-là, lui auraient dit ses yeux et ses oreilles, se composait d'un peuple tout nouveau ; le pays, doté d'un nouveau drapeau et d'une nouvelle Constitution, faisait partie d'un nouvel empire. Pendant son sommeil, la société, l'État et les relations extérieures du Canada s'étaient transformés du tout au tout.

En l'espace de moins d'une vie, le Canada connut en effet ce qui pourrait passer pour une révolution sociale. Le monde entier y élut domicile. De ce dominion peuplé de colons blancs pour la plupart, l'immigration fit une société multiculturelle et multiraciale. Après avoir vécu pendant un siècle en marge de l'histoire, les Autochtones faisaient de nouveau sentir leur présence au sein de la mosaïque sociale. Le français et l'anglais avaient tous deux le statut de langue officielle. La prestation de services dans les deux langues était devenue une réalité, et le bilinguisme faisait partie des conditions à remplir pour accéder à des postes de haut fonctionnaire. Le français demeurait majoritaire au Québec et l'anglais dans ce qu'on appelait désormais le reste du Canada, mais de nombreuses autres langues s'imposaient un peu partout. Les femmes, qui comptaient pour près de la moitié de la main-d'œuvre salariée, jouaient un grand rôle dans les arts, les médias, les professions libérales et les affaires publiques. Après avoir obtenu l'égalité juridique par rapport aux hommes, elles revendiquaient l'égalité économique. Non seulement les rapports entre les sexes avaient-ils évolué, mais en plus la nature même de l'activité sexuelle s'était transformée : des pratiques considérées comme criminelles en 1939 étaient désormais autorisées, et ceux qui s'y adonnaient, protégés contre la discrimination. L'institution du mariage elle-même s'était métamorphosée. Les Canadiens étaient moins nombreux à se marier ; les unions de fait étaient plus fréquentes ; un plus grand nombre de mariages se soldaient par un divorce. Sans être sens dessus dessous, la société avait été vigoureusement secouée.

L'économie avait changé, elle aussi. Le Canada, autrefois défini par ses vastes espaces, dont les grandes plaines de l'Ouest, était devenu l'une des sociétés les plus urbanisées du monde : plus de quatre-vingts pour cent des Canadiens vivaient en effet dans les grands centres. La plupart des usines avaient disparu, au même titre que l'essentiel de la classe ouvrière et des agriculteurs. Le Canada ne fabriquait plus autant de biens et ne misait plus massivement sur sa production agricole. La plupart des Canadiens travaillaient dans le secteur des services ou dans celui du savoir. Ils étaient si riches depuis si longtemps que la dépression ne constituait plus qu'un vague souvenir. En dépit d'inégalités persistantes, cette richesse et ce potentiel avaient eu sur le monde entier l'effet d'un aimant. La population avait triplé, mais l'économie avait crû à un rythme beaucoup plus rapide. En 2000, le PIB réel était plus de dix fois supérieur à celui de 1939.

Une sorte de révolution politique et constitutionnelle s'était produite en douceur, c'est-à-dire sans révolution. La taille de l'État avait augmenté, et sa nature s'était transformée. Aux niveaux national, provincial et municipal, de colossales bureaucraties étaient aux commandes et avaient des comptes à rendre dans les domaines de l'économie, de la sécurité sociale, de la santé publique, du bien-être social, du transport, de l'éducation et des loisirs. Du pain et des jeux, en somme, et presque tout ce qu'il y avait entre les deux. Notre dormeur ne manquerait pas d'en faire le constat au moment de payer ses impôts. Puisque l'État et ses multiples incarnations comptaient pour plus de cinquante pour cent du PIB, le pauvre Rip Van Winkle ne commencerait à travailler pour son propre compte qu'une fois le mois de juin bien entamé. L'État inondait littéralement le citoyen de ses services — tout un changement par rapport aux années 1930, où les motifs incitant l'État à ne pas se mêler des affaires des particuliers l'emportaient haut la main sur les arguments en faveur de l'interventionnisme.

La nature de la citoyenneté elle-même s'était métamorphosée. On avait proclamé une nouvelle Constitution assortie d'une *Charte des droits et libertés*. Ensemble, ces deux documents redéfinirent l'ensemble des rapports entre le citoyen et l'État. La Constitution protégeait désormais les Canadiens contre d'éventuelles violations de leurs droits par leurs concitoyens, mais aussi par l'État. Ce dernier avait beau être envahissant, sa conduite était maintenant soumise à des contraintes constitutionnelles. Le Parlement n'était plus souverain ; disons plutôt qu'il devait partager sa souveraineté avec la *Charte*. Qui plus est, ce nouveau régime de « droits » avait eu pour effet d'élever la position des tribunaux chargés d'interpréter la politique gouvernementale. Par rapport au Parlement, ces derniers se trouvaient pratiquement sur un pied d'égalité.

Si le secteur public, vaste et tentaculaire, exerçait des ponctions fiscales d'une ampleur inimaginable dans les années 1930, le pays, à titre d'entité politique, semblait fragilisé. Le Canada donnait l'impression d'être perpétuellement au bord de l'éclatement. À force de croiser le fer avec le gouvernement fédéral, les provinces avaient obtenu une décentralisation de la fédération. Par moments, le Québec avait l'air résolu à se séparer du reste du Canada, même si la probabilité croissait et décroissait au gré des résultats électoraux. En 1939, le Canada semblait solide et sûr de lui ; soixante ans plus tard, il faisait l'objet de négociations sans fin.

Entre-temps, il avait changé d'empire et adopté un point de vue entièrement différent sur ses obligations internationales. La Grande-Bretagne avait pratiquement disparu de la vie des Canadiens et, réciproquement, le Canada s'était effacé de la conscience des Britanniques. Sur le plan constitutionnel, le Canada demeurait une monarchie. Mais la visite effectuée par la reine en 2002 fut loin de susciter la même attention, les mêmes foules et le même enthousiasme que la tournée royale de 1939. Les premiers ministres britanniques en route vers Washington ne faisaient plus obligatoirement escale à Ottawa pour souligner le rôle de cheville ouvrière joué par le Canada dans la relation trilatérale. Pour la plupart des Canadiens, la Grande-Bretagne était devenue un pays européen comme les autres. Les États-Unis, en revanche, étaient passés du statut de voisin isolationniste à celui de superpuissance mondiale. Le Canada, petit pays campé à la frontière nord, fut envahi et même absorbé, diraient certains, par le géant en pleine ascension. Pour faire contrepoids, le Canada s'efforça, au sein d'un certain nombre d'organismes internationaux, de se donner une politique étrangère indépendante, distincte de celle de son voisin. À maints égards, pourtant, la défense du Canada et son bien-être économique demeuraient dépendants des États-Unis. Le Canada ne pouvait se passer du gigantesque volume de biens et d'investissements qui traversait la frontière canado-américaine, dont un pourcentage considérable au sein de sociétés ayant des usines dans les deux pays. Officieusement, puis officiellement, à la faveur d'accords de libre-échange, les deux économies furent intégrées en profondeur, comme celles du Canada et de la Grande-Bretagne ne l'avaient jamais été. Du point de vue du commerce et de la politique étrangère, le Canada fut emporté dans un nouvel empire non avoué, certes, mais tout aussi menaçant et dominant. L'histoire, cependant, n'allait pas se répéter. Dans ce nouveau contexte, le Canada s'efforça de se donner une identité distincte au moyen de l'action plutôt que de l'inaction. Dans le monde d'après-guerre, il mit au rancart la crainte que lui inspiraient les engagements outre-mer. À la fin du XXe siècle, des soldats canadiens — dont bon nombre de Canadiens français commandés par des Canadiens français — étaient déployés en Afrique, en Asie et en Europe.

Vu d'ici, le monde pourtant pas si lointain de la fin des années 1930 fait penser à un pays étranger. En l'espace d'une vie, le Canada subit, dans ses relations sociales, gouvernementales et impériales, des transformations aussi spectaculaires que toutes celles qu'il avait connues jusque-là. Ce faisant, il devint une société distincte, composée de collectivités elles aussi distinctes, différente de celle qu'il avait été et de celle d'autres pays. Comment les Canadiens en sont-ils arrivés là ? La plus récente métamorphose, amorcée durant la guerre, s'affirma encore davantage en temps de paix.

Lorsque les Britanniques déclarèrent la guerre à l'Axe, le 3 septembre 1939, on mit une semaine à rappeler le Parlement et à débattre de l'éventuelle participation du Canada, geste qui fut universellement considéré comme un triomphe du gouvernement responsable, une confirmation du statut de dominion et un indice de la souveraineté du pays, plutôt qu'un manquement à ses devoirs. Voilà qui donne une idée de la mesure dans laquelle le Canada s'était replié sur lui-même. Le Parlement finit pourtant par voter la guerre : le Canada se porterait à la défense de la Grande-Bretagne. Seules quelques voix dissidentes, en provenance de la gauche socialiste et du Québec isolationniste, se firent entendre. En raison de son aversion pour les dépenses militaires et de son refus d'arrêter un plan d'urgence avec la Grande-Bretagne dans les années 1930, le Canada entra en guerre sans avoir une idée claire des moyens qu'il allait déployer ni des troupes qu'il allait mobiliser : l'armée régulière, en effet, comptait moins de cinq mille hommes. Nulle part au Canada la guerre ne soulevait-elle l'enthousiasme. À l'époque, certains fonctionnaires avaient même laissé entendre que, en cas de plébiscite, rien ne permettait d'affirmer qu'une majorité de Canadiens se prononcerait en faveur de la déclaration de guerre.

Le Canada avait une idée plus claire de ce qu'il espérait éviter que de ce qu'il entendait faire. Le pays alla en guerre, de son propre gré mais sans enthousiasme, parce que la Grande-Bretagne l'avait fait. Les leçons du premier conflit mondial demeuraient bien présentes dans les mémoires, en particulier dans celle du premier ministre. À ce propos, Mackenzie King, dans le discours qu'il prononça au cours du débat sur la déclaration de guerre, fit, contrairement à son habitude, une déclaration sans ambiguïté : son administration n'aurait pas recours à la conscription pour le service outre-mer. En réduisant au minimum leurs engagements militaires, les Canadiens s'éviteraient les terribles tourments internes liés à la conscription, ceux-là mêmes qui, au cours de la Première Guerre mondiale, avaient déstabilisé le pays. Pour se prémunir contre l'inflation galopante, le gouvernement avait aussi l'intention d'assumer les coûts de la guerre au fur et à mesure. Pour le Canada, la contribution la plus utile, croyait-on, consisterait à défendre son propre territoire et peut-être aussi ceux de Terre-Neuve et des Antilles, de même qu'à servir d'arsenal, de terrain d'entraînement et de centre d'approvisionnement pour les Alliés. Tel était du moins le vague projet du Canada au moment de son entrée en guerre. Les Britanniques y virent une tentative cynique d'exploiter la guerre à son avantage.

Dans les faits, le Canada joua un rôle remarquablement important en armant et en nourrissant la Grande-Bretagne, mais l'idée d'une guerre « à participation limitée » ne survécut pas à la chute de la France à la fin du printemps 1940. Dans le contexte de la guerre, le Programme d'entraînement aérien du Commonwealth britannique, négocié dans l'acrimonie à l'automne 1939, constitua pour le Canada l'espoir le plus précieux. La Grande-Bretagne, le Canada et les dominions avaient accepté d'aménager, partout au Canada, des terrains d'aviation où les équipages du Commonwealth et des Alliés s'entraîneraient. Tout au long de la guerre, plus de cent mille pilotes et navigateurs, soit près de la moitié des aviateurs alliés, apprirent à voler au-dessus des grands espaces du Canada.

Ce programme constitua également un extraordinaire stimulus pour l'économie canadienne, en particulier l'industrie de l'aviation, qui se chargea de la construction et de l'entretien des appareils, et le secteur de la construction, qui aménagea les pistes, les hangars et les baraques à une vitesse record. De la même façon, le Canada s'attendait à vendre des munitions, de l'équipement, des fournitures médicales et des denrées alimentaires aux termes d'un marché conclu avec la Grande-Bretagne. Avec le temps, tout y passa : des armes à feu, des chars d'assaut, des avions de reconnaissance, des bombardiers lourds, de la farine, du bacon, du jambon et du beurre du Canada traversèrent l'Atlantique à bord des bateaux formant les gigantesques convois qui assurèrent littéralement la survie de l'ancienne mère patrie. La France hors de combat et les États-Unis campés dans leur neutralité, le Canada devint l'allié et le fournisseur le plus important de la Grande-Bretagne. Le seul problème, c'est que la Grande-Bretagne, pour reprendre le mot de son ambassadeur à Washington, était « fauchée ». Loin de profiter de la guerre, le Canada donna ; il donna même beaucoup. En 1940, il fit cadeau à la Grande-Bretagne d'une somme de un milliard de dollars, geste qu'il répéta en 1942. En tout et pour tout, la guerre coûta au Canada dix-huit milliards de dollars, dont quatre milliards en aide à la Grande-Bretagne. Quoi qu'en aient pensé les Britanniques à l'époque, cette assistance leur assura un rendement plutôt spectaculaire et opportun sur leurs investissements coloniaux.

Paradoxalement, l'extraordinaire effort de guerre du Canada et l'aide directe qu'il apporta à la Grande-Bretagne eurent pour effet de le rapprocher des États-Unis. Peu après la victoire des Allemands au Danemark, en Hollande, en Belgique et en France, tandis que les États-Unis se préparaient à une éventuelle invasion et capitulation de la Grande-Bretagne, le président Franklin Delano Roosevelt organisa une rencontre avec son vieil ami Mackenzie King, premier ministre du Canada, dans la ville frontalière d'Ogdensburg. Là, ils convinrent tous deux d'établir une Commission permanente mixte de défense chargée de coordonner la planification militaire sur le continent. La Grande-Bretagne étant assiégée, le Canada, dans les faits, demanda et obtint la protection des États-Unis. Du point de vue du Canada, l'Accord d'Ogdensburg traduisait un renversement de politique plus radical encore que le changement d'hégémonie. Après seulement six mois de guerre, le Canada s'était aventuré plus loin sur le terrain de la défense hémisphérique avec les États-Unis qu'il n'avait été disposé à le faire avec la Grande-Bretagne dans la coordination de la défense impériale. Dès 1940, le Canada et les États-Unis avaient conclu dans le domaine de la défense commune une alliance qui allait servir de modèle aux relations entre les deux pays jusqu'à la fin du siècle.

La logique économique et la situation stratégique rapprochèrent les deux pays encore davantage. Avant la guerre, le Canada utilisait le surplus de ses exportations par rapport à ses importations de la Grande-Bretagne pour financer le déficit de son compte courant avec les États-Unis. Maintenant que la Grande-Bretagne ne faisait plus partie de l'équation et qu'il avait un besoin accru de pièces et d'équipement en provenance des États-Unis, le Canada devait trouver un moyen de se procurer des dollars américains ; sinon, il risquait la faillite à son tour. Une fois de plus, les États-Unis se montrèrent accommodants. Réunis de nouveau chez le président à Hyde Park, dans la vallée de l'Hudson, le 7 avril 1941, Roosevelt et King s'entendirent immédiatement sur un programme d'achats militaires en vertu duquel le Canada bénéficierait de tous les dollars américains dont il avait besoin pour acheter aux États-Unis des fournitures militaires essentielles. Tant et aussi longtemps que les États-Unis demeurèrent neutres, le Canada occupa une position stratégique à titre d'interlocuteur et de négociateur entre son voisin et la Grande-Bretagne. Tout changea lorsque, au lendemain de l'attaque de Pearl Harbour, les États-Unis entrèrent en guerre. Les grandes puissances — les États-Unis et la Grande-Bretagne — se mirent à traiter entre elles directement, et le Canada, allié subalterne négligé et dépité, fut écarté. L'entrée en guerre des États-Unis se traduisit cependant par un afflux de dollars américains au Canada : cet argent servit à la constructions de pipelines, de routes et d'ouvrages défensifs dans le Nord-Ouest en prévision de nouvelles attaques japonaises. Ces mesures réglèrent la crise monétaire au Canada, stimulèrent l'économie encore davantage et fournirent certaines des réserves nécessaires au financement de l'aide à la Grande-Bretagne. Lorsqu'on la comparait à la machine de guerre des États-Unis qui se préparait à entrer en action dans les théâtres de l'Europe et du Pacifique, la contribution canadienne semblait soudain dérisoire. En dépit de la joie qu'ils ressentirent à la pensée que les États-Unis allaient mettre tout leur poids dans la balance, les Canadiens n'oublieraient jamais que, pendant dix-huit mois, la Grande-Bretagne et le Commonwealth s'étaient battus seuls. Pendant la guerre, le Canada joua ainsi, tour à tour, le rôle de partenaire de la défense de la Grande-Bretagne, de trait d'union stratégique entre la Grande-Bretagne et les États-Unis et, enfin, de simple satellite militaire et économique de ces derniers.

Lorsque, au début de la guerre, la Grande-Bretagne demanda une aide militaire, le gouvernement du Canada autorisa le recrutement d'une division de fantassins pour l'Europe et d'une autre pour la défense intérieure. Lors de la crise de 1940, tandis que le sort de la Grande-Bretagne semblait incertain, l'humeur des Canadiens changea du tout au tout: de la prudence, ils passèrent à la détermination farouche. Difficile, après coup, de recréer ce moment déterminant de l'histoire, influencés que nous sommes par notre connaissance du dénouement. Une visite des locaux du cabinet de guerre à Whitehall, d'où Churchill et son état-major général dirigèrent la Bataille de Grande-Bretagne, constitue un rappel tonifiant de ce qui fut et de ce qui aurait pu être. Si les Britanniques en étaient rendus là, c'est parce qu'ils perdaient la guerre. On oublie trop facilement les cinq journées fatidiques du mois d'avril au cours desquelles le gouvernement débattit en langage codé de la possibilité de négocier une paix séparée. Churchill, non-conformiste et partisan du jusqu'auboutisme, l'emporta sur lord Halifax, patricien qui ne voyait pas d'un mauvais œil une solution qui éviterait à son pays un ruineux bain de sang. Sous la gouverne de Churchill, fort méprisé, la Grande-Bretagne se battrait jusqu'au dernier homme. Pour le Canada, la capitulation de la Grande-Bretagne était tout simplement impensable. Lorsque les États-Unis s'informèrent prudemment du sort qui serait réservé à la flotte britannique en cas de capitulation, le gouvernement du Canada prit la mesure de l'énormité de la tâche à accomplir. À sa décharge, celui-ci, dès 1940, remisa toute prudence et entreprit la mobilisation totale des ressources humaines et du matériel de guerre du pays. On mit temporairement de côté les rancœurs et les préjugés de vieille date. Churchill, dont Mackenzie King avait dit qu'il était « l'homme le plus dangereux que je connaisse », monta considérablement dans l'estime de son homologue. Churchill, pour sa part, se laissa séduire par le capricieux et irritable premier ministre du Canada, qu'il avait eu l'habitude de qualifier de « petit enfant de pute ».

L'avant-garde de la 1re Divison canadienne débarqua en Grande-Bretagne en décembre 1939, trois mois à peine après la déclaration de guerre. De nombreux autres envois d'hommes et d'équipement suivirent. Le Canada finit par déployer cinq cent mille soldats et deux cent dix mille aviateurs pour la défense de la Grande-Bretagne. Un escadron de chasse canadien arriva à temps pour engager l'ennemi aux derniers stades de la Bataille de Grande-Bretagne. Le pourcentage élevé de Canadiens au sein de la Force de bombardement de la Royal Air Force (RAF) causait un certain malaise parmi les commandants britanniques. Cette invasion massive de Canadiens — jeunes pour la plupart — ayant beaucoup de temps libre entraîna bien quelques frictions avec la population locale, mais les rapports se caractérisaient le plus souvent par la chaleur et l'appréciation réciproque, à un point tel que, à la fin du conflit, quelque quarante-cinq mille soldats et aviateurs canadiens avaient épousé une Britannique. De ces unions étaient nés, avant la fin de 1946, plus de vingt mille enfants. Puisque la plupart de ces épousées de guerre accompagnèrent leur mari au Canada, le nombre de Canadiens qui rentrèrent de la guerre fut supérieur au nombre de ceux qui y étaient partis.

Durant la Deuxième Guerre mondiale, le Canada mobilisa plus de un million d'hommes et de femmes, dont quatre-vingt-dix-neuf pour cent de volontaires. Dans une société qui connaissait le plein-emploi, l'armée, l'aviation, la marine et la défense intérieure appelèrent sous les drapeaux pas moins de quarante pour cent des personnes de dix-huit à quarante-cinq ans aptes au travail. Sans hésiter, le Canada dépêcha également deux mille soldats pour renforcer la garnison de

Hong-Kong. Les quatre destroyers de la marine canadienne furent déployés dans des eaux britanniques et placés sous commandement britannique. Dans la portion nord-américaine de l'Atlantique, la marine se prépara à escorter des convois. Forts de leur toute nouvelle volonté de faire leur part, les généraux et les politiciens du Canada se montrèrent peut-être un trop pressés d'en découdre avec l'ennemi. L'expédition de Hong-Kong connut une fin tragique avec la prise de la colonie par les Japonais le 25 décembre 1941. Des Canadiens, impatients de se battre, se portèrent volontaires pour le malheureux raid de Dieppe en avril 1942. Au lendemain de la débâcle — la sortie avait pour but avoué d'éprouver les défenses allemandes —, les deux tiers des envahisseurs avaient été tués ou faits prisonniers. Les Alliés en tirèrent des leçons précieuses, mais onéreuses. Le débarquement permit également à Churchill de prouver à Staline que le front occidental ne pouvait pas encore être ouvert.

Dans l'Atlantique nord, la marine canadienne, entraînée à la hâte et mal équipée, se révéla incapable d'assurer la protection des convois jusqu'en Irlande ; à l'est de Terre-Neuve, la marine britannique devait prendre le relais. Des sous-marins allemands et des bâtiments de guerre japonais transportèrent hardiment la guerre jusqu'aux portes de la maison réputée à l'épreuve du feu. Des torpilles allemandes coulèrent des cargos et des navires d'escorte canadiens dans le Saint-Laurent et aux abords du port de Halifax. La Bataille de l'Atlantique et la campagne des Aléoutiennes firent planer le spectre sinistre de la guerre au pays et entraînèrent l'internement aveugle des immigrants japonais, allemands et italiens d'ici, considérés comme des menaces à la sécurité. Cependant, ces revers initiaux et les menaces palpables à la sécurité du territoire affermirent la résolution des Canadiens.

Les deux cent dix mille aviateurs et les quelque cent mille marins du Canada furent en action pendant toute la guerre. Ses cinq cent mille soldats, jusque-là confinés en Angleterre surtout, avaient hâte de participer aux combats. Des politiciens canadiens, Mackenzie King y compris, autorisèrent la première armée canadienne à se scinder pour prendre part à l'invasion de la Sicile à l'été 1943. À partir de ce moment et jusqu'à la fin de la guerre, les soldats canadiens furent mêlés à des affrontements avec l'ennemi. En 1943 et 1944, les membres de la 1re Division canadienne combattirent aux côtés des forces britanniques et américaines qui, à partir de la pointe, remontèrent toute la botte de l'Italie. Lors du périlleux assaut d'Ortona, en décembre, les Canadiens firent preuve d'un grand courage. Ils poursuivirent leur avancée vers le nord et, à l'automne 1944, refoulèrent les Allemands de l'autre côté de l'Arno. La campagne d'Italie fit vingt-six mille victimes, dont six mille morts. Le jour J, soit le 6 juin 1944, des soldats canadiens débarquèrent à Juno Beach, en Normandie, en dépit de la résistance farouche de l'ennemi. Encaissant de lourdes pertes, ils prirent leur tête de plage, puis ils s'enfoncèrent dans les terres, où les attendait une confrontation meurtrière avec l'armée allemande (Bataille de la poche de Falaise). Avec le concours de la division qui remontait d'Italie, l'armée canadienne s'avança vers le nord pour sécuriser l'estuaire de l'Escaut et libérer la Hollande. Les opérations ayant suivi le jour J firent plus de quarante-quatre mille victimes parmi les Canadiens ; onze mille officiers et soldats tombèrent au champ d'honneur. Dans les airs, pendant ce temps, des équipages canadiens des armées de l'air britannique et canadienne poursuivirent les bombardements stratégiques de nuit en Allemagne et assurèrent un appui aérien rapproché à l'offensive de l'armée alliée. Au total, quarante-deux mille

Canadiens moururent au combat pendant la Deuxième Guerre mondiale (cinquante-cinq pour cent dans l'armée, quarante et un pour cent dans l'aviation et quatre pour cent dans la marine).

Le maintien d'une force armée d'une telle ampleur et l'importance des pertes encaissées entraînèrent inévitablement la conséquence que tous redoutaient le plus : la conscription pour le service outre-mer. La question provoqua quelques crises d'envergure et faillit même un jour faire tomber le gouvernement, mais, cette fois, on évita les amers déchirements de la Première Guerre. Mackenzie King pilota le dossier comme s'il avait réservé pour cette occasion toute la finesse et toute la résolution inflexible dont il était capable. Au début de la guerre, nous l'avons vu, il avait sans détour promis de ne pas imposer la conscription pour le service outre-mer. Peu après le déclenchement des hostilités, cependant, son gouvernement avait introduit l'inscription obligatoire des Canadiens aptes au travail et la conscription pour la défense du territoire.

Mackenzie King orchestra la politique de guerre de main de maître. Lorsque, au printemps 1940, le gouvernement de l'Ontario adopta une résolution où il déplorait la faiblesse de l'effort de guerre fédéral, il sauta sur l'occasion en déclenchant des élections surprise. Son mandat de cinq ans tirait à sa fin ; il fit porter à ses détracteurs l'odieux d'élections tenues en temps de guerre. L'écrasante majorité qu'il obtint fit taire ses ennemis et désamorça les attaques de l'opposition jusqu'à la fin du conflit. En 1942, le gouvernement de King, devant les pressions grandissantes qui s'exerçaient en faveur de la constitution d'une armée beaucoup plus conséquente, tint un plébiscite national pour demander aux Canadiens s'ils acceptaient de libérer le gouvernement de sa promesse de ne pas imposer la conscription pour le service outre-mer. Le pays vota en faveur de la proposition dans une proportion de soixante-quatre pour cent contre trente-six. Le vote, c'était à prévoir, révéla un pays profondément divisé. L'Ontario vota « Oui » à quatre-vingt-quatre pour cent ; le Québec vota « Non » à soixante-treize pour cent. Le gouvernement fédéral obtint donc le mandat d'imposer la conscription, même s'il avait de très bonnes raisons de s'en abstenir, les assises de son pouvoir se trouvant au Québec. À la grande frustration de bon nombre de ses ministres, Mackenzie King temporisa, refusant d'adopter sans urgence pressante une mesure qui allait semer la discorde.

Le grand nombre de victimes de l'invasion de l'Europe et les pertes encore plus lourdes projetées finiraient par forcer la main du gouvernement — mais pas avant 1944. Malgré tout, le premier ministre, rusé, demeura évasif, refusant de céder aux pressions. Confronté à une mutinerie imminente de son cabinet, il congédia impitoyablement son populaire ministre de la Défense et parachuta à sa place un général ayant promis de recruter les volontaires nécessaires. Les efforts du premier ministre avortèrent, au même titre que la carrière politique du général. Devant l'insistance des généraux en poste en Europe, qui avaient désespérément besoin de renforts, et les pressions grandissantes exercées par des Canadiens soutenant que toutes les régions du pays devaient faire leur part, Mackenzie King fut contraint d'admettre que la conscription s'imposait. Quelque cinquante-huit mille soldats affectés à la défense du territoire furent mutés au service actif et treize mille d'entre eux envoyés outre-mer. Heureusement pour le gouvernement, la guerre prit fin avant qu'un trop grand nombre de Canadiens n'aient été enrôlés de force. Louvoyant, Mackenzie King, dont tout le monde se méfiait, à commencer par ses ministres, réussit, par des manœuvres politiques, à étouffer une affaire potentiellement explosive. Pendant la guerre, sa capacité de désamorcer les débats et de compliquer les enjeux à l'envi, sa légendaire propension à la procrastination et, pour reprendre les mots du poète, son talent pour « ne jamais faire les choses à moitié quand il pouvait les faire au quart » le servirent bien et protégèrent le pays. Le gouvernement évita de sombrer sur l'écueil de la conscription. La manière n'eut rien d'élégant ni même d'honorable, mais les résultats étaient là.

La guerre entraîna aussi une transformation radicale de l'État canadien. Par rapport à ce qu'il allait devenir, l'État d'avant la guerre était minuscule. En 1939, le gouvernement canadien était responsable d'un peu moins de onze pour cent des dépenses nationales brutes. Une fonction publique comptant moins de quarante-cinq mille employés, dont le quart environ travaillaient pour les postes, administrait les affaires du pays. Dans le cadre de l'effort de guerre, le gouvernement se chargea d'une proportion plus grande de la main-d'œuvre et de la production, et la taille de l'État connut une croissance marquée. En 1943, les dépenses gouvernementales s'élevèrent à plus de cinq milliards de dollars, soit près de dix fois plus qu'avant la guerre. À son paroxysme, en 1943, l'effort de guerre monopolisa quarante-cinq pour cent du produit intérieur brut.

En vertu de la *Loi sur les mesures de guerre*, le gouvernement fédéral prit les rênes de l'économie. Il réglementa les opérations de change, contrôla les prix et orienta les matériaux stratégiques vers l'effort de guerre en faisant appel à des travailleurs quasi bénévoles « prêtés » par l'industrie. Le ministère des Munitions et des Approvisionnements, nouvellement créé, dirigea la conversion et l'expansion extraordinaire de l'industrie canadienne. Pendant le conflit, des investissements privés et publics massifs — le gouvernement construisit une centaine d'usines à lui seul — doublèrent la production manufacturière du Canada. Une commission des céréales supervisa la multiplication par trois des exportations de blé canadien vers la Grande-Bretagne — même si le secteur agricole dans son ensemble ne crût pas par rapport aux autres. En fait, la guerre accéléra le mouvement de transition structurelle de l'agriculture vers la transformation et les services amorcé depuis un certain temps. Fait remarquable, le gouvernement assuma la majeure partie des coûts liés à ces changements à même ses dépenses courantes. Bien sûr, il dut, pour ce faire, hausser les impôts de façon spectaculaire et s'approprier des sources de revenus provinciales. Inévitablement, cependant, la dette publique grimpa. Grâce à une expansion modérée de la masse monétaire rendue possible par les interventions de la Banque du Canada et au contrôle des prix et des salaires, l'inflation demeura de l'ordre de cinq pour cent. Au sortir de la guerre, l'État était non seulement beaucoup plus gros — aux commandes de ressources sans précédent et capable d'exercer une influence nettement plus grande du seul fait de sa taille —, mais aussi doté d'une légitimité et d'un prestige accrus. Les mandarins d'Ottawa, occupés à mettre au point de nouveaux plans de développement et équipés d'outils flambant neufs, acquirent une énorme influence sur le secteur privé. L'État qui avait si efficacement administré l'effort de guerre saurait sans doute aussi se mobiliser pour instaurer la paix.

La guerre mit un terme abrupt et ardemment désiré à la Grande Dépression. Le recrutement militaire et le boom des industries militaires enrichirent et transformèrent la main-d'œuvre en plus d'enclencher un mécanisme de changement social qui eut de profondes conséquences. Il n'y avait tout simplement pas assez d'hommes pour se battre, exploiter la terre et fabriquer des armes. Les femmes, qui avaient toujours été présentes, quoique minoritaires, au sein de la population active, accrurent leur taux de participation et élargirent leurs horizons professionnels: ainsi, des emplois qui leur étaient jusque-là interdits, notamment dans les domaines de la machinerie lourde et des transports, s'ouvrirent comme par magie, ainsi que le montrent des photos d'archives d'ouvrières en train de poser des rivets dans une avionnerie ou de lubrifier des machines à moteur aux dimensions colossales. Quelque cinquante mille femmes jouèrent un rôle d'appui au combat au sein des forces armées. Des besoins pressants eurent raison des préjugés à l'endroit du travail professionnel des femmes mariées de la classe moyenne. Pendant la guerre, environ 1,2 million de femmes, soit quelque trente-trois pour cent de celles qui étaient en âge de travailler, prouvèrent hors de tout doute qu'elles étaient disposées à occuper un éventail de postes beaucoup plus vaste qu'auparavant et aptes à le faire. Le mouvement syndical obtint lui aussi une reconnaissance et une légitimité plus grandes. En fait, des pénuries de main-d'œuvre aiguës accentuèrent le pouvoir de négociation des syndicats. Au cours des premières années du conflit, le nombre d'adhésions au mouvement, de grèves et d'arrêts de travail augmenta de façon vertigineuse. En 1943, l'État et le mouvement syndical, pour éviter la crise, négocièrent un « contrat social » tacite. En échange de la paix syndicale, le gouvernement ouvrit une toute nouvelle gamme d'enjeux à la négociation collective. Quelques mesures — la lutte à l'inflation au moyen d'une politique monétaire disciplinée, le rationnement des produits de première nécessité et le contrôle des prix — eurent pour effet de régler pour l'essentiel le problème de la baisse des salaires. Du même coup, un des principaux irritants pour le mouvement syndical disparaissait. De façon générale, ce dernier trouva les services de médiation et de conciliation du gouvernement mieux disposés à son égard qu'avant le conflit.

Sous l'effet de la guerre, la politique sociale du Canada évolua rapidement. Grâce au plein-emploi, on put envisager la création d'un régime d'assurance-chômage à cotisations, projet qui, tout au long des années 1930, marquées par une dislocation en règle de la société, était apparu trop coûteux. En 1940, avec l'aval des provinces, le gouvernement du Canada mit enfin son régime sur pied. Ce ne fut pas le premier jalon de l'État providence — on avait instauré dès les années 1920 des programmes destinés aux anciens combattants et des allocations familiales —, mais on peut à coup sûr parler d'une étape importante : désormais, l'État se repositionnait comme fournisseur de services d'aide sociale à un large éventail de la population. Corollairement, bien sûr, il assuma une part plus grande de la gestion et du rendement de l'économie, même si aucun grand projet de loi en ce sens ne fut jamais déposé. Pendant la guerre, les planificateurs acquirent une précieuse expérience des politiques de croissance et de stabilisation. Au sortir du conflit, ils avaient la conviction non seulement qu'une gestion macroéconomique adéquate assurerait le maintien du plein-emploi, mais aussi qu'ils disposaient des connaissances et des outils nécessaires pour y arriver.

Vers le milieu de la guerre, motivé en partie par la popularité grandissante des partis politiques sociaux-démocrates, le gouvernement libéral, jusque-là hésitant, entreprit, en prévision de l'après-guerre, une démarche de planification relativement poussée. Les obstacles constitutionnels aux interventions du gouvernement fédéral dans ce domaine furent levés d'une manière curieuse, mais typiquement canadienne. Au terme d'un vaste examen des relations fédérales-provinciales, une commission royale avait recommandé, au début de la guerre, que le gouvernement fédéral bénéficie de champs d'imposition plus grands et que, en retour, il assume la dette des provinces et, pour aider celles-ci à s'acquitter de leurs responsabilités, leur verse des subventions non assorties de conditions, établies en fonction de leurs besoins budgétaires. La plupart des provinces pauvres se montrèrent favorables au projet ; dirigées par l'Ontario, les provinces riches s'opposèrent vivement à ce qu'elles considéraient, non sans un certain sans-gêne, comme une ponction fiscale de la part du gouvernement fédéral et un empiètement dans leurs champs de compétence. La conférence fédérale-provinciale de 1941, qui avait pour but de mettre le projet en application, avorta au milieu d'un concert de récriminations. Au nom des mesures de guerre, le gouvernement fédéral s'arrogea malgré tout une multitude de pouvoirs d'imposition et, en contrepartie du maintien d'activités, paya un « loyer » aux provinces. Après la guerre, ce mécanisme ponctuel fut reconduit sous une forme légèrement modifiée, en dépit de protestations véhémentes de la part des provinces. Le gouvernement fédéral trouva également le moyen de s'ingérer dans des domaines relevant de la compétence exclusive des provinces, encore une fois sans révision préalable de la Constitution. Ottawa utilisa tout simplement son pouvoir inconditionnel de dépenser à n'importe quelle fin publique pour créer des programmes, seul ou en collaboration avec les provinces. Dans ce dernier cas, il s'agissait de programmes à frais partagés institués à l'initiative du fédéral.

Grâce à la hausse des impôts et à la croissance rapide de l'économie, le gouvernement fédéral avait maintenant de l'argent. Il put ainsi envisager d'adopter le genre de programmes sociaux qui attiraient les électeurs vers les partis sociaux-démocrates. À la suite de l'élection d'un gouvernement socialiste en Saskatchewan et de la montée subite de la Fédération du Commonwealth coopératif dans les sondages d'opinion au niveau national, les obstacles à des interventions musclées du fédéral dans le domaine de la politique sociale disparurent comme par enchantement. Fort de ses capacités accrues dans les domaines de l'imposition, des dépenses et de la bureaucratie, le gouvernement central promit un éventail de programmes sociaux visant la promotion du développement économique et social. S'il pouvait faire la guerre, rien ne l'empêchait d'accroître le bien-être des citoyens. Outre le régime d'assurance-chômage déjà en place, le gouvernement s'engagea dans un ambitieux programme de réforme, lançant tour à tour un programme de construction de logements sociaux ayant pour but de remédier à une grave pénurie, un programme d'allocations versées aux mères pour assurer un soutien minimal aux familles et stimuler la demande de biens et de services en prévision de la récession appréhendée, un régime de pensions de vieillesse pour réduire la pauvreté chez les aînés et, enfin, un régime public d'assurance-maladie. Tous ces projets ne furent pas mis en œuvre sur-le-champ — quoique la « prime aux bébés », politiquement attrayante, ait été adoptée sans délai —, mais la guerre annonça à coup sûr l'État providence qui allait atteindre son apogée au cours des décennies suivantes.

Au moment de son entrée en guerre, le Canada était un État petit, porté sur le laissez-faire et relativement conservateur ; au lendemain du conflit, il s'était résolument engagé sur la voie de l'État providence et de la gestion économique keynésienne. La guerre donna au gouvernement les moyens financiers et la légitimité nécessaires à l'élaboration d'une vaste gamme de politiques sociales et économiques, en plus de supprimer une bonne part des obstacles constitutionnels qui, jusque-là, lui avaient barré la route. La conversion tardive et assez peu convaincante de Mackenzie King à l'interventionnisme arriva néanmoins à point nommé. Compte tenu des espoirs et des griefs accumulés tout au long de la guerre, la réélection du gouvernement, en juin 1945, tient de l'exploit.

L'explosion de deux bombes atomiques, événement horrible qui précipita la capitulation inconditionnelle du Japon en août 1945, marqua pour le Canada l'avènement du « meilleur des mondes », empreint d'une effrayante étrangeté. Jusque-là, le Canada avait appréhendé le monde par le truchement obligé de la Grande-Bretagne et du Commonwealth. Or la guerre accula la Grande-Bretagne à la faillite, réduisit à néant une bonne part de sa base industrielle et la dépouilla de son empire. Certes, elle demeurait une grande puissance, mais sa situation était beaucoup plus précaire. Dans les premiers jours de l'après-guerre, elle eut besoin de l'aide financière du Canada pour maintenir son économie à flot. Dans une large mesure, la relation entre les puissances impériale et coloniale s'était inversée. Le Canada avait affirmé son indépendance par rapport à la Grande-Bretagne, état de fait qui, sur le plan symbolique, trouva son aboutissement en 1946, année où les Canadiens, de sujets britanniques, devinrent des citoyens de leur propre pays. La Grande-Bretagne ainsi diminuée, le Canada volait de ses propres ailes, à ce détail près qu'il avait désormais pour voisin une superpuissance politique et économique pourvue d'armes nucléaires.

Pendant la période de neutralité observée par les États-Unis, le Canada avait joué le rôle de lien stratégique entre les États-Unis et la Grande-Bretagne. Une fois les États-Unis en guerre, la situation changea du tout au tout : le Canada ne fut plus consulté même si on continua de compter sur sa contribution. Pendant la guerre, Roosevelt et Churchill se réunirent deux fois à Québec pour parler stratégie. À ces occasions, Mackenzie King se mit en évidence, courut à gauche et à droite. Sur les photos, il donna l'impression que le Canada conservait son rôle de cheville ouvrière. En réalité, il faisait figure d'hôtelier plus que d'hôte. Dans la stratégie des Alliés, le Canada n'eut pas vraiment son mot à dire. Vers la fin du conflit, même les Britanniques commencèrent à s'inquiéter de la place qui leur échoirait dans un monde d'après-guerre dominé par les États-Unis ; pour faire contrepoids, ils sortirent des boules à mites la vieille idée d'une politique étrangère commune à tout le Commonwealth. Sentant la résurgence du désir de domination impériale, les Canadiens eurent tôt fait de faire avorter le projet. Dans la nouvelle donne mondiale, le Canada préféra établir son autonomie politique vis-à-vis des États-Unis et affirmer son ouverture au monde par l'intermédiaire d'organisations multilatérales. Grâce à ces dernières, espérait-on, des puissances moyennes comme le Canada s'assureraient, dans le domaine des relations internationales, un statut et un prestige proportionnels à leur contribution.

Au moment de mettre en œuvre son programme social d'après-guerre, le Canada apporta donc quelques modifications fondamentales à sa politique extérieure afin de l'ajuster à un monde transformé en profondeur. En s'adaptant à la vie civile d'après la dépression et la guerre, les Canadiens firent des choix personnels aux conséquences tout aussi profondes et durables. Ces choix, autant privés que publics, accélérèrent la transformation de la nation canadienne.

Le gouvernement renonça à l'isolationnisme et au protectionnisme qui avaient caractérisé l'entre-deux-guerres et, en matière de politique et d'économie, opta pour un internationalisme énergique. Selon cette optique, la meilleure façon de promouvoir les intérêts du Canada, de protéger ses citoyens et de contribuer à la sécurité internationale, c'était de participer, de concert avec d'autres nations, à un régime de sécurité collective et de mettre sur pied les institutions jugées nécessaires à la stabilisation des relations internationales et des affaires monétaires, de même qu'à l'expansion du commerce. Le Canada rehaussa son profil en multipliant le nombre de ses missions diplomatiques à l'étranger et en participant activement aux pourparlers qui débouchèrent sur l'établissement de l'Organisation des Nations Unies ainsi qu'à l'élaboration de sa Charte. La position adoptée jusque-là, soit que le Parlement déciderait au cas par cas de ses interventions internationales, fut remplacée par un ferme engagement en faveur du principe de la sécurité collective, selon lequel il revenait aux organisations internationales de trancher les questions de guerre et de paix. Convaincu que, à titre de grande nation exportatrice, il tirerait des avantages d'une libéralisation progressive du commerce et d'une stabilisation des relations monétaires à l'échelle mondiale, le Canada adopta une approche internationaliste. À la Conférence de Bretton Woods, en 1944, il participa à la mise sur pied du Fonds monétaire international, de la Banque internationale pour la reconstruction et le développement et d'un régime de taux de change fixe arrimé au dollar américain. Aucune organisation mondiale du commerce ne ressortit de la rencontre, mais le Canada se prononça plus tard en faveur de l'établissement de l'Accord général sur les tarifs douaniers et le commerce (GATT), qui avait pour but de réduire les obstacles au commerce international.

Pour des motifs d'ordre humanitaire, le Canada ouvrit ses portes à l'immigration. C'était un moyen de soulager la misère, certes, mais aussi de stimuler son économie. Ainsi, plus de cent mille Européens déplacés furent admis au pays. Afin d'accroître le nombre de travailleurs et de recruter la main-d'œuvre spécialisée nécessaire à son programme d'industrialisation, le Canada déploya des efforts considérables pour recruter des immigrants qualifiés à l'étranger, notamment dans le nord-ouest de l'Europe et au Royaume-Uni. À la fin des années 1940, l'immigration atteignit des niveaux inégalés depuis les années 1920 ; dans les années 1950, quelque cent cinquante mille immigrants en moyenne venaient chaque année s'établir au Canada. L'immigration massive créa à son tour de larges bassins de population favorables à la venue d'autres immigrants.

Le gouvernement du Canada liait explicitement sa politique d'immigration à ce qu'il appelait la « capacité d'absorption » de l'économie canadienne. La porte demeurait cependant fermée à tous ceux qui risquaient de modifier la composition ethnique de la population. Le Canada s'accrochait en effet à la politique raciale ayant pour effet de décourager, sinon d'interdire, l'immigration de non-Blancs. Cette politique s'appuyait sur une contradiction fondamentale. Au niveau international, le Canada souscrivait du bout des lèvres au régime fondé sur les droits et la lutte à la discrimination incarné par la Déclaration universelle des droits de l'homme des Nations Unies ;

pourtant, ses politiques d'immigration étaient empreintes d'une discrimination raciale systématique. Il faudrait un jour s'attaquer à cette contradiction. Entre-temps, le programme d'immigration, tout restrictif fût-il, avait commencé à transformer la composition ethnique du Canada. Au cours de la décennie suivant la fin de la guerre, environ trente pour cent des immigrants venaient de la Grande-Bretagne, plus ou moins la même proportion du nord-est de l'Europe, notamment de l'Allemagne, des Pays-Bas, de la Belgique, de l'Autriche et de la Suède, et trente-cinq pour cent du centre, de l'est et du sud de l'Europe, en particulier de l'Italie, du Portugal, de l'Espagne et de la Grèce. L'immigration asiatique était limitée à moins de cinq pour cent du total. Au lendemain de la guerre, le pourcentage de la population d'origine autre qu'anglaise et française augmenta et, du même coup, la dimension multiculturelle de la société canadienne s'accentua.

Plus que l'immigration, toutefois, ce furent les choix personnels de millions de Canadiens qui eurent sur la croissance démographique une influence décisive. Le taux de nuptialité, qui avait chuté de façon marquée pendant la dépression, connut un redressement spectaculaire juste avant le début de la guerre et au cours des premiers mois de celle-ci, les couples profitant de ce qu'ils croyaient être leur dernière chance de s'unir. Puis, comme les combats s'éternisaient, le taux de nuptialité s'affaissa de nouveau. Lorsque les hommes et les femmes rentrèrent d'outre-mer, une explosion du nombre de mariages (annulée en partie par une augmentation correspondante du nombre de divorces), ainsi que la reprise de relations conjugales différées, entraîna une hausse subite du taux de natalité. Le taux de natalité brut augmenta de façon marquée et demeura élevé. Dans les années 1930, deux cent trente mille bébés en moyenne naissaient par année ; après la guerre, ce nombre passa à plus de trois cent cinquante mille. Comme un pourcentage plus grand de Canadiens se mariaient, qu'ils le faisaient plus tôt et qu'ils choisissaient d'avoir plus d'enfants (ou s'y résignaient), le « baby-boom » qui s'amorça en 1946 se poursuivit jusqu'à la fin des années 1950. Le taux de fécondité atteignit son point culminant en 1958-1959, soit cinquante pour cent de plus qu'avant la guerre.

Toutes les régions du pays furent touchées, même si, curieusement, le phénomène semble avoir été légèrement moins marqué au Québec. Cette explosion soudaine et soutenue de la fécondité se traduisit par une énorme « bosse » à la base de la pyramide canadienne des âges ; par la suite, cette bosse remonta progressivement le long des cohortes d'âge. La chute subite du taux de fécondité observée dans les années 1960, par suite de l'amélioration et de la légalisation des moyens de contraception ainsi que d'une transformation des préférences familiales, accentua encore la bosse. La génération du « baby-boom », à l'instar du proverbial cochon avalé par un python, avança inexorablement en âge, laissant dans son sillage des conséquences économiques, sociales, politiques et culturelles considérables. Au départ, les gouvernements provinciaux en particulier durent relever le défi qui consistait à loger ces familles de plus en plus nombreuses et à doubler le nombre d'hôpitaux et d'écoles. En vieillissant, les enfants du « baby-boom » allaient inévitablement taxer la capacité de l'éducation supérieure, de l'économie et, beaucoup plus tard, des régimes de retraite, des soins de santé et des services sociaux.

L'optimisme qui régnait au pays dans la foulée de l'une des périodes de croissance économique les plus marquées et les plus longues qu'ait connues le Canada explique la durée du « baby-boom » — qui, au Canada, se prolongea nettement plus que dans la plupart des autres pays. Après la Deuxième Guerre mondiale, en effet, la croissance économique cumulative du Canada se chiffra pendant deux décennies à plus de cinq pour cent en moyenne. Bien sûr, il y eut des hauts et des bas — zéro pour cent de croissance en 1954 et plus de neuf pour cent en 1958 —, mais tous profitaient de la prospérité, les salaires et les traitements augmentant en termes réels dans l'ensemble des secteurs de l'économie.

De nombreux facteurs contribuèrent à la vigoureuse croissance économique d'après-guerre, mais deux d'entre eux ressortent du lot : l'expansion des industries canadiennes exportatrices de ressources naturelles et l'augmentation rapide de l'investissement et de la demande provoquée par la croissance démographique. Les secteurs traditionnels — les pâtes et papiers et les mines — prirent de l'expansion pour répondre à la demande des marchés des États-Unis surtout. De nouvelles industries primaires prospérèrent de même : les mines du nord de l'Ontario et de la Saskatchewan se mirent à produire de l'uranium pour alimenter les réacteurs nucléaires et armer les bombes atomiques des États-Unis. Tirant profit de la présence d'une énergie hydroélectrique abondante et bon marché, des affineurs par électrolyse du Québec et, plus tard, de la Colombie-Britannique importèrent du minerai bauxitique des Antilles et d'ailleurs pour produire eux aussi de l'aluminium. Dans le secteur des ressources, c'est toutefois la découverte, en 1947, d'un important gisement de pétrole un peu au sud d'Edmonton qui marqua la percée la plus décisive. Par la suite, l'expansion rapide de l'industrie du pétrole et du gaz naturel en Alberta, sans parler des activités connexes — raffinage, pipelines et distribution —, stimula la croissance et le développement économiques. Comme toujours, la croissance liée aux ressources se révéla inégale. Dans l'Est et dans l'Ouest, le secteur du charbon fit face à de graves problèmes d'adaptation, au moment où le pétrole et le diesel remplaçaient le charbon et la vapeur comme principale force motrice des trains. Le mazout fit également une percée comme mode de chauffage domestique. Le secteur agricole augmenta sa production de blé, de viande et de produits laitiers, mais il lui fallait beaucoup moins de main-d'œuvre et beaucoup plus de capitaux qu'auparavant. En raison de la montée des secteurs des services, de la fabrication et des ressources, les travailleurs agricoles passèrent d'environ vingt pour cent de la population active à la fin de la guerre à quelque dix pour cent dans les années 1960. La croissance du Canada rural fut donc nettement moins marquée que celle des villes.

L'avènement d'une société de consommation riche et centrée sur l'enfant contribua elle aussi à la croissance économique. L'augmentation du nombre de familles et de la taille de ces dernières créa une forte demande de maisons et de biens de consommation, comme, par exemple, les meubles, les cuisinières et les réfrigérateurs, sans oublier les voitures, ultime symbole de la liberté nord-américaine qui, au fur et à mesure que les ménages s'enrichissaient, attisait la convoitise des consommateurs. Les grands espaces et l'engouement pour les maisons unifamiliales munies d'un jardin entraînèrent une expansion tentaculaire des villes canadiennes, que ceinturèrent bientôt de vastes banlieues. Comme de nombreuses mères restaient à la maison pour s'occuper des enfants, la proportion de femmes sur le marché du travail diminua provisoirement.

La demande soutenue des consommateurs généra des investissements massifs dans les secteurs de la fabrication et de la distribution, dont une bonne part d'investissements américains dans l'industrie manufacturière et les ressources. L'industrie automobile, par exemple, se composait presque exclusivement de filiales de sociétés américaines. Tous les ordres de gouvernement investirent d'importantes sommes dans le logement, les hôpitaux, les écoles, les services publics, l'infrastructure et, pour faire face à la multiplication des voitures, le réseau routier. Les gouvernements provinciaux assumèrent également la responsabilité des réseaux hydroélectriques et, dans le contexte de l'« édification du fief provincial », d'autres régimes publics. Les investissements publics et privés, la croissance de l'emploi, l'augmentation des revenus par habitant, la hausse de la demande de biens de consommation et, en particulier, de biens durables, tout cela créa un cercle vertueux dans lequel la croissance appelait la croissance.

Cette ère de prospérité pratiquement ininterrompue servit également au financement d'activités culturelles canadiennes en plein essor de même qu'à l'expansion du secteur des loisirs. Dans les régions métropolitaines où la croissance était la plus rapide, on assista également à l'émergence d'une nouvelle sensibilité urbaine. Les métros, l'architecture moderne, les théâtres, les galeries d'art, les orchestres symphoniques, les sports, les médias et les divertissements devinrent tout aussi canadiens que les forêts, les lacs, les champs de blé et les banques.

La nouvelle richesse du Canada avait beau reposer sur de larges assises, elle n'en était pas pour autant équitablement répartie. Par exemple, les Autochtones des réserves et du Nord n'y participèrent pas. En raison de l'augmentation de la taille des exploitations agricoles et de l'intensité du capital requis, nombreux sont les cultivateurs qui furent dépossédés de leurs fermes. L'immigration et la migration urbaine eurent pour effet d'agrandir les poches de pauvreté dans les villes. Néanmoins, les années 1950 se traduisirent par une amélioration marquée du niveau de vie de la très vaste majorité des Canadiens.

Tous ces changements s'effectuèrent sur fond de menace nucléaire. Il ne serait d'ailleurs pas exagéré d'affirmer que la guerre froide a débuté au Canada à la fin de 1945 : à ce moment, un chiffreur célèbre du nom d'Igor Gouzenko fit défection, emportant avec lui d'amples preuves des activités d'espionnage menées par l'Union soviétique au Canada et ailleurs. Le réseau d'espionnage soviétique avait percé les secrets nucléaires des États-Unis et de la Grande-Bretagne, et bientôt l'Union soviétique possédait des bombes atomiques, puis thermonucléaires. Dans un premier temps, l'Europe fut à l'avant-plan de cette lutte entre les superpuissances nucléaires. En 1949, un pont aérien assuré par les États-Unis et la Grande-Bretagne permit de nourrir les secteurs occidentaux de Berlin assiégée, en dépit du blocus terrestre imposé par les Soviétiques. Certains pays instables menaçaient de tomber sous la coupe des communistes. Dans le conflit larvé mais potentiellement mortel opposant l'Union soviétique à l'Occident, les Canadiens s'identifièrent majoritairement à la doctrine anticommuniste de confinement des États-Unis. Comme l'Organisation des Nations Unies était paralysée, le Canada participa activement à la formation de l'Organisation du Traité de l'Atlantique Nord (OTAN) en 1949 et, pour assurer la protection de l'Europe de l'Ouest, déploya outre-mer des troupes au sol et des aviateurs. Le Canada espérait que cette alliance nord-atlantique européenne ferait à certains égards contrepoids à l'influence démesurée des États-Unis dans les relations extérieures. Quand, en 1950, les États-Unis dirigèrent une force de l'ONU en Corée pour repousser une tentative d'invasion menée par la Corée du Nord et, plus tard, par la Chine, avec le soutien des Soviétiques, le Canada, soucieux de prévenir une nouvelle annexion communiste en Asie du Sud-Est, dépêcha lui aussi un important contingent militaire.

Avec l'avènement des bombardiers stratégiques à long rayon d'action, le Canada était lui-même devenu la ligne de front transpolaire d'un éventuel conflit généralisé entre les États-Unis et l'Union soviétique. Au début des années 1950, les États-Unis, avec l'approbation du Canada, aménagèrent dans le Grand Nord un réseau d'alerte avancée composé d'un chapelet de stations radar. Pour assurer la défense de l'hémisphère, les États-Unis et le Canada mirent sur pied, en 1957, la Défense aérienne du continent nord-américain (NORAD) afin de détecter et de repousser conjointement toute attaque aérienne. Pour assurer sa propre défense, le Canada, qui partageait pleinement l'inquiétude des États-Unis au sujet des visées expansionnistes d'un régime soviétique pourvu de l'arme nucléaire, conclut des alliances militaires de son plein gré, accepta que ses soldats soient commandés par des non-Canadiens, déploya des troupes à l'étranger, dans des théâtres de combat lointains, et conféra aux États-Unis une marge de manœuvre considérable à l'intérieur de ses frontières. Devant la menace de la guerre nucléaire, on mit de côté — sans trop se faire de souci — certains avantages de la souveraineté.

Au sein de l'alliance nord-atlantique, le Canada demeurait un partenaire somme toute très mineur. Ses capacités technologiques et militaires faisaient piètre figure par rapport à celles des États-Unis. Le Canada avait participé à certaines recherches nucléaires pendant la guerre, mais il n'avait pas été mêlé à la construction des bombes. Il n'avait ni fabriqué ni acquis de telles armes. Il orienta plutôt son programme nucléaire vers des fins pacifiques, nommément la médecine et la production d'énergie. En raison de sa faible population et de son statut de pays sans armes nucléaires, le Canada, dans ses relations avec les États-Unis, demeura cantonné dans les « ligues mineures ». Cependant, il était situé à un endroit stratégique et possédait quantité de matériaux importants pour l'arsenal des États-Unis, sans compter qu'un grand pourcentage des actifs des multinationales américaines s'y trouvait. Certes, la guerre froide l'avait jeté dans les bras de son puissant voisin, mais, en raison des liens du commerce et de l'investissement (et surtout de l'engouement des Canadiens pour les produits et la culture populaire des États-Unis), les deux partenaires étaient consentants.

Après 1945, le Canada rompit peu à peu bon nombre de liens officiels l'unissant encore à la Grande-Bretagne. À l'occasion d'un référendum tenu en 1949, la colonie de Terre-Neuve décida par une faible majorité de devenir la dixième province du Canada. De nombreux Terre-Neuviens, pour des raisons sentimentales, auraient préféré conserver le statut de dominion autonome, possibilité au-dessus de leurs moyens, et la Grande-Bretagne était pour sa part déterminée à se débarrasser de cet encombrant anachronisme colonial. Ce furent les programmes sociaux canadiens, notamment l'assurance-chômage, les allocations familiales et les subventions versées aux provinces par le gouvernement fédéral, qui décidèrent une majorité d'électeurs. En 1949, le Canada alla à la pêche (l'acquisition de Terre-Neuve grossit ses frontières territoriales), et la Grande-Bretagne coupa l'hameçon.

En 1949, le Canada mit un terme aux appels devant le Comité judiciaire du Conseil privé britannique, supprimant ainsi un des derniers liens officiels l'unissant encore à la Grande-Bretagne. La Cour suprême, qui existait depuis les années 1870, devint enfin le tribunal d'appel de dernière instance du pays. En 1952, la reine consentit également à la nomination d'un gouverneur général canadien. Son représentant au Canada serait non plus un aristocrate britannique ou un général britannique ayant commandé des soldats canadiens au combat, mais plutôt un Canadien éminent choisi par le gouvernement du Canada. En fait, seuls la reine elle-même, l'Union Jack figurant sur le drapeau canadien (*Red Ensign*) et la curieuse situation du principal document de la Constitution canadienne, l'*Acte de l'Amérique du Nord britannique* — qui demeurait une loi britannique ne pouvant être modifiée que par le Parlement britannique —, liaient toujours le Canada à l'ancien empire. Les Canadiens manifestaient encore de l'intérêt pour le Commonwealth britannique des nations, et les immigrants britanniques de fraîche date de même que les anglophones plus âgés gardaient un attachement profond pour tout ce qui était britannique — tout particulièrement la famille royale. Sur les plans politique et économique, cependant, le Canada s'était clairement détaché de l'influence britannique.

On mesura l'importance de cette distanciation en 1956 : à ce moment, en effet, la Grande-Bretagne, la France et Israël envahirent l'Égypte pour protester contre la nationalisation du canal de Suez. Les États-Unis, quant à eux, virent l'opération d'un mauvais œil. À l'Organisation des Nations Unies, une heureuse initiative canadienne, soit la constitution d'une force multinationale de maintien de la paix, servit de compromis diplomatique et eut pour effet de détendre la situation. Le ministre des Affaires étrangères, Lester Pearson, décrocha le Prix Nobel de la Paix, tandis que le Canada eut droit au ressentiment du gouvernement de la Grande-Bretagne, pour lequel Suez marqua l'entrée définitive de son ancienne colonie dans la sphère d'influence des États-Unis. Les Britanniques, en l'occurrence, ont vu juste.

~

À la fin des années 1950, la dynastie libérale établie par Wilfrid Laurier et préservée avec un soin confinant à la névrose par son successeur tenace, Mackenzie King, commit quelques bourdes, contrairement à son habitude, et perdit le pouvoir. Selon un ordre de succession méticuleusement planifié, King avait suivi Laurier, puis Louis Saint-Laurent, avocat québécois, avait remplacé King en 1948. Les Libéraux s'étaient imposés à titre de parti dominant du siècle en gardant une solide emprise sur le Québec tout en recueillant dans le reste du pays un nombre de sièges suffisant. Tant et aussi longtemps que les autres partis ne réussirent pas à faire une percée décisive au Québec, la formule fonctionna comme par magie. Pour parvenir à ses fins, le Parti libéral rappelait l'hostilité affichée par les Conservateurs envers le Québec et assurait l'alternance apostolique entre chef francophone et anglophone. Louis Saint-Laurent, personnage aimable, mais un tant soit peu distant et sévère, que la presse surnommait « oncle Louis », présida un gouvernement de gestionnaires, d'hommes en complet gris et feutre aux bords retroussés qui faisaient la navette entre Ottawa, Montréal et Toronto à bord de wagons-bars. L'électorat finit par se lasser d'eux, surtout lorsque les gestionnaires impatients outrepassèrent les limites en faisant adopter un controversé projet de loi sur un pipeline après avoir imposé la clôture, procédure qui force la fin des débats parlementaires. Aussi compétents fussent-ils, les Libéraux avaient besoin d'une leçon. Peu à peu, cette humeur indéfinissable mais inéluctable s'installa dans de nombreuses régions du pays : le changement s'imposait.

Pour une fois, le Parti conservateur offrait une solution de rechange attrayante, quelque chose d'entièrement nouveau.

John Diefenbaker, avocat rural du nord de la Saskatchewan, avait arraché le parti des mains des hommes d'affaires de la rue Saint-Jacques à Montréal et de Bay Street à Toronto, qui le dirigeaient depuis des années. Orateur expansif de la vieille école, populiste des Prairies qui se présentait lui-même comme champion du gagne-petit contre la haute finance, John Diefenbaker étendit la popularité du Parti conservateur au-delà des circonscriptions où il avait l'habitude de l'emporter. Il exploita les craintes ataviques suscitées par la domination des États-Unis et par l'érosion progressive du patrimoine britannique du pays. Il promit de réorienter une partie de l'activité commerciale vers la Grande-Bretagne, fit une larmoyante profession de foi envers la Couronne et proposa aux Canadiens une vague vision d'une nouvelle forme de développement économique dans le Nord, davantage tourné vers l'autogestion. Les électeurs se laissèrent séduire par son style plus que par sa substance.

À certains égards, Diefenbaker était à la fois un personnage du passé, sorti tout droit d'une époque révolue, et un politicien moderne, taillé sur mesure pour séduire les journalistes. C'était, sur les estrades, un homme étrange mais irrésistible, aux cheveux blond clair en broussaille, aux yeux chassieux et aux traits de faucon. Lorsqu'il levait un doigt sentencieux en signe d'accusation, grognait son indignation ou prononçait un jugement sans appel en secouant la tête, ses grosses bajoues tremblotaient. Les mains sur les hanches, ses coudes retenant les plis d'une robe d'avocat imaginaire, rengorgé comme un paon, il taillait ses opposants en pièces, au grand plaisir de la foule, les raillait et, après avoir laissé tomber une remarque particulièrement assassine, se fendait d'un sourire digne du chat de Cheshire, dévoilant pour marquer le coup une rangée de dents proéminentes. Dans le rôle d'« outsider » qu'il s'était attribué, il écorchait vif ses adversaires, les attaquait d'instinct à la jugulaire. Les Libéraux, avec leur présomption hautaine et leur rage bafouillante, lui fournissaient une surabondance de cibles de choix. Oiseau tapageur, voyant et exotique dans une volière parlementaire peuplé de moineaux tout gris, Diefenbaker, véritable don du ciel pour les caricaturistes et les humoristes, devint un personnage extrêmement populaire dans les ruelles et les campagnes du pays.

Aux élections générales de 1957, les Conservateurs obtinrent assez de sièges pour former un gouvernement minoritaire. Après que les Libéraux eurent donné un successeur à Saint-Laurent en la personne de Lester Pearson et exigé imprudemment que les Conservateurs remettent le pouvoir au parti investi du droit héréditaire de gouverner, Diefenbaker se fit un malin plaisir de déclencher des élections en 1958 et l'emporta haut la main : en fait, il s'assura à cette occasion la plus vaste majorité de l'histoire canadienne jusque-là. Résolus à donner au gouvernement une orientation différente, les Conservateurs prirent les choses en main. Diefenbaker avait l'art du geste d'éclat. Ainsi, il nomma la première femme au conseil des ministres et fit adopter une charte des droits applicable aux domaines de compétence fédérale. Ce sont l'administration au jour le jour et la gestion de crises qui mirent ses points faibles en lumière. Inévitablement, les médias le prirent aussi en grippe. Le personnage à la présence électrisante passait trop facilement pour une parodie de lui-même.

Il faut dire que plusieurs facteurs — une légère récession, une augmentation soudaine du taux de chômage et une dévaluation brutale de la devise canadienne — compliquèrent la vie de son gouvernement. Avec le recul, un dollar à quatre-vingt-douze cents américains fait envie, mais, à l'époque, on y vit la preuve d'une grave incurie dans la gestion des affaires économiques, d'où l'expression « dollar à Diefenbaker » (« *Diefenbuck* » en anglais). Le gouvernement s'engagea dans une disgracieuse querelle avec le gouverneur de la Banque du Canada au sujet de sa politique monétaire serrée. Comme l'indique un compte rendu journalistique populaire de son administration, Diefenbaker se comporta comme un typique « renégat au pouvoir » (*Renegade in Power*)[5].

Les qualités qui avaient si bien servi l'homme dans l'opposition lui nuirent en tant que premier ministre. Il se méfiait des fonctionnaires et même de ses ministres, essayait de prendre toutes les décisions par lui-même et avait tendance à tout remettre au lendemain. En fin de compte, une politique extérieure défaillante porta un coup fatal à son administration. Sans trop de subtilité, le gouvernement Diefenbaker avait tenté de se distancier des États-Unis et d'affirmer l'indépendance du point de vue canadien. En d'autres circonstances, on n'y aurait vu que l'expression d'un réflexe inoffensif, mais lorsque, dans un moment de tensions extrêmes, le Canada donna l'impression d'aller à contre-courant de la politique états-unienne, les conséquences furent pour le moins néfastes. Au début des années 1960, les États-Unis tentèrent en vain d'envahir Cuba ; puis ils se rendirent compte que l'Union soviétique se préparait en douce à installer des missiles balistiques intercontinentaux dans l'île. Au moment où le monde vacillait au bord de la guerre nucléaire, le gouvernement Diefenbaker eut la témérité d'hésiter à mobiliser ses forces armées en laissant entendre qu'il ne partageait pas entièrement l'analyse américaine de la situation. L'armée fit malgré tout des préparatifs.

5. Diefenbaker prit cruellement sa revanche contre l'auteur, fanfaron séducteur originaire d'Europe centrale, en le qualifiant de « Tchèque sans provisions » (« bouncing Czech »).

Heureusement, on évita l'apocalypse. L'administration des États-Unis en voulut beaucoup au Canada de ce qu'elle interpréta comme de l'insubordination.

Justifiée ou non, la réaction du gouvernement troubla les Canadiens, qui, pour la plupart, s'étaient rangés dans le camp des Américains et voyaient la crise par le truchement des médias états-uniens. L'obstination canadienne devint indéfendable, et le gouvernement de Diefenbaker se couvrit de ridicule. Il avait de son plein gré conclu une alliance militaire avec les États-Unis, autorisé les appareils militaires américains à survoler le territoire canadien, permis l'établissement de stations radar et d'installations militaires américaines en sol canadien et accepté la présence de batteries de missiles américains. Le Canada avait en plus annulé son propre programme d'intercepteurs, préférant, par mesure d'économie, acheter des services auprès de l'armée des États-Unis. Pour repousser efficacement les attaques groupées de bombardiers soviétiques, les missiles installés dans le centre-nord du Canada devaient être équipés d'ogives nucléaires. Le moment venu de les rendre opérationnels, le gouvernement Diefenbaker refusa de laisser les ogives entrer sur son territoire et de céder la responsabilité des missiles aux États-Unis. Ils restèrent là, inutilement pointés vers le ciel, des sacs de sable remplaçant les coiffes prévues. Déjà minoritaire à la suite des désastreuses élections générales de 1962, le gouvernement Diefenbaker s'effondra. À celles de 1964, un modeste regain de la popularité électorale des Libéraux mit fin à son supplice.

Les Libéraux de Lester Pearson ne réussirent toutefois pas à recueillir des appuis suffisants pour former un gouvernement majoritaire. La montée soudaine de tiers partis les empêcha en effet de s'emparer de la Chambre des communes : à droite, le Crédit social, parti favorable à une réduction du fardeau fiscal et hostile à l'État, fit des gains en Colombie-Britannique, en Alberta et, détail surprenant, au Québec rural ; à gauche, un parti social démocrate (descendant de la FCC) entretenant des liens officiels avec le mouvement syndical, désormais connu sous le nom de Nouveau Parti démocratique, se rendit populaire auprès des pêcheurs, des forestiers et des agriculteurs de l'Ouest, ainsi que des ouvriers des secteurs industriels de l'Est. De l'autre côté de la Chambre, Diefenbaker, demeuré à la tête de l'opposition conservatrice, embarrassait le gouvernement libéral à la moindre occasion — il eut d'ailleurs de nombreuses indiscrétions, grandes et petites, à se mettre sous la dent.

Mis sur la défensive par les accusations d'irrégularité venues des Conservateurs, les Libéraux, pour ternir la réputation de l'opposition, révélèrent à leur tour un scandale juteux. Pendant que les Conservateurs étaient au pouvoir, un élégant ministre canadien-français qui s'était distingué durant la guerre avait entretenu une maîtresse, en l'occurrence une Allemande d'un certain âge, à la voix rauque et aux formes généreuses. Comme les fonctions officielles du ministre en question lui laissaient d'amples loisirs, la dame s'était mise à fréquenter un beau jeune attaché militaire qui, comme par hasard, était russe. Qu'un espion russe et un ministre de la Couronne partagent le lit de la même femme soulevait à tout le moins des questions de sécurité que le gouvernement précédent avait soigneusement évitées. Quels secrets d'État avait-on chuchotés dans l'intimité de l'alcôve ? À la mise au jour de chaque nouveau détail croustillant, la presse et la télévision à sensations rugissaient leur indignation, ravies d'avoir fabriqué un scandale à caractère sexuel sur fond de sécurité nationale à l'égal de ceux des Britanniques.

Diefenbaker, cependant, s'incrusta dans l'arène politique à la manière d'une mauvaise odeur dans un sous-sol, au grand déplaisir d'ailleurs des membres de son propre parti. Tant et aussi longtemps qu'il resta en poste, ses loyaux partisans au sein du Parti conservateur, dont les voix s'ajoutaient à celles des sympathisants des tiers partis, empêchèrent les Libéraux d'obtenir une majorité. Lorsqu'ils y arrivèrent enfin, la présence de Diefenbaker polarisa la politique et empoisonna l'atmosphère à la Chambre des communes. Les disputes de vieux grincheux, guerriers aigris incapables de se porter le coup de grâce, discréditèrent jusqu'à un certain point la politique. Timide et en proie à la frustration perpétuelle, Lester Pearson n'avait ni l'instinct meurtrier ni le talent politique voulus pour achever son adversaire. Il s'en remit pour ce faire aux bons offices du propre parti de Diefenbaker. Le pays avait connu des temps meilleurs.

Dans la rue, une nouvelle conception de la politique vit le jour à l'initiative des premiers enfants du « baby-boom », qui arrivaient à l'âge de raison. Le vain tapage de la Chambre des communes contrastait vivement avec les sacrifices et l'idéalisme caractéristiques du mouvement pour la défense des droits civiques et de la campagne contre la guerre nucléaire, deux combats auxquels la jeunesse canadienne s'identifiait fortement. Par rapport à l'ère Kennedy, à laquelle la balle d'un assassin mit abruptement fin, la politique canadienne semblait bien provinciale. Ce n'est que plus tard qu'on comprit que le lustre superficiel du clan Kennedy dissimulait de nombreux aspects sordides, mais il y a fort à parier que de telles révélations, si elles avaient été faites à l'époque, n'auraient pas changé grand-chose. Les forces conjuguées de la culture populaire, du sport, de la sexualité, des drogues et du rock'n'roll balayèrent la morale étriquée des générations antérieures. Les jeunes créèrent leur propre politique extraparlementaire.

Malgré les prises de bec à la Chambre des communes, de nombreux travaux publics d'importance furent menés à bien durant ces années-là. En 1962, on réforma la politique d'immigration, la capacité d'absorption culturelle étant remplacée par des critères de sélection fondés sur les compétences professionnelles. En théorie et, dans une large mesure, en pratique, le Canada adopta une politique d'immigration indifférente à la race. Comme la porte demeurait grande ouverte et que les sources de l'immigration s'étaient déplacées de l'Europe vers l'Asie, cette politique allait avoir d'énormes répercussions sociales. En 1965, le Canada et les États-Unis négocièrent un Pacte de l'automobile afin de faire progresser leur industrie mutuelle la plus importante. Les sociétés américaines acceptèrent de fabriquer en sol canadien au moins autant de voitures qu'elles y vendaient. Les trois grands fabricants et leurs clients du continent bénéficièrent ainsi des économies d'échelle nées de la création de ce marché nord-américain des pièces et de la fabrication. Le Pacte de l'automobile, qui fut un important moteur de croissance économique pour le Canada, accéléra le mouvement vers l'intégration économique continentale.

À la faveur de la prospérité économique, les gouvernements fédéral et provinciaux repoussèrent les limites de l'État providence. À la fin des années 1950, de nombreux gouvernements provinciaux avaient introduit des programmes partiels d'assurance-hospitalisation. En 1962, le gouvernement social-démocrate de la Saskatchewan, sous la gouverne de Tommy Douglas, lança un programme de médecine socialisée, en dépit de l'opposition des médecins en grève. Le gouvernement Diefenbaker chargea une commission royale d'étudier la possibilité de doter l'ensemble du Canada d'un régime complet d'assurance médicale. C'est aux successeurs libéraux de ce gouvernement qu'incomba la tâche de mettre en œuvre le rapport du juge Emmett Hall, qui avalisait le projet. En 1966, la ministre libérale de la Santé, Judy LaMarsh, négocia un accord fédéral-provincial prévoyant l'établissement d'un régime national d'assurance-maladie à cotisations. Dès le début des années 1970, la médecine socialisée était considérée comme l'un des joyaux de l'État providence à la canadienne. On utilisa les sommes colossales recueillies par un régime de pensions à cotisations pour procéder à des investissements dans les hôpitaux, les écoles, les routes et l'éducation supérieure de même que pour bonifier les programmes de sécurité de la vieillesse. Une génération plus tard, les Canadiens considéreraient ces programmes sociaux comme autant de caractéristiques propres à leur nation reposant sur un « principe sacré » qui ne devait être compromis à aucun prix.

Le Canada redéfinit également son image en se dotant d'un nouveau symbole. Au terme d'une bataille parlementaire épique et extrêmement acrimonieuse, presque oubliée de nos jours, le gouvernement adopta en effet un nouveau drapeau unifolié rouge, reconnaissable entre tous. L'image caractéristique de la feuille d'érable, à laquelle tous les Canadiens pouvaient s'identifier, remplaça l'*Ensign*, symbole britannique. Le droit se mit au diapason de l'évolution sociale. Pour légaliser l'avortement et la diffusion d'informations sur la contraception, ainsi que pour décriminaliser l'homosexualité, au nom de la célèbre justification selon laquelle l'État n'avait rien à faire dans les chambres à coucher de la nation, le ministre de la Justice réforma le *Code criminel*.

Les relations canado-américaines demeuraient tendues. On craignait que l'influence économique et politique massive des États-Unis, en particulier de hauts taux d'investissements étrangers, ne fasse du Canada une colonie américaine *de facto*. Un ministre des Finances nationaliste tenta maladroitement de limiter le nombre d'industries canadiennes pouvant appartenir à des intérêts américains, mais, devant la force des tenants du continentalisme au sein du gouvernement, il dut battre en retraite, en pleine ignominie. Les États-Unis avaient leurs propres sujets de doléances. Tout en s'alignant sur la position de ces derniers dans le dossier des armes nucléaires, le premier ministre Lester Pearson, internationaliste reconnu, avec l'appui d'une majorité de Canadiens, refusa d'endosser pleinement l'engagement de plus en plus poussé des États-Unis dans une révolution communiste au Viêt-Nam. Les Canadiens se rendirent compte que la diplomatie discrète dont ils espéraient tirer parti à l'Organisation des Nations Unies avait ses limites. Dans le cadre d'un discours prononcé à Philadelphie, Pearson se permit d'adresser de légères critiques à la politique américaine, et le président des États-Unis le surprit en lui passant un savon par la suite à Camp David. Faisant appel au langage diplomatique apparemment privilégié au Texas, Lyndon Johnson accusa Lester Pearson de venir « pisser sur son tapis ».

Une révolution au Québec, « tranquille » il est vrai, fut le défi le plus grand auquel le gouvernement central eut à faire face au cours des années 1960. Pendant la majeure partie du siècle, le Québec, société traditionnelle fondée sur l'agriculture et la foresterie ainsi que sur une activité industrielle croissante dans les villes, était demeuré replié sur lui-même, passif, sous la coupe de l'Église catholique. Une élite politique se chargeait des relations avec les entreprises et le gouvernement fédéral, dont les activités se déroulaient en anglais. Ainsi, le Canada, pour reprendre l'heureuse expression d'un romancier, se composait de « deux solitudes » : une minorité francophone centrée sur ses propres affaires au Québec et une majorité anglophone pour l'essentiel indifférente au sort de cette enclave française autosuffisante. L'avènement de l'État providence, favorisé par un gouvernement fédéral centralisateur et par une économie intégrée sur le plan national et même continental, bouleversa cet équilibre politique. Les Canadiens francophones prirent de plus en plus la mesure de grossières inégalités sociales. Les médias, leur travail et la bureaucratie les ouvrant au monde, ils se révoltèrent à la pensée qu'ils étaient traités comme des citoyens de second ordre dans leur propre pays — minorité politique économiquement défavorisée, incapable de mener ses affaires en français même chez elle, au Québec. Les Québécois s'irritaient tout particulièrement de la persistance de symboles monarchiques anachroniques, qu'ils considéraient comme des signes de la domination coloniale. Ils résistaient également aux ingérences du gouvernement fédéral dans leurs affaires. Pendant les années 1950, le gouvernement de l'Union nationale, parti conservateur, modérément nationaliste et hostile à l'État, refusa carrément de participer à des programmes fédéraux touchant les routes et l'enseignement supérieur de même qu'à une multitude d'autres mesures. Il se contenta de refuser l'argent offert. État de chose qui, bien entendu, n'allait pas durer.

En quête de plus d'autonomie, un nouveau gouvernement du Québec, élu en 1960, renonça à la politique de réaction défensive et d'isolement au sein de la fédération au profit de vives remises en question constitutionnelles. L'élection du Parti libéral dirigé par Jean Lesage marqua le coup d'envoi d'une période de changements rapides d'une durée de six ans, ère qu'un titreur anonyme de l'époque qualifia de « Révolution tranquille ». « Tranquille » parce qu'aucun coup de feu ne fut tiré et que la révolte se fit dans le cadre de conférences fédérales-provinciales, mais « révolution » quand même. Presque du jour au lendemain, la société, la culture et la politique québécoises se revitalisèrent. Le mouvement visa trois grandes cibles : l'Église catholique, l'élite économique anglophone et le gouvernement fédéral. Il avait pour objectifs principaux la laïcisation, la modernisation économique et sociale de même que l'obtention d'une plus grande autonomie politique. Les Libéraux de la province adhéraient à l'idéologie interventionniste du gouvernement fédéral et à sa conception de l'État providence. Cependant, ils souhaitaient franchir un pas de plus en utilisant l'État provincial plutôt que l'État fédéral pour moderniser la société, assurer la libération économique du peuple et « rattraper » le reste du pays. Le gouvernement provincial ne voyait pas la nécessité d'orientations fédérales : au contraire, il jugeait le Québec en mesure de concevoir et d'exécuter ses propres programmes, pour peu que le fédéral lui permette de percevoir des impôts et de dépenser à sa guise. Un nouveau nationalisme affirmé et sûr de lui donna à une génération de Québécois instruits la volonté d'être « maîtres chez nous ». Ils étaient d'avis que l'objectif ne pourrait être atteint que si la Constitution était modifiée en profondeur.

Une fois au pouvoir, le gouvernement libéral provincial retira à l'Église catholique la responsabilité de l'éducation, de la santé et de certains services sociaux pour s'en charger lui-même. Dans un geste d'une grande portée symbolique, le gouvernement Lesage s'empara des leviers de l'économie provinciale, jusque-là détenus par des capitalistes anglophones, en nationalisant les grandes sociétés hydroélectriques privées.

Les Canadiens français prirent ainsi les commandes de l'organisation la plus importante et la plus avancée sur le plan technologique et se donnèrent pour tâche de la faire fonctionner en français. Quand le gouvernement fédéral proposa de nouvelles politiques sociales dans les domaines de la santé, des régimes de retraite et de l'éducation, le gouvernement provincial revendiqua le droit de se retirer tout en étant dédommagé de la mise sur pied de ses propres programmes. La Révolution tranquille transforma la société québécoise, donna naissance à un nouvel esprit nationaliste porté par un grand dynamisme culturel et ébranla fortement le statu quo constitutionnel. Lorsque la vieille Union nationale eut raison des Libéraux, en 1966, le gouvernement du premier ministre Daniel Johnson se montra tout aussi nationaliste que son prédécesseur. En fait, son manifeste politique, intitulé *Égalité ou indépendance*, annonça de façon brutale et succincte l'objectif du Québec et lança un défi de taille au gouvernement fédéral et au reste du pays.

En marge du renouveau nationaliste québécois, des signes préoccupants d'une activité révolutionnaire bien réelle se manifestèrent. Un groupe terroriste marginal, le Front de libération du Québec (FLQ), empruntant librement la rhétorique et les tactiques d'un mouvement de guérilla algérien bien connu, entreprit de faire sauter à la dynamite des symboles de la domination anglaise — monuments et boîtes postales portant l'insigne royal — et, fait plus troublant, de dévaliser des banques et des dépôts de munitions. Le FLQ se battait non seulement pour l'autodétermination du Québec, mais aussi pour une révolution sociale à l'intérieur du Québec lui-même. Dans la province, on prêta une oreille plus sympathique aux voix — encore marginales — plaidant en faveur de la séparation et de l'indépendance totale. Éberlué, le reste du pays, rongé par la crainte que l'issue de la recherche d'autonomie ne soit justement l'indépendance pure et simple, se demanda tout haut ce que voulait le Québec. La province, aurait-on dit, émergeait d'un long sommeil, et les habitants du pays, qu'ils soient d'origine anglaise, française ou autre, s'inquiétaient des possibilités cauchemardesques. Confronté à ce défi, le gouvernement de Lester Pearson fit ce que font habituellement les gouvernements canadiens dans de telles situations : il commanda une étude. La Commission royale d'enquête sur le bilinguisme et le biculturalisme fut chargée de faire le point, de sonder l'opinion publique dans le cadre de ses audiences et de ses analyses, de formuler des recommandations susceptibles de faire des Québécois francophones des membres à part entière de la société canadienne. Dans l'immédiat, il s'agissait surtout de gagner du temps.

En 1967, les angoisses entourant la fédération, ainsi que la conscience du rôle de second plan joué par le Canada dans le concert des nations, ternirent quelque peu les célébrations marquant le centenaire de la Confédération, pourtant réglées au quart de tour. Le gouvernement fédéral profita de l'occasion pour favoriser l'éclosion d'un esprit national canadien plus large. Pour souligner les réalisations personnelles remarquables, en lieu et place des distinctions britanniques, il établit l'Ordre du Canada, comportant trois grades. Le Train du centenaire, véritable exposition ambulante, parcourut le pays, chargé d'objets rappelant les moments forts de l'histoire du Canada et les prouesses de sa technologie. Dans des villes et des villages des quatre coins du pays, le gouvernement fédéral assuma une partie des coûts d'infrastructures communautaires : patinoires, centres de curling, salles municipales, parcs et monuments. À Ottawa, il construisit le Centre national des

Arts, legs durable du Centenaire et vitrine pour les arts canadiens de la scène. Un regain d'intérêt populaire pour l'histoire et la littérature du Canada donnèrent au secteur de l'édition et aux industries culturelles canadiennes en général un élan dont elles avaient le plus grand besoin. À Montréal, une éblouissante exposition universelle, Expo 67, mit en valeur la technologie et le design canadiens. Des marées de visiteurs envahirent les terrains de l'exposition pour profiter du spectacle visuel et sonore, d'un modernisme saisissant, qu'offrait Terre des hommes. Galvanisés par les chants populaires du nationalisme, les Canadiens imaginèrent le peuple moderne et raffiné qu'ils étaient en train de devenir aux yeux du reste du monde.

L'Expo eut beau indiquer la voie de l'avenir, elle marqua à certains égards, comme le Centenaire lui-même, un recul, un retour à un Canada ancien, en voie de disparition. Les célébrations du nationalisme auxquelles donna lieu le Centenaire révélèrent également quelques fissures gênantes dans la façade de l'unité nationale. Le Train du centenaire était un rappel de l'époque où les chemins de fer revêtaient une importance primordiale. Des francophones et des anglophones participaient à la plupart des manifestations ; quant aux Autochtones et aux Canadiens d'autres origines, on semblait les avoir laissés de côté. Aussi moderne fût-elle dans sa conception, Terre des hommes, par son nom même, niait les aspirations des femmes du pays, dont les revendications étaient de plus en plus bruyantes. À peu près à cette époque, le pourcentage de femmes dans la population active surpassa le niveau atteint pendant la Deuxième Guerre mondiale. Les Canadiennes, associées à un mouvement international, revendiquaient elles aussi l'égalité des chances, un salaire égal pour un travail égal et une meilleure représentation politique, seul moyen de faire en sorte que les questions touchant les femmes occupent une plus grande place sur la scène nationale. La même année, la Commission royale d'enquête sur la situation de la femme s'intéressa à cette demande d'équité pressante. Avec le recul, on constate plus clairement que, sur le plan social à tout le moins, le Centenaire a été le dernier baroud d'honneur du vieux Canada.

Sur le plan politique également, il marqua la fin d'une époque, puisque certains embrassèrent ouvertement la cause du séparatisme. C'est justement en 1967 que René Lévesque, ancien ministre d'une grande popularité ayant piloté le dossier de la nationalisation de l'industrie québécoise de l'hydroélectricité, quitta le Parti libéral pour fonder un nouveau mouvement politique voué à la souveraineté du Québec. Puis la visite du général Charles de Gaulle attira de façon spectaculaire l'attention du monde sur les difficultés internes du Canada. Le général arrive à Québec à bord d'un bâtiment de guerre, puis, au milieu de foules en liesse, le cortège motorisé effectue le trajet historique entre Québec et Montréal. À Montréal, sur le balcon de l'Hôtel de ville, porté par le moment ou mû par la perspective d'un Québec indépendant soutenu par la France, il profère les paroles immortelles qui résonneront encore longtemps dans la mémoire collective des Canadiens : « Vive le Québec », dit-il. Puis, après avoir marqué une pause pour produire un effet dramatique, il ajoute d'une voix tonnante, rugissante : « Vive le Québec libre ! » Aux yeux de certains nationalistes québécois, ces mots sortis de la bouche du président français s'apparentaient à une reconnaissance internationale de leur lutte. Aux yeux d'une majorité de Canadiens, en revanche, ces paroles stupéfiantes, prononcées devant un peuple libre et démocratique par un homme dont le pays avait été à deux reprises libéré — au prix de sacrifices considérables

— par des Canadiens, étaient le comble du culot. Apparemment dépassé par la tempête qu'il avait déclenchée, le général interrompit sa tournée sans se rendre en visite d'État à Ottawa. Plutôt satisfait de lui-même, il remonta à bord de son bateau de guerre — avant que le gouvernement du Canada ne lui indique la porte.

C'est dans ces circonstances extraordinaires que, en 1968, Pierre Elliott Trudeau devint chef du Parti libéral fédéral et premier ministre du Canada. Trudeau était l'un des trois éminents Québécois que Pearson avait fait entrer à son cabinet pour tenter de répondre aux aspirations canadiennes-françaises. À titre de ministre de la Justice, il s'était chargé de la réforme du *Code criminel* ; bras droit de Pearson à l'occasion de quelques conférences fédérales-provinciales, il avait tenu tête au premier ministre du Québec. Comme universitaire, il avait aussi, dans divers essais, signé une critique libérale classique du nationalisme ; dans l'arène politique, il avait pris en grippe de nombreux nationalistes canadiens-français. Titulaire du ministère de la Justice, Trudeau s'était chargé d'élaborer la réponse du gouvernement fédéral à la contestation constitutionnelle du Québec. À l'occasion d'un congrès à la direction houleux tenu au printemps 1968, le Parti libéral, fidèle à son habitude, désigna un Canadien français comme successeur d'un Canadien anglais. En choisissant Trudeau, qui faisait figure de relatif « outsider », il tendait la main à une nouvelle génération. Renonçant à la politique à l'ancienne mode, qui consistait à acheter le vote des Canadiens avec leur argent, il promit plutôt une « société juste », objectif vague mais noble qui toucha une corde sensible auprès des femmes, des Canadiens français de partout au pays ainsi que des idéalistes du « baby-boom », désormais parvenus à l'âge de raison. Intellectuel cosmopolite et globe-trotter, Trudeau était en outre un élégant célibataire qui attirait les jolies femmes. Parfaitement bilingue et, par-dessus tout, « cool », il renvoyait aux Canadiens l'image non pas de ce qu'ils étaient, mais de ce qu'ils auraient voulu être. Il plaisait à certains Québécois parce qu'il était un des leurs ; il faut dire aussi que sa popularité auprès de certains Canadiens anglais s'expliquait par leur conviction que le ministre de la Justice bilingue qui avait osé tenir tête au premier ministre du Québec saurait aussi remettre la province trouble-fête à sa place. Aux yeux de la plupart des Canadiens, Trudeau incarnait la promesse d'un renouveau fort attendu. Aux élections générales suivantes, au cours desquelles le nouveau premier ministre acquit un statut presque égal à celui d'un chanteur rock (la « Trudeaumanie »), Trudeau et le Parti libéral enlevèrent une majorité écrasante concentrée principalement au Québec et en Ontario.

Trudeau instaura un dialogue fédéral-provincial sur la réforme de la Constitution ayant pour but de régler certains problèmes de compétences persistants et, en particulier, de répondre aux aspirations du Québec. Bon nombre de préoccupations de celui-ci trouvaient des échos dans d'autres provinces, mais le Québec n'acceptait pas d'adopter une position définitive cohérente, ce qui avalisait la thèse selon laquelle l'objectif poursuivi par la province était non pas la réforme constitutionnelle, mais bien plutôt l'indépendance. Dans le cadre de discussions en apparence interminables, Trudeau refusa de suivre l'exemple du gouvernement précédent, c'est-à-dire faire une exception pour le Québec et lui consentir des compétences et des pouvoirs d'imposition nouveaux. À ses yeux, il ne pouvait en résulter qu'un statut particulier pour le

Québec. Certains soutenaient que l'octroi d'un tel statut mettrait un terme à la paralysie constitutionnelle débilitante dont le Canada semblait frappé. Trudeau n'était pas de cet avis. L'exception québécoise, croyait-il, entraînerait une érosion progressive de la fédération puisque le statut du Québec serait rehaussé au point où, tôt ou tard, l'indépendance ne représenterait plus qu'une toute petite étape à franchir. Suivant la logique implacable du fédéralisme, plus les Canadiens français exerceraient de pouvoirs dans leur province, moins ils en auraient au sein du gouvernement du Canada. Au lieu de laisser les Canadiens français se retrancher dans une forteresse autonome appelée Québec, Trudeau s'efforça de faire du Canada un pays où tous les Canadiens, les Canadiens français y compris, se sentiraient chez eux. Si les gouvernements offraient aux citoyens des services dans leur langue, que les anglophones et les francophones bénéficiaient de possibilités de carrière égales et qu'on créait des institutions fédérales respectées de tous, le Québec serait une province comme les autres, et les Québécois auraient le loisir de s'exprimer et de réaliser leurs ambitions économiques et politiques sur une scène plus vaste, celle du Canada. Trudeau proposa donc une solution de rechange à la vision de plus en plus populaire d'une nation canadienne-française séparée : un Canada bilingue et biculturel. La *Loi sur les langues officielles*, adoptée en 1969, entraîna la création d'une fonction publique bilingue et obligea le gouvernement du Canada à fournir des services en français dans toutes les régions où le nombre le justifiait.

Trudeau avait l'espoir de sauver le Canada, à condition que le pays se transforme radicalement. Par la suite, tous les premiers ministres allaient devoir être bilingues. La capacité de s'exprimer dans les deux langues devint un critère de sélection des hauts fonctionnaires et des cadres supérieurs de la fonction publique ; au sein de la population anglophone, le nombre d'inscriptions aux cours d'immersion en français augmenta en flèche. Cette vision séduisit également de nombreux Canadiens français, à l'intérieur et à l'extérieur du Québec ; de jeunes Canadiens anglais des milieux urbains adhérèrent avec un enthousiasme inégalé à l'idéal du renouvellement national et se mirent à l'étude du français. Aux yeux des nationalistes québécois « pure laine », la vision pancanadienne de Trudeau représentait toutefois une illusion dangereuse.

Le FLQ frappa avec une intelligence diabolique. Ses membres se donnèrent pour cibles la domination anglaise et la bourgeoisie. À l'automne 1970, dans le cadre de ce qui allait devenir la Crise d'octobre, des terroristes kidnappèrent le consul britannique à Montréal, James Cross. Peu de temps après, ils enlevèrent Pierre Laporte, ministre du Travail au sein du gouvernement provincial récemment élu. Ces attaques brutales conjuguées aux communiqués effrayants publiés par les ravisseurs soulevèrent un vent de panique. Le maire de Montréal, Jean Drapeau, pourtant âgé et aguerri, et le nouveau premier ministre du Québec, Robert Bourassa, jeune et inexpérimenté, vacillèrent. Au milieu du chaos et de la confusion auxquels étaient en proie leurs administrations respectives, ils demandèrent conjointement au gouvernement du Canada d'intervenir pour rétablir l'ordre et la confiance du public. Le premier ministre Trudeau fit appel aux seules armes antiterroristes à sa disposition : la *Loi sur les mesures de guerre* et l'armée. La première, qui ne pouvait être invoquée qu'en cas de guerre ou d'insurrection réelle ou appréhendée, eut pour effet de suspendre la Constitution et les libertés civiles. Des tanks et des soldats se mirent à patrouiller les rues de Montréal et les abords des installations fédérales à Ottawa.

La méthode était brutale, mais elle donna des résultats. Au nom de la *Loi sur les mesures de guerre*, la police arrêta des centaines de personnes soupçonnées d'être des sympathisants du FLQ et les détint sans que des accusations soient portées. Ce n'est qu'avec le temps qu'on comprit qu'à peine quelques dizaines de militants étaient concernés. Néanmoins, le spectre du FLQ tint le gouvernement du Canada en otage pendant près de un mois, tandis que, à la faveur d'une vaste opération de sécurité, le Québec était passé au peigne fin. Le gouvernement adopta la ligne dure, aujourd'hui familière : on ne négocie pas avec des terroristes. La découverte macabre, dans le coffre d'une voiture, du cadavre de Pierre Laporte, mort par strangulation, ébranla cette résolution. La Crise d'octobre prit fin lorsque, par la suite, un des groupes de kidnappeurs échangea la vie de James Cross contre un sauf-conduit pour Cuba. Les membres de l'autre cellule du FLQ, responsables de l'assassinat de Pierre Laporte, finirent par être arrêtés et traduits en justice. Cette sinistre crise marqua toutefois la fin de l'innocence d'un peuple qui, jusque-là, s'accrochait à la certitude béate d'habiter un royaume paisible. Suivant le mode habituel du théâtre de la guérilla, le FLQ réussit en outre à camper le gouvernement fédéral dans le rôle de l'occupant et du défenseur des Britanniques. Certaines mesures que prit alors celui-ci — les arrestations aveugles qui avaient pour but de priver le FLQ de sympathisants et la détention de nombreux artistes et intellectuels québécois de premier plan — entraînèrent un violent ressac et dépouillèrent Pierre Elliott Trudeau de son aura de partisan des libertés civiles.

Dans ce contexte, certains changements économiques et sociaux, en partie masqués par le tumulte des affaires courantes, eurent de profonds effets sur l'avenir du Canada. Après 1965, année où, comme d'habitude, quelque soixante-quinze pour cent des immigrants au Canada vinrent de la Grande-Bretagne, de l'Europe et des États-Unis (dont environ dix mille jeunes hommes ayant fui leur pays pour échapper à la guerre du Viêt-Nam), l'origine des immigrants commença à se diversifier. Au cours des dix années suivantes, la proportion d'immigrants en provenance de l'Asie, des Antilles et d'autres régions du monde passa de vingt-cinq à plus de cinquante pour cent du total. Ce qu'il faut retenir, bien sûr, c'est que les immigrants du passé, s'ils parlaient de multiples langues, étaient surtout blancs. Au cours des années 1970, les immigrants au Canada étaient originaires de pays aux habitants non blancs, tendance qui s'accentua jusqu'à la fin du siècle. Dans les villes surtout, on assista à l'apparition de minorités visibles venues de Hong-Kong, d'Inde, du Pakistan, du Viêt-Nam, des Antilles, de l'Amérique centrale et de l'Amérique du Sud, désormais regroupées en communautés importantes et bien structurées. L'immigration soumit la tolérance des Canadiens à de nouvelles épreuves. Il fallut apprendre et mettre en pratique chez soi les leçons du mouvement pour la défense des droits civiques des États-Unis, avec lequel les Canadiens avaient sympathisé par procuration. Les immigrants — les membres des communautés établies depuis plus longtemps comme les nouveaux arrivants — exigèrent qu'on reconnaisse leur contribution au pays, parallèlement à celle des « deux peuples fondateurs », comme on disait à l'époque. Pour rendre compte de la diversité culturelle et raciale de plus en plus grande du pays, on dut renoncer à la politique du bilinguisme et du biculturalisme au profit d'une politique du bilinguisme et du multiculturalisme.

Le taux de participation des femmes à la population active continuait d'augmenter, au même titre que les revendications de ces dernières au chapitre de l'égalité. En 1966, les Canadiennes comptaient pour légèrement plus de trente pour cent de la population active ; à la fin des années 1970, le taux était passé à environ quarante pour cent. La Commission royale d'enquête sur la situation de la femme, qui déposa son rapport en 1970, revendiqua, en se fondant sur la Déclaration universelle des droits de l'homme de l'ONU, le droit à la participation pleine et entière des femmes à la vie économique, sociale et politique du pays. L'égalité supposait une refonte complète des lois, des programmes sociaux et des pratiques d'emploi qui, directement ou indirectement, exerçaient de la discrimination contre les femmes. Le Canada tira aussi quelques leçons de l'exemple du mouvement féministe des États-Unis, qui occupait une grande place dans les médias. Dans l'arène politique, les groupes de femmes défendirent leurs droits de plus en plus efficacement. Grâce à leur présence, à leur persistance et à leur réussite, les femmes acquirent une reconnaissance beaucoup plus grande dans les professions libérales, l'enseignement supérieur, les affaires et les arts.

Un troisième enjeu touchant l'équité se tailla tant bien que mal une place sur l'échiquier politique. Portant elle aussi sur l'égalité des races et des sexes, cette lutte prit une tournure toute différente. Dans les collectivités autochtones du Canada, une explosion démographique avait renversé la tendance au déclin observée depuis longtemps. Un grand nombre d'Autochtones avaient migré vers les villes, en particulier dans l'Ouest. Cependant, la pauvreté et des formes extrêmes de désintégration sociale continuaient de les accabler, dans les enclaves urbaines tout autant que dans les réserves. Leur détresse avait commencé à attirer l'attention de la communauté internationale. À la lumière de la situation épouvantable dans laquelle se trouvait ce segment de la population, d'autres pays tenaient pour le comble de l'hypocrisie les leçons données par le Canada dans les dossiers de l'apartheid, du racisme et des violations des droits de la personne. Le problème posé par le « tiers-monde » qui se trouvait à l'intérieur même du pays n'allait pas disparaître comme par magie, et on ne pouvait plus en faire abstraction. À la fin des années 1960, le gouvernement fédéral, responsable des affaires autochtones, en était venu à la conclusion générale que la meilleure façon d'améliorer le sort des Autochtones consisterait à faire d'eux des citoyens à part entière de même qu'à remédier à leurs problèmes économiques et sociaux dans le cadre des politiques gouvernementales existantes. Cette approche libérale et individualiste de la citoyenneté des Autochtones, pour typique qu'elle fût, galvanisa les organismes qui les représentaient partout au pays.

La renaissance politique des Canadiens autochtones débuta par la lutte qu'ils menèrent pour faire reconnaître leurs droits collectifs. Adoptant astucieusement un langage susceptible d'attirer l'attention dans le contexte du débat entre le Canada anglais et le Canada français, les Autochtones prirent l'habitude d'utiliser l'expression « Premières nations » pour se désigner. À l'instar des Québécois, ils firent valoir leurs droits de façon de plus en plus insistante. Ils fondaient leurs revendications — un niveau de vie décent et l'autonomie politique — sur l'occupation antérieure du territoire et sur des principes qui, enchâssés dans des traités, ne pouvaient pas être éteints. Ces traités confirmaient leur nationalité historique en tant que peuples et dictaient aux gouvernements des obligations qui devaient être honorées sans exception. De plus, des groupes autochtones exigèrent d'être dédommagés des terres — environ la moitié du territoire canadien — qui leur avaient été confisquées sans traité. Les leaders des Premières nations s'inspiraient de la logique des droits issus de traité plutôt que de celle découlant des droits de la personne ; ils voulaient être non pas des citoyens comme les autres, mais bien au contraire des groupes distincts se gouvernant eux-mêmes, dont le droit à un traitement équitable et au bien-être se fondait sur la propriété des terres et des ressources de même que sur les dispositions des traités. Dans les faits, les protestations des Autochtones firent obstacle à la construction d'un pipeline dans le Nord et déclenchèrent toute une série de négociations territoriales avec le gouvernement fédéral, lesquelles se poursuivent encore aujourd'hui. En 1973, la Cour suprême reconnut officiellement les droits autochtones issus de traité, arrêt qui hissa les traités au rang de documents constitutionnels fondamentaux, aux côtés de l'*Acte de l'Amérique du Nord britannique*.

Vers 1973, la longue période de croissance et de prospérité économiques sur laquelle reposaient l'État providence et l'augmentation du niveau de vie prit abruptement fin. Alors que le taux de croissance tournait autour de cinq pour cent en moyenne dans les années 1950 et 1960, il s'établit à moins de trois pour cent au cours des années 1970. Au moment où les enfants du « baby-boom » inondaient le marché du travail, le taux de chômage atteignit des sommets inégalés. En 1973, les prix qui, d'ordinaire, augmentaient de moins de trois pour cent par année, firent un bond spectaculaire de onze pour cent. Pendant presque une décennie, l'inflation demeura à un niveau alarmant. Dans les années 1970, l'économie battit de l'aile, puis elle entra dans une longue période de stagnation.

Le ralentissement de la croissance s'explique avec une certaine précision par des causes tant intérieures (l'instabilité politique, la démographie et les choix stratégiques) qu'extérieures (les chocs pétroliers, la politique monétaire des États-Unis, la guerre). Un mystère demeure, cependant. Dans l'ensemble du monde occidental, la productivité, moteur de la hausse du niveau de vie depuis des décennies, commença à fléchir. On soupçonne l'ascension rapide du secteur tertiaire, caractérisé par un fort coefficient de main-d'œuvre, mais rien n'a encore été prouvé. Une économie à la croissance ralentie, considérablement affaiblie et instable, dut donc soutenir les coûteux programmes de santé, d'éducation et de bien-être social hérités du passé tout en gardant bien vivantes les promesses d'équité et de promotion sociale futures. Après les années 1960, aucun nouveau projet d'envergure ne fut adopté dans le cadre de l'État providence, même si un certain nombre de programmes furent modifiés ou bonifiés. À partir de 1974, le budget fédéral, équilibré depuis des années, accumula des déficits annuels de plus en plus importants. Les gouvernements fédéral et provinciaux prirent l'habitude d'hypothéquer l'avenir pour faire face aux dépenses courantes. Au cours des années 1970, période d'affrontements économiques, sociaux et politiques intenses, le vieux Canada entreprit de se transformer une fois de plus.

Le premier ministre Trudeau se passionnait pour la réforme constitutionnelle et la politique étrangère. Cependant, son initiative constitutionnelle se heurta à un mur quand, à la suite de l'accord fédéral-provincial signé à la conférence de Victoria en 1971, le Québec fit marche arrière. Dans les faits, ce geste eut pour effet de reléguer la question aux oubliettes pendant une décennie. Les provinces tinrent le gouvernement fédéral responsable de cet échec, invoquant l'obstination d'Ottawa, qui tenait à établir des normes nationales dans le domaine de la politique sociale, et les méthodes de négociations de Trudeau, jugées arrogantes, parfois même insultantes. D'autres imputèrent la responsabilité de l'impasse aux demandes des provinces et à l'intransigeance du Québec. Sur le plan de la politique étrangère, Trudeau espérait trouver une nouvelle voie pour le Canada, à mi-chemin entre l'internationalisme résolu des puissances moyennes de l'ère Pearson et l'asservissement aux intérêts américains à la mode coloniale. La politique étrangère indépendante qu'il proposa pour le Canada, c'est-à-dire une « Troisième Voie » fondée sur un rapprochement avec l'Europe, l'Asie et le tiers-monde, donna l'impression d'aller à l'encontre de la réalité, c'est-à-dire d'ignorer la proximité géographique des États-Unis et l'intégration de l'économie du Canada à celle de son puissant voisin.

Tandis qu'il cultivait ses passions politiques sans grand succès et se concentrait sur le renforcement des pouvoirs décisionnels du fédéral, Trudeau dut faire face à des problèmes économiques pressants, défis pour lesquels il montrait peu d'aptitude. Vendre du blé l'ennuyait à mourir. Lorsque le président Nixon, confronté à l'augmentation du chômage et à des déficits de la balance des paiements, dévalua le dollar US et imposa une surtaxe de dix pour cent sur les importations, le Canada n'eut d'autre choix que de supplier son voisin de faire une exception pour lui, au nom de la relation « particulière » que les deux nations étaient réputées entretenir. Devant les pressions des partisans du nationalisme économique, le gouvernement Trudeau, visiblement réticent, examina la question des niveaux élevés d'investissements étrangers, puis il introduisit un mécanisme de contrôle réglementaire. Ciblant un secteur stratégique contrôlé très majoritairement par des intérêts étrangers, il fit également l'acquisition d'une des petites sociétés pétrolières européennes et s'en servit pour bâtir Pétro-Canada, société pétrolière intégrée appartenant à l'État. Cependant, le dédain de Trudeau pour le nationalisme économique était à peine inférieur à celui qu'il vouait au nationalisme culturel et politique.

Lorsque l'Organisation des pays exportateurs de pétrole (OPEP) réduisit la production et fit flamber les prix, le Canada réagit en maintenant un prix intérieur nettement inférieur au prix mondial et imposa une taxe sur les exportations vers les États-Unis. Comme le Canada produisait de grandes quantités de pétrole et de gaz naturel dans l'Ouest, source d'approvisionnement de la plupart des marchés intérieurs à l'ouest de la rivière des Outaouais, et exportait une bonne partie de sa production vers les États-Unis (qui payaient le prix mondial), la politique fédérale eut pour effet de protéger les consommateurs de l'Est au détriment des producteurs de l'Ouest. Les recettes de la taxe sur les exportations servirent dans les faits à amortir les coûts plus élevés des importations au Québec et dans la région de l'Atlantique. Les chocs pétroliers des années 1970 creusèrent donc un autre profond fossé au sein de la Confédération en opposant les provinces productrices de pétrole, surtout l'Alberta, à celles de l'Est. Les politiques fédérales eurent pour effet de reproduire à l'intérieur du pays, sous forme de conflit fédéral-provincial, la lutte que se livraient sur la scène internationale les pays exportateurs et les pays importateurs de pétrole. Depuis longtemps, l'Ouest se sentait aliéné par rapport à une union politique dominée par les intérêts de l'Est, et la politique énergétique canadienne ne fit que décupler sa colère. En plus de créer de nouvelles tensions entre l'Est et l'Ouest de même qu'entre consommateurs et producteurs au sein même de la fédération, les prix plus élevés de l'énergie, dont les effets se faisaient sentir dans tous les secteurs de l'économie, lancèrent les prix et les salaires dans une folle spirale ascendante. Après avoir fait campagne contre le contrôle des prix et des salaires, Trudeau y eut recours à titre de solution temporaire. Il avait de plus en plus l'air d'un politicien comme les autres.

Puis, en 1976, Trudeau subit son plus cuisant revers, là où il se croyait le plus fort : le Québec, en effet, élut un gouvernement du Parti québécois (PQ) voué à la séparation du Québec. Le charme insouciant du populaire et charismatique premier ministre, René Lévesque, qui soutenait allègrement que le Canada n'aurait d'autre choix que de négocier une association économique permanente avec un Québec indépendant, rendit la pilule du séparatisme beaucoup plus facile à avaler pour les Québécois. Le gouvernement Lévesque s'empressa d'adopter une loi qui faisait du français la langue des affaires et de l'administration publique au Québec, obligeait les immigrants à fréquenter l'école française et instaurait la prépondérance du français dans l'affichage. L'élection du PQ déclencha cependant un important exode de Québécois anglophones angoissés et d'entreprises aux dirigeants inquiets, au profit surtout de Toronto.

Avec un gouvernement séparatiste au pouvoir au Québec, l'Ouest extrêmement contrarié, l'Est contrarié tout court, l'économie en déroute, le déficit en hausse vertigineuse et le dollar en chute libre, le gouvernement libéral croula sous le poids des récriminations. Écorchés vifs, les premiers ministres des provinces, à la moindre occasion, tiraient à boulets rouges sur Trudeau. En quelques années seulement, ce dernier passa du statut de vedette adulée à celui de bouc émissaire. Si Pierre

Elliott Trudeau s'était retiré de la vie publique après sa défaite aux élections générales de 1978, il serait vraisemblablement passé à l'histoire comme l'un des moins éminents premiers ministres du Canada, peut-être même comme un raté. On aurait sans doute vu en lui un homme qui n'avait pas tenu ses promesses, et on se serait souvenu de son style plus que de ses réalisations. L'histoire en décida autrement.

Le gouvernement progressiste-conservateur minoritaire dirigé par un jeune Canadien bilingue originaire de l'Ouest canadien, Joe Clark, dura en tout et pour tout douze mois. Le fédéralisme plus accommodant préconisé par Clark, celui d'« une communauté de communautés », ne réussit pas mieux que la ligne dure adoptée par Trudeau à lever l'impasse constitutionnelle. Sur le plan de la politique énergétique, le gouvernement louvoyait entre l'Est et l'Ouest. Puis, lorsque Lévesque s'engagea à tenir un référendum sur l'indépendance, nombreux sont ceux qui furent pris d'angoisse à la pensée que Clark ne possédait ni l'expérience ni la fermeté voulues pour débattre avec les indépendantistes et convaincre les Québécois des avantages offerts par le Canada. Le gouvernement minoritaire de Clark, qui se comportait comme s'il détenait une majorité, fut renversé à cause d'une mesure visant à hausser la taxe sur l'essence. Aux élections générales suivantes, en 1980, Pierre Elliott Trudeau et le Parti libéral revinrent au pouvoir pour faire face à la plus grave crise politique de l'histoire du Canada.

Au référendum de 1980, on ne demanda pas aux Québécois s'ils souhaitaient se séparer du Canada. On leur posa plutôt une question conçue pour obtenir le plus grand nombre possible de « Oui ». Dans les sondages, les Québécois ne s'étaient jamais montrés favorables à l'idée d'une indépendance ou d'une séparation pure et simple. On leur demanda plutôt s'ils étaient d'accord pour donner au gouvernement provincial le mandat de négocier avec le gouvernement du Canada une entente ayant pour but la création d'un Québec indépendant au sein d'une Confédération restructurée. La campagne référendaire opposa les deux gladiateurs de la politique canadienne, Trudeau et Lévesque, dans un affrontement titanesque. Lévesque joua la carte des humiliations et des frustrations subies par les Québécois depuis la Conquête et promit que la souveraineté-association donnerait aux deux peuples fondateurs la possibilité d'aller chacun son chemin, sans empiètements improductifs du gouvernement de l'un dans les affaires de l'autre. Trudeau défendit le fédéralisme, vanta sa propre version du Québec au sein du Canada et promit de rapatrier et de réviser la Constitution au cours de son mandat. Le « Non » l'emporta sur le « Oui » dans une proportion de soixante pour cent contre quarante. Depuis, des politologues ont montré que les électeurs autochtones, anglo-québécois et allophones avaient voté « Non » presque à l'unanimité ; de la même façon, ils ont établi à cinquante-deux pour cent la proportion de francophones ayant refusé d'autoriser la tenue de négociations sur la souveraineté-association. Le fédéralisme remporta donc la première manche de cette joute politique aux enjeux décisifs. Trudeau, cependant, devait encore procéder à une réforme constitutionnelle et répondre aux aspirations des Québécois en leur offrant le fédéralisme renouvelé qu'il leur avait promis.

La réforme de la Constitution se fit en quelques étapes. Le gouvernement élabora ses propositions ; le Parlement les examina. Des pourparlers fédéraux-provinciaux, auxquels le

Québec ne participa pas, aboutirent dans une impasse. Le gouvernement demanda à la Cour suprême s'il pouvait agir unilatéralement, c'est-à-dire sans le consentement des provinces. La Cour, dans un de ses moments d'indécision les plus sublimes, répondit : oui et non. Le gouvernement consulta de nouveau les provinces, y compris, cette fois, le Québec. Dans le cadre de ces discussions, l'opposition des provinces aux propositions fédérales fléchit ; le Québec donnait l'impression de faire cavalier seul. Au terme d'une rencontre dramatique tenue en pleine nuit, le gouvernement fédéral accepta quelques modifications importantes étayant les droits des provinces. Le Québec, débordé par le fédéral et peut-être abandonné par ses alliés provinciaux de naguère, refusa son accord. Comme, à la faveur de ces pourparlers, il avait au préalable renoncé à son droit de veto, il se trouva impuissant. Le fédéral avait réuni au sein des autres provinces des appuis suffisants pour lui permettre d'apporter les changements nécessaires.

Avec l'assentiment du Parlement et des assemblées législatives des provinces, le gouvernement fédéral demanda à la Chambre des communes britannique de modifier les dispositions de l'*Acte de l'Amérique du Nord britannique* en conséquence et de l'acheminer au Canada. C'est ce que les Canadiens appelèrent le « rapatriement », terme mal choisi lorsqu'on considère que le texte de loi à l'origine du Canada n'avait encore jamais quitté la Grande-Bretagne. Le 17 avril 1982, la reine en personne donna la sanction royale à la nouvelle Constitution canadienne. En reposant son stylo après avoir signé le document lors de la cérémonie tenue en plein air sur la Colline du Parlement, par une journée venteuse, elle se rendit sans doute compte qu'elle incarnait le dernier lien officiel entre le Canada et la Grande-Bretagne.

Il y aurait des livres entiers à écrire sur chacune des étapes de la démarche. Que dire d'utile en un seul paragraphe ? D'abord, Trudeau soutint que le rapatriement de la Constitution assortie d'une « formule d'amendement » n'était pas suffisant ; il fallait aussi y enchâsser une charte des droits. Sur ce point, il se montra intraitable. De façon générale, les provinces étaient d'accord avec la formule d'amendement, mais elles résistèrent à l'idée de la charte des droits qui, croyaient-elles à juste titre, limiterait la marge de manœuvre absolue dont elles bénéficiaient dans leurs champs de compétences exclusives. Conscientes de la popularité de l'idée, elles acceptèrent le principe, mais elles s'efforcèrent d'en diluer l'application. À partir de ce mince terrain d'entente, un accord fut conclu. Une charte des droits serait enchâssée dans la Constitution, mais les provinces auraient la possibilité de soustraire tout texte de loi à son application pour une période de cinq ans à la fois en invoquant ce qu'on appela la « clause nonobstant ». Dans les faits, les provinces auraient donc la liberté d'agir, nonobstant la charte des droits, pendant une période de cinq ans. Bref, elles auraient la possibilité d'enfreindre la Constitution, mais il leur faudrait obtenir au préalable l'assentiment explicite de l'assemblée législative et, en dernière analyse, celui des électeurs. Une fois qu'il fut établi clairement que la Constitution révisée comprendrait une charte des droits, tout le monde voulut en être. Les Premières nations, les femmes, les gais, les lesbiennes et les personnes handicapées insistèrent tous pour que leurs droits fondamentaux soient enchâssés dans la Constitution et garantis par elle. Il convient de préciser que ce fut l'heure de gloire de Trudeau. La *Charte canadienne des droits et libertés* était son idée ; il a piloté le dossier, surmonté les obstacles et donné à toute la démarche l'élan politique nécessaire. Il a courtisé les premiers ministres provinciaux, a habilement semé de la dissension dans leurs rangs, les a réconciliés et a fait les bons compromis au bon moment pour arriver à ses fins. Il a débattu la question avec passion et vaincu l'opposition par la force de son esprit. Contraint de prendre des mesures décisives, il a acculé Lévesque au pied du mur, dans une situation perdante, et il a refermé le piège. Au lieu de se pavaner devant chaque succès, il a laissé sa création s'épanouir au fur et à mesure que d'autres y adhéraient. En raison de sa vision, de ses talents de négociateur et du leadership décisif dont il a fait preuve au moment critique, on se souviendra de lui, aux côtés de Macdonald, de Laurier et de King, comme de l'un des plus grands premiers ministres du Canada.

La *Charte* de Trudeau transforma le Canada à tout jamais. Même si on ne s'en rendit pas compte à l'époque, elle eut pour effet d'élever les tribunaux au rang de législateurs, à l'égal du Parlement. Elle créa aussi, au niveau national, un tout nouveau cadre institutionnel fondé sur le droit et les tribunaux, vers lesquels les Canadiens pouvaient désormais se tourner pour obtenir justice et protection en cas de décisions gouvernementales arbitraires. C'est Trudeau qui donna naissance à ceux qu'on appela par la suite les « Canadiens de la *Charte* », soit une nouvelle génération de citoyens dotés de droits fondamentaux outrepassant la souveraineté du Parlement et comptant sur Ottawa et sur les institutions fédérales pour les protéger. Grâce à lui, le langage des pouvoirs caractéristique de la Constitution s'assortit d'un discours sur les droits. Exploit, on le voit, considérable.

En comparaison, le reste de son mandat fut décevant et, dans une certaine mesure, improductif. Le Programme énergétique national (PEN) de 1981 répondait à un énième bond du prix du pétrole dans le sillage de la guerre entre l'Iran et l'Irak. Le gouvernement fédéral consentit à une hausse du prix du pétrole canadien tout en le maintenant sous la barre des cours mondiaux. Il limita les exportations et imposa une taxe pour récupérer la majeure partie des redevances supplémentaires qui, en vertu du nouveau régime de prix, auraient dû revenir aux sociétés pétrolières et aux provinces productrices, l'Alberta au premier chef. Il utilisa les sommes ainsi recueillies pour offrir d'alléchants incitatifs et accroître les activités d'exploration et de production pétrolières dans les champs pétrolifères du Nord et en haute mer dans l'est du Canada. Dire que le gouvernement de l'Alberta s'indigna profondément de l'ingérence du gouvernement fédéral dans ce qu'il considérait comme son droit exclusif de réglementer l'industrie pétrolière et gazière sur ses terres relève de l'euphémisme. L'Alberta vit la taxe fédérale comme rien de moins qu'un vol du trésor provincial. La province riposta de multiples façons : dans l'Ouest, des groupes séparatistes apparurent ; pendant un certain temps, une rhétorique enflammée (« Que les salauds de l'Est crèvent de froid dans le noir », lisait-on notamment) divisa le pays. Peu de temps après, les cours du pétrole chutèrent, et il fallut tout reprendre à l'envers. Dans l'Ouest, l'exploration pétrolière cessa à toutes fins utiles ; l'économie de la région sombra dans la récession. On imputait au PEN la responsabilité des faillites et des pertes d'emploi qui se chiffrèrent par milliers. Deux facteurs, une profonde récession à l'échelle du continent et la chute des prix du pétrole, expliquent en grande partie les maux de l'industrie pétrolière et gazière, mais le PEN et Trudeau représentaient des cibles plus accessibles.

L'héritage le plus durable du PEN, hormis le nouveau sentiment d'aliénation qu'il créa dans l'Ouest, fut d'avoir favorisé la réflexion relativement à l'organisation des partis et aux structures politiques. Jusque-là, c'est le problème du Québec qui avait pour l'essentiel occupé l'avant-scène de la réforme constitutionnelle. L'Ouest, l'Alberta en particulier, voyait dans des politiques comme le PEN la preuve que le fédéral se comportait non pas comme un gouvernement national, mais bien plutôt comme celui des provinces de l'Est. Les institutions devaient donc être repensées de fond en comble. Dans l'esprit des gens, le PEN remplaça les chemins de fer comme première source des maux de l'Ouest. L'aliénation de la région donna à son tour naissance à un nouveau mouvement de protestation populiste, dont le principal foyer se trouvait en Alberta ; il déboucha sur la création du Parti réformiste, résolu à remanier le fédéralisme canadien de manière à conférer plus de pouvoirs à l'Ouest.

En ce qui concerne la politique étrangère, Trudeau s'offrit une tournée d'adieu. Tandis que la Maison-Blanche de Reagan faisait la promotion d'un nouveau système de missiles balistiques intercontinentaux (la « guerre des étoiles »), qui menaçait à son tour l'équilibre stratégique, Trudeau entreprit contre les armes nucléaires une croisade que certains jugèrent puérile. Sa campagne correspondait à merveille à l'image que les Canadiens se faisaient de leur pays, soit celle d'un royaume qui, à défaut d'être pacifique, faisait la promotion de la paix. Trudeau, qui doutait depuis longtemps de l'ampleur des intentions hostiles de l'Union soviétique, commença à se défier du jugement de l'administration Reagan et de ses faucons. Les

Canadiens en étaient venus à admirer leur premier ministre en tant qu'ambassadeur sur la scène internationale. À l'occasion des réunions des chefs d'État des pays les plus industrialisés (G-7), il donnait l'impression d'être plus articulé et plus réfléchi que bien d'autres leaders. Margaret Thatcher de la Grande-Bretagne et Ronald Reagan des États-Unis avaient beau ne voir en lui qu'un empêcheur de tourner en rond, il se montra à tout le moins capable de rivaliser avec eux sur le plan intellectuel, sans compter qu'il défendait une conception du monde qui trouvait des échos chez les Allemands, les Français et, à l'occasion, les Japonais. En fin de compte, la croisade de Trudeau ne mena à rien — exactement comme le projet de la guerre des étoiles. Devant un partenaire « subalterne » osant prendre ses distances par rapport à un enjeu stratégique aussi vital, les Américains, cependant, conçurent un ressentiment à peine voilé.

Un soir de février 1984, Trudeau sortit faire sa célèbre promenade dans la neige et, le lendemain, annonça sa démission. Son successeur se retrouva avec un héritage passablement lourd à porter. Au sortir des négociations constitutionnelles, de nombreux Québécois étaient meurtris et fâchés ; à cause du PEN, le sentiment d'aliénation de l'Ouest avait atteint son paroxysme. La profonde récession de 1981-1982 demeurait bien présente dans les esprits. Aux élections générales de 1984, le Parti conservateur, dirigé par un avocat québécois d'origine irlandaise, mielleux, charmeur et parfaitement bilingue, Brian Mulroney, l'emporta sans surprise. Décrochant la plus forte majorité de l'histoire du Canada, Mulroney détrôna les Libéraux même dans leur ancien château fort du Québec, où il avait recruté comme candidats de nombreux anciens partisans de l'Union nationale et même d'éminents séparatistes. À son arrivée au pouvoir, Mulroney promit de rétablir les ponts cassés avec les États-Unis, de supprimer les irritants dans les relations fédérales-provinciales, de remettre de l'ordre dans les finances publiques et de convaincre le gouvernement du Québec d'adhérer à la Constitution en tant que membre consentant de la Confédération. Au cours de ses deux mandats, son gouvernement déploya des efforts considérables dans tous ces domaines. Ce faisant, il donna du pied dans un nid de guêpes, soulevant une foule d'oppositions qui firent voler en éclats l'harmonie promise.

Misant sur son large sourire et ses manières engageantes, Mulroney entreprit de rétablir les relations avec la Maison-Blanche de Reagan. Il fit aux Américains une cour assidue destinée à leur montrer que le Canada était de nouveau sur la bonne voie. À l'occasion d'un sommet extraordinaire tenu à Québec en 1988, l'amitié canado-américaine atteignit des sommets de connivence inégalés : Mulroney, premier ministre à la voix de baryton, invita Ronald Reagan, vieux cabotin, à venir fredonner « *When Irish Eyes Are Smiling* » sur la scène, plongeant ainsi le pays dans un embarras sans précédent. Suivant les recommandations du volumineux rapport d'une commission royale sur la politique économique du Canada, le gouvernement en vint à la conclusion que la meilleure solution consistait à favoriser une intégration économique officielle plus grande avec les États-Unis. Des équipes de négociateurs des deux côtés de la frontière finirent ainsi par accoucher de l'Accord de libre-échange (ALE), long document technique qui allait abolir dans les faits la plupart des tarifs douaniers existant toujours entre les deux pays et instaurer un régime complexe de mécanismes pour le règlement des différends commerciaux. L'accord déclencha un débat généralisé et chargé d'émotivité au cours duquel les uns prêchaient les avantages du libre-échange et la nécessité de rendre l'industrie canadienne plus compétitive, tandis que les autres faisaient valoir la nature unilatérale de l'entente, qui profiteraient surtout aux Américains, et les risques que courraient les institutions propres au Canada. L'Accord de libre-échange fut adopté haut la main par le Sénat des États-Unis et la Chambre des communes ; pour s'assurer d'obtenir l'approbation définitive du Parlement, Mulroney avait remanié la composition du Sénat canadien en sa faveur. Aux élections générales suivantes, il l'emporta facilement, quoique avec une majorité réduite.

L'Accord de libre-échange n'entraîna dans son sillage ni les miracles promis ni les désastres appréhendés. De part et d'autre de la frontière, la profonde récession du début des années 1990 et la lente reprise observée par la suite occultèrent les mécanismes d'adaptation. La croissance économique ralentit après la signature de l'Accord. Avant même son entrée en vigueur, en effet, les deux économies étaient déjà intimement liées l'une à l'autre ; plus de quatre-vingt-cinq pour cent des biens échangés entre les deux pays franchissaient librement les frontières. En ce sens, l'accord ne fit que reconnaître de droit ce qui existait déjà de fait depuis des années. Il fut donc plus symbolique que substantiel dans la mesure où il marqua la capitulation finale du Canada, qui adhéra enfin à la zone économique continentale. En 1989, l'Accord de libre-échange entre le Canada et les États-Unis fut intégré à l'Accord de libre-échange nord-américain (ALENA), auquel le Mexique était également associé.

Fidèles à la logique de l'accord, les Conservateurs balayèrent les derniers vestiges du nationalisme économique des Libéraux : ils abolirent par exemple le PEN et mirent un terme à l'examen de l'investissement étranger. En revanche, lorsqu'ils donnèrent l'impression de vouloir remettre en question le « principe sacré » des programmes sociaux, les pensions en l'occurrence, le public poussa les hauts cris, et le gouvernement changea promptement de cap. Apparemment, les institutions de l'État providence étaient au-dessus de la politique. Cependant, Mulroney lui-même et le vaste contingent de Québécois au sein de son groupe parlementaire étaient résolus à revoir certains aspects du règlement constitutionnel. Le Québec, pourtant dirigé par un gouvernement libéral « fédéraliste », n'était toujours pas revenu de ce qu'il considérait comme le coup d'État de Trudeau. On avait laissé le Québec de côté. Il n'avait pas ratifié la nouvelle Constitution et ne le ferait qu'à condition que ses conditions soient satisfaites. Sous prétexte de ramener le Québec dans le giron de la Constitution et de répondre à ses revendications, Mulroney entreprit de défaire une bonne part de ce que Trudeau avait accompli. Le libéralisme classique de ce dernier, enchâssé dans la *Loi constitutionnelle* et dans la *Charte*, donnait au gouvernement fédéral les moyens de légiférer au nom des Canadiens de toutes les régions du pays et d'être respecté par eux. Toutes les provinces avaient des droits et des compétences similaires. La *Charte* instituait des droits sur lesquels les assemblées législatives n'avaient aucune emprise. Elle protégeait également les droits des minorités linguistiques. Les conditions imposées par le Québec pour apposer sa signature allaient à l'encontre de bon nombre de ces principes fondamentaux. Dans l'espoir d'obtenir un accord sur cette délicate question, Mulroney entreprit une série de pourparlers avec les premiers ministres des provinces. Pendant un certain temps, un nouveau sport d'hiver fit concurrence au hockey : les conférences fédérales-provinciales télévisées.

En 1987, à l'occasion d'une rencontre tenue à la résidence secondaire du premier ministre dans les collines du parc de la Gatineau, le gouvernement fédéral et les provinces négocièrent l'Accord du lac Meech. En vertu de l'accord, la *Loi constitutionnelle* était modifiée comme suit : dans l'interprétation de la Constitution, les tribunaux devaient tenir compte du fait que le Québec formait une société distincte comportant une majorité francophone. En outre, le Parlement et les assemblées législatives des provinces s'engageaient à préserver cette caractéristique fondamentale du Canada. L'accord conférait également à l'Assemblée nationale du Québec la responsabilité particulière « de protéger et de promouvoir le caractère distinct du Québec ». Pour entrer en vigueur, il devait obtenir l'approbation de la quasi-totalité des assemblées législatives du Canada.

L'Accord du lac Meech déclencha un débat féroce dans l'ensemble du pays. De nombreux nationalistes québécois soutenaient qu'il n'allait pas assez loin. Ailleurs, il était considéré comme une affirmation relativement franche du fait que le Québec n'était pas, à l'évidence, une province comme les autres : il avait des caractéristiques particulières qui devaient être protégées par la Constitution. Un peu partout au pays, cependant, les protestations fusèrent : les formules d'une simplicité trompeuse constituaient un renversement pur et simple de l'héritage de Trudeau, dans la mesure où le Québec se voyait confier le mandat de promouvoir, nonobstant la *Loi constitutionnelle* et la *Charte*, « le caractère distinct du Québec ». On y voyait une invitation à d'incessants retraits des programmes fédéraux et un pas de plus vers l'indépendance. Trudeau sortit de son mutisme volontaire pour se livrer à une dissection dévastatrice de l'accord devant un comité parlementaire. Pendant un certain temps, toutes les soirées données au pays ressemblèrent à des ateliers de droit constitutionnel. En fin de compte, l'accord mourut de sa belle mort puisque, à l'expiration du délai de deux ans, deux provinces ne l'avaient toujours pas ratifié. Le Québec, sa fierté bafouée, eut l'impression d'avoir été trahi. Furieux, le principal lieutenant québécois de Mulroney, Lucien Bouchard, quitta le gouvernement pour former un groupe appelé le Bloc Québécois, voué à l'indépendance du Québec. Loin d'avoir réglé l'impasse constitutionnelle, les Conservateurs avaient élevé la tension à des niveaux sans précédent et singulièrement haussé les enjeux.

Mulroney n'abandonna pas pour autant la partie. Son gouvernement continua d'étudier des moyens de reconnaître le Québec en tant que société distincte en élargissant la gamme des réformes constitutionnelles proposées. Il espérait ainsi obtenir des appuis plus larges. Au cours des négociations ultérieures, on ajouta donc au programme l'autonomie gouvernementale des Premières nations, l'élimination progressive des barrières commerciales à l'intérieur du pays et des mesures visant à donner aux provinces une influence plus grande au sein d'institutions comme le Sénat et la Cour suprême. En août 1992, le gouvernement fédéral, les provinces, les territoires et des chefs autochtones se réunirent à Charlottetown et conclurent un nouvel accord qui, pour entrer en vigueur, devait être approuvé par les Canadiens au référendum national d'octobre 1992.

Il ne fait aucun doute que le programme ambitieux de changements constitutionnels compris dans l'Accord de Charlottetown rallia un plus grand nombre de Canadiens, en particulier au sein des Premières nations. La stratégie d'ouverture eut aussi pour effet d'attirer un large éventail de dissidents favorables à certains aspects, mais défavorables à d'autres. L'ambiguïté entourant l'autonomie gouvernementale des

Premières nations souleva des inquiétudes, notamment au Québec, où on y voyait un moyen de faire la partition d'un territoire jusque-là indivisible et souverain. À l'occasion d'un plébiscite national tenu le 26 octobre 1992, la réforme constitutionnelle fut rejetée dans une proportion de 54,2 % contre 44,8 %. C'est à Terre-Neuve, à l'Île-du-Prince-Édouard, au Nouveau-Brunswick et dans les Territoires du Nord-Ouest que l'accord obtint le plus d'appuis ; c'est dans l'Ouest, en particulier au Manitoba, en Alberta et en Colombie-Britannique, où plus de soixante pour cent des électeurs votèrent « Non », que l'opposition fut la plus vive. Les Québécois rejetèrent eux aussi l'accord dans une proportion de cinquante-cinq contre quarante-deux pour cent. L'Ontario fut divisée à parts égales, soit quarante-neuf pour cent de part et d'autre, le « Oui » l'ayant emporté par une fraction de un pour cent. La défaite de l'Accord de Charlottetown marqua la fin des tentatives de réforme constitutionnelle par la voie de la négociation. L'héritage de Trudeau était sain et sauf, mais il allait bientôt se buter à un autre obstacle de taille.

Tout au long des années 1980, les changements sociaux et économiques déjà mentionnés se poursuivirent à un rythme soutenu. Environ soixante-dix pour cent des 2,5 millions d'immigrants accueillis au cours de la décennie étaient originaires de l'Inde, de Hong-Kong, du Pakistan, de la Chine, des Philippines, des Antilles, du Moyen-Orient, de l'Amérique du Sud ou de l'Afrique. Le turban sikh acquit le statut de couvre-chef officiel au sein de la Gendarmerie royale du Canada, aux côtés du traditionnel Stetson. L'immigration stimula la croissance économique et fournit au pays la main-d'œuvre qualifiée dont il avait le plus grand besoin, mais elle eut également pour effet d'importer les troubles inhérents au pays d'origine des nouveaux arrivants, ainsi que l'explosion d'un vol d'Air India, survenue en 1986, le montra éloquemment. Le nombre de femmes titulaires d'un diplôme d'études postsecondaires et membres de la population active égala celui des hommes. En raison d'un taux de natalité supérieure à la moyenne, la croissance démographique des Premières nations se poursuivit. Les Autochtones avaient en outre plus confiance en leurs moyens, et ils affirmaient leur statut avec une fierté renouvelée. Tous ces groupes — les immigrants, les femmes et les Autochtones — pouvaient désormais invoquer la nouvelle *Charte* dans leurs luttes pour l'égalité sociale et, en ce qui concerne les derniers, dans celle pour la reconnaissance des droits ancestraux et issus de traité.

Sur le plan économique, le lent déclin du Canada se poursuivait. Le dollar se déprécia progressivement par rapport à la devise américaine pour atteindre, en 1985, soixante-dix cents US, soit le plus bas niveau de tous les temps (à l'époque). Les taux d'intérêt s'établirent à environ dix pour cent après avoir atteint en 1981 un niveau ahurissant de vingt et un pour cent. Grâce à une bonne gestion macroéconomique, le taux d'inflation passa de plus de dix pour cent au début des années 1980 à moins de cinq pour cent après 1984. Comme, année après année, les dépenses du gouvernement dépassaient ses revenus, la dette totale du fédéral passa de moins de vingt pour cent du PIB au début des années 1980 à bien plus de cinquante pour cent à la fin de la décennie. L'heure de vérité approchait. Le gouvernement conservateur de Brian Mulroney évoquait souvent la notion de responsabilité fiscale. Même si, à de nombreux égards, le dossier du gouvernement dément cette profession de foi, les Conservateurs firent un ultime effort pour remettre de l'ordre dans les finances du gouvernement, initiative qui leur fut d'ailleurs fatale. Mulroney supprima une multitude de taxes cachées au niveau de la fabrication et les remplaça par une Taxe sur les produits et services (TPS) appliquée de façon générale au point de vente, sur le modèle des taxes sur la valeur ajoutée à l'européenne. Même si, au départ, elle ne devait pas avoir d'incidences sur les revenus, on espérait que la taxe finirait par renflouer les coffres du fédéral. Les consommateurs et les contribuables, cependant, se révoltèrent. Partout au pays, la TPS indigna profondément une bonne part de l'électorat traditionnel du parti.

Entre la zizanie constitutionnelle et la TPS, Brian Mulroney légua en quelque sorte un calice empoisonné à celle qui lui succéda, Kim Campbell, première femme à devenir première ministre du Canada. On espérait que son visage peu connu, sa franchise et son sexe contribueraient à faire oublier le passé marqué par la division et les politiques impopulaires. Les électeurs, hélas, avaient la mémoire longue ; ils punirent les Conservateurs sans merci. Aux élections générales de 1993, ces derniers n'obtinrent que deux sièges. Jamais encore un grand parti, un parti au pouvoir de surcroît, n'avait été pratiquement oblitéré du jour au lendemain. En raflant presque toutes les circonscriptions de l'Ontario, quelques circonscriptions disséminées dans l'Ouest et dans l'Est et environ le tiers des sièges au Québec, les Libéraux l'emportèrent sans mal. Dans ce qui constitue sûrement l'une des plus grandes anomalies de l'histoire constitutionnelle, le Bloc Québécois, parti séparatiste ayant obtenu le plus de sièges au Québec, devint en pratique la « loyale opposition de Sa Majesté ». Dans l'Ouest, une organisation politique conservatrice et populiste, le Parti réformiste, obtint de vastes appuis en canalisant les frustrations de la région dans un mouvement de réforme politique et constitutionnelle. Son programme prévoyait le réaménagement du Sénat, dont les membres seraient élus pour permettre aux régions, l'Ouest en particulier, d'exercer une influence plus grande. Les Réformistes prônaient aussi la réduction de la dette, la prudence budgétaire et, en particulier, le démantèlement de nombreuses parties de l'appareil de l'État providence.

Un jour, on demanda à un politicien de campagne prenant la parole devant un auditoire composé d'universitaires ce qu'il pensait de la politique étrangère du Canada. Après un moment de réflexion, il répondit : « Je pense qu'il devrait y en avoir plus. » Après le bruit et la fureur des années Mulroney, les électeurs canadiens semblèrent adopter eux aussi une approche quantitative des affaires publiques. La politique ? Ils en voulaient moins. Le nouveau premier ministre libéral, Jean Chrétien, s'empressa de leur donner satisfaction. Tout en laissant à son ministre des Finances, Paul Martin, toute la latitude voulue pour juguler le déficit, il eut soin de réduire les attentes des électeurs et d'éviter de faire la une des journaux. Au début des années 1990, l'économie canadienne était généralement considérée comme irrécupérable. Le déficit annuel dépassait régulièrement la barre des six pour cent du PIB ; la dette totale accumulée s'élevait à plus de soixante pour cent du PIB. Le secteur public comptait pour plus de la moitié de l'activité économique. À droite, le Parti réformiste avait commencé à réaliser une percée électorale en faisant campagne contre le gigantisme de l'appareil de l'État et l'incessante augmentation du déficit. Martin sabra dans les dépenses fédérales, réduisit les transferts aux provinces, se délesta de responsabilités sur ces dernières et conserva la TPS tant décriée. Il promit hardiment un programme quinquennal de restrictions budgétaires que le gouvernement, à la surprise générale, respecta. Pour réduire leurs dettes grandissantes, les provinces instituèrent à leur tour des régimes budgétaires draconiens et refilèrent le coût des économies aux municipalités. Ces dernières supprimèrent des services. Pour comprimer les coûts, tous les ordres de gouvernement eurent recours à des frais d'utilisation, à la sous-traitance et à la privatisation.

Au milieu des années 1990, après une génération d'expansion, accompagnée de déficits annuels constants et d'une augmentation exponentielle de la dette accumulée, l'État commença à se contracter. Un peu plus tard, le Canada connut l'expansion économique la plus rapide de tous les pays du G-7 (il arriva au deuxième rang du point de vue de la croissance par habitat). Grâce à ce dynamisme économique, le gouvernement put atteindre sans mal ses objectifs de réduction du déficit : en effet, ses revenus augmentaient sans qu'il ait à hausser les impôts. Des immigrants venus de la Chine, de l'Inde, des Philippines, de Hong-Kong, du Sri Lanka, du Pakistan, de Taiwan, de l'Éthiopie, de la Somalie et des Antilles continuèrent d'affluer au rythme d'environ deux cent cinquante mille par année, attirés par l'économie florissante, les communautés déjà bien établies et un généreux régime d'immigration, de soutien aux réfugiés, de soins de santé, d'aide et de sécurité sociales. À la fin du siècle, les habitants nés à l'extérieur, qui formaient près de vingt pour cent de la population, constituaient un groupe largement favorable à de nouvelles vagues d'immigration. Le visage du Canada, du Canada urbain en particulier, se transforma en profondeur. Dans certains quartiers de Toronto et de Vancouver, les membres de « minorités visibles » formaient en fait la majorité. La stupéfiante diversité culturelle et raciale du Canada était devenue l'un de ses traits les plus frappants et les plus distinctifs.

Au cours des années qui suivirent, Chrétien obtint la majorité du vote populaire au Québec, mais pas la majorité des sièges, même si, d'un mandat à l'autre, le pourcentage passa d'à peu près le tiers à environ la moitié. Les Libéraux pouvaient se vanter d'être le seul véritable parti national. Dans l'Ouest, le Parti réformiste enlevait des votes aux Conservateurs ; au Québec, le Bloc Québécois limitait la popularité des Libéraux et des Conservateurs. Le parti social-démocrate de gauche, le NPD, déclina au même rythme que son électorat traditionnel, les agriculteurs et la classe ouvrière, mais il fit des gains auprès des populations défavorisées de l'est du pays. Bref, il ne menaçait pas du tout la gauche des Libéraux. Bien positionnés au centre du spectre, ces derniers, sans renoncer à leur programme budgétaire prudent, obtinrent des majorités surtout parce que l'opposition était divisée et régionalisée. Dans de nombreux domaines, Chrétien, dont le style populiste et en apparence improvisé désarmait le public, parvint à faire de la politique une simple question d'administration. Un acteur qu'il espérait neutraliser à force de négligence échappait toutefois à son emprise : le Québec.

À la fin des années 1980, après l'échec de l'Accord du lac Meech, une commission du gouvernement libéral du Québec avait recommandé la tenue d'un référendum sur la souveraineté dans l'hypothèse où le Canada serait incapable de répondre aux attentes du Québec dans le dossier de la réforme constitutionnelle. Après l'échec de l'Accord de Charlottetown, les Québécois — même s'ils avaient eux-mêmes voté contre l'entente — se sentirent davantage rejetés par le Canada. En 1994, le Parti Québécois reprit le pouvoir en promettant de tenir, au cours de son mandat, un référendum qui trancherait une fois pour toutes la question de la souveraineté. Le gouvernement fédéral, fidèle à ses instincts, c'est-à-dire décidé à faire « moins de politique », ignora pour l'essentiel l'agitation au Québec.

Au début de l'été 1995, le gouvernement du PQ annonça la tenue d'un référendum à l'automne. Bien qu'originaire du Québec, le premier ministre Chrétien ne détenait pas une majorité dans la province, où son style et sa défense du fédéralisme à la Trudeau déplaisaient à la plupart des électeurs. Chrétien avait été le protégé de Trudeau ; en 1981, c'était lui qui avait orchestré dans les coulisses l'accord conclu avec les provinces pour permettre la révolution constitutionnelle de son mentor. Il avait fait campagne contre l'Accord du lac Meech et l'Accord de Charlottetown. Au Québec, il était généralement considéré comme un défenseur intransigeant de l'héritage constitutionnel de Trudeau, hostile à toute révision fondamentale. La question posée aux Québécois, conformément au projet de loi adopté à l'Assemblée nationale, était la suivante : « Acceptez-vous que le Québec devienne souverain, après avoir offert formellement au Canada un nouveau partenariat économique et politique [...] ? »

Dans un premier temps, la campagne du « Oui » donna l'impression de piétiner ; puis, à mi-parcours, Lucien Bouchard, charismatique leader du Bloc Québécois, parti d'opposition à Ottawa, prit les choses en main. Sous sa gouverne, la campagne référendaire prit des airs de happening religieux. Grâce à ses talents oratoires extraordinaires, son flair médiatique et ses appels émotifs à la fierté bafouée du Québec, Bouchard donna aux Québécois envie de voter « Oui ». La campagne du « Non » n'avait pas de leader rassembleur ; Jean Chrétien semblait gauche et timide, même s'il n'était pas du genre à reculer devant le combat. Pendant la campagne, un phénomène curieux se produisit : des milliers de jeunes Canadiens convergèrent vers Montréal. Au cours de l'une des plus importantes manifestations de l'histoire du pays, ils exprimèrent leur désir de voir le Québec rester dans le Canada. Cet automne-là, la démocratie canadienne connut l'un de ses plus grands moments. Le débat fut ciblé et lucide. Les électeurs avaient un choix clair à effectuer (les enjeux, du moins, étaient compris de tous), et quatre-vingt-dix-sept pour cent des électeurs — une proportion ahurissante — exercèrent leur droit de vote. Le « Non » l'emporta par une très faible marge : 50,6 % contre 49,4 %.

Au lendemain de cet exercice traumatisant, le gouvernement fédéral entreprit de rassurer toutes les parties concernées. Aux termes d'une loi du Parlement, il affirma que le Québec constituait une « société distincte », mais la déclaration n'eut pas pour effet de placer celui-ci au-dessus de la Constitution ni de la *Charte*. Pour sa part, le Québec faisait partie de la Constitution, que cela lui plaise ou non. La *Charte* s'appliquait au Québec, qui devait recourir à ses dispositions et aux institutions fédérales pour défendre ses lois contre d'éventuelles contestations judiciaires. La Cour suprême, à laquelle on demanda de préciser la situation juridique entourant une possible séparation, déclara fermement que le Québec ne disposait pas des pouvoirs voulus pour procéder à une déclaration d'indépendance unilatérale, mais elle statua du même souffle que le gouvernement fédéral serait tenu de négocier si une majorité nette de Québécois, en réponse à une question claire et sans ambiguïté, décidait de se séparer dans le cadre d'un vote démocratique. Par la suite, le gouvernement du Canada adopta la *Loi de clarification*, mieux connue sous le nom de « loi sur la clarté référendaire », qui exige que, à l'occasion de tout nouveau référendum québécois, on pose une question portant directement sur l'indépendance.

Voilà en gros l'impasse dans laquelle nous nous trouvons aujourd'hui. Jusqu'à un certain point, la question a été mise en suspens, le soutien populaire pour la souveraineté ayant fondu en raison des restrictions budgétaires imposées par le PQ. Plus récemment, les Québécois ont élu un gouvernement provincial libéral fédéraliste. Depuis trente ans, la question fait figure d'étoile polaire autour de laquelle gravite la politique canadienne. Or, la Constitution et la *Charte* de Trudeau, en dépit de l'hostilité des souverainistes et des tentatives infructueuses de démantèlement dont elles ont fait l'objet, sont toujours la réponse à cette question.

Les funérailles de Pierre Elliott Trudeau, célébrées en septembre 2000, marquèrent un moment clé : le pays prit alors conscience de la mesure dans laquelle il s'était transformé sous l'influence de cet homme. Tandis que les caméras de télévision suivaient le trajet du train emportant son cercueil d'Ottawa à Montréal, au milieu des feuilles colorées de l'automne et des hommages rendus par les commentateurs, les Canadiens, certains pour la première fois, exprimèrent ouvertement l'admiration que leur inspirait ce grand chef d'État. Pour plusieurs, il avait été un personnage plus respecté et admiré qu'aimé. La mort d'un de ses fils dans un accident de montagne survenu l'année précédente avait révélé une autre dimension de l'homme — un côté vulnérable, blessé, plus humain. En partageant son drame d'abord, puis en pleurant sa mort, les Canadiens se mirent à réfléchir à l'homme et à ses idéaux ; ils comprirent alors ce qu'ils devaient à son intelligence redoutable et à sa volonté politique indomptable. Le Québec et les Québécois étaient toujours des éléments dynamiques de la fédération. Le français et l'anglais faisaient désormais partie des aspects traditionnels et admis du discours public. Dans une large mesure, la « société juste » dont rêvait Trudeau était devenue réalité ; dans l'opinion publique, elle s'était élevée, à l'égal du « principe sacré » des programmes sociaux, au rang de trait déterminant de la société distincte. Le droit et les tribunaux s'érigeaient désormais en défenseurs de l'égalité et de la justice sociales. Les parlements, les assemblées législatives et les assemblées nationales n'étaient plus au-dessus des lois. Comme l'illustra à merveille l'image du cercueil flanqué de Jimmy Carter d'un côté et de Fidel Castro de l'autre, le Canada, sous Trudeau, avait trouvé sa propre voix dans un monde polarisé.

Une autre ouverture

Le canada est en devenir depuis très longtemps. De l'an 1000, soit l'époque du premier contact avec les Européens, au XVIe siècle, où les contacts transatlantiques devinrent plus ou moins permanents, le Canada poursuivit sa lente mais implacable transformation. Les efforts de colonisation français et britanniques, et à plus forte raison les maladies associées à ces entreprises, métamorphosèrent les sociétés autochtones, les unes après les autres. Emportés par un élan extraordinaire, les Français se taillèrent un empire en établissant une série d'avant-postes isolés sur une grande partie de l'intérieur du continent, où ils s'adonnèrent au commerce. Entre 1740 et les années 1840, l'Empire britannique succéda à la France, mais il dut composer avec la persistance du peuple français du Québec. Malgré les révolutions, les guerres et les rébellions, les Britanniques préservèrent leur entreprise coloniale à la frontière nord des États-Unis. Du point de vue économique, politique et idéologique, les habitants du Canada étaient britanniques, mais sur le plan social, politique et culturel, ils affichaient une très nette américanité. Pendant les cent années suivantes, les aspirations à l'autonomie nationale se réalisèrent en grande partie. Après la Confédération, le Canada prit sa place dans la moitié septentrionale de l'Amérique du Nord et joua un rôle dans le monde, d'abord à titre de pays quasi dépendant par rapport à l'Empire britannique, puis en tant que membre à part entière du Commonwealth.

Sur le plan territorial, l'union des colonies de l'Amérique du Nord britannique, dispersées à gauche et à droite, fut une réussite, mais des tensions régionales, culturelles et religieuses nuisaient à la cohésion sociale et économique. À la faveur d'une nouvelle transformation, survenue dans la deuxième moitié du XXe siècle, une société distincte — au sein d'un État indépendant, prospère, bilingue et multiculturel — allait prendre forme. Néanmoins, les provinces n'ont jamais cessé de remettre en question la suprématie du gouvernement fédéral ; de temps à autre, le Québec menaça l'intégrité de la fédération elle-même. Pendant ce temps, l'économie, entièrement intégrée à celle des États-Unis et du Mexique, ne se montra pas toujours à la hauteur des attentes.

La transformation se continue. Au tournant du millénaire, le fédéralisme étatiste de Trudeau, osons le dire, avait atteint son apogée. Il avait fait du Canada une société distincte. L'histoire, cependant, ne s'arrête pas là. Au sommet de sa splendeur, ce Canada-là s'apprête aussi à changer. Les entreprises s'intéressent non plus aux marchés nationaux ou provinciaux, mais bien plutôt aux marchés mondiaux ou à tout le moins continentaux. La mondialisation a pris le relais de l'américanisation à titre de principale source d'inquiétude des Canadiens. Sous l'impulsion de partis d'opposition, la réduction de la taille de l'État et le renversement de la tendance vers un gouvernement toujours plus « gros » sont devenus des enjeux populaires. À l'étranger, on connaît le Canada pour son capital humain — romanciers, chanteurs, acteurs, cinéastes, artistes, athlètes, chercheurs universitaires, ingénieurs et chefs d'entreprise — plus que pour ses ressources naturelles. Sous la surface étale des politiques établies, le Canada évolue au gré du changement social et culturel.

Les jeunes et les nouveaux arrivants d'aujourd'hui ont des préoccupations différentes de celles qui ont marqué le XXe siècle. Aux oreilles de cette nouvelle population urbaine, composée en grande partie de personnes nées à l'étranger, les vieilles querelles sonnent creux. C'est particulièrement vrai à l'extérieur du Québec, quoique l'immigration ait aussi compliqué la composition sociale de cette province et sa politique. La solidarité ethnique des « pure laine » ne constitue plus une assise légitime pour la nation québécoise. Le Canada a été divisé et reconfiguré. La race et le sexe, plus encore que la langue, la religion et les droits des provinces, ont défini un nouveau cadre politique au sujet duquel la Cour suprême — où siégeaient trois femmes, y compris la juge en chef — entretient désormais un dialogue constant avec le Parlement. La croyance répandue selon laquelle les Premières nations finiraient par disparaître ou par s'assimiler, soit l'hypothèse sur laquelle a reposé la politique gouvernementale du Canada pendant une bonne partie de son histoire, a été vaincue par la résistance des Autochtones et l'insistance avec laquelle ils ont fait valoir leurs droits. La justice pour les Premières nations, fondée sur les revendications territoriales, les droits de la personne et une interprétation plus large des traités, pose à nouveau l'une des questions les plus lancinantes de l'histoire du Canada : comment faire en sorte que les Autochtones participent pleinement à la prospérité et à la citoyenneté du Canada tout en conservant une identité distincte qu'il leur appartient de définir ?

Sans s'en rendre compte, le Canada est devenu une nation faite de villes, mais ce sont les provinces qui siégeaient à la table où les ressources furent allouées et les compétences attribuées. À l'extérieur, la fin de la guerre froide et le déclenchement brutal d'une guerre politico-religieuse ouverte contre les États-Unis ont marqué le début d'une toute nouvelle phase dans les relations internationales. Le Canada doit maintenant composer avec un dilemme périlleux : être avec ses voisins, dont la première préoccupation est la sécurité, ou être contre eux.

Au milieu de ces tensions, de ces espoirs et de ces possibilités, un autre Canada est en voie de formation. Impossible de prédire à quoi il ressemblera. Aussi sûrement que par le passé, l'histoire tire sur les ficelles, et le Masque de transformation s'ouvre une fois de plus.

Table des matières